DULCE Y AMARGO

DANIELLE STEEL

DULCE Y AMARGO

Traducción de
Margarita Cavándoli

PLAZA & JANÉS EDITORES, S.A.

Título original: *Bittersweet*

Primera edición: abril, 2001

© 1999, Danielle Steel
© de la traducción: Margarita Cavándoli
© 2001, Plaza & Janés Editores, S. A.
Travessera de Gràcia, 47-49. 08021 Barcelona

Printed in Spain – Impreso en España

ISBN: 84-01-01454-9
Depósito legal: B. 14.117 - 2001

Fotocomposición: gama, s. l.

Impreso en A & M Gràfic, S. L.
Santa Perpètua de Mogoda (Barcelona)

L 014549

Para Tom,
por lo amargo
y por lo dulce,

con todo mi afecto,
d. s.

Jamás aceptes algo inferior a tus sueños. En algún sitio y momento, algún día y de alguna manera los encontrarás.

1

India Taylor tenía la cámara preparada cuando el indisciplinado ejército de niños de nueve años corrió por el campo tras el balón de fútbol que perseguían acaloradamente. Cuatro cayeron y formaron una maraña de brazos y piernas. Supo que allí estaba su hijo Sam, pero no lo distinguió mientras disparaba la cámara sin cesar. Se había comprometido a hacer fotos del equipo y le encantaba asistir al partido esa cálida tarde de mayo en Westport.

Acompañaba a sus hijos a todas partes: al fútbol, al béisbol, a natación, a ballet y a tenis. No sólo lo hacía porque era lo que esperaban de ella, sino porque le gustaba. Su vida era un ajetreo ininterrumpido de trayectos en coche y actividades extraescolares, salpicado de visitas al dentista y el pediatra cada vez que enfermaban o necesitaban un chequeo. Con cuatro hijos de entre nueve y catorce años, India tenía la sensación de que vivía en el coche.

Adoraba a sus hijos, su vida y a su marido. La vida los había tratado bien y, aunque no era lo que imaginaba en su juventud, lo cierto es que se había adaptado mejor de lo que suponía. Los sueños que Doug y ella habían compartido ya no tenían nada que ver con la existencia que llevaban, los seres en que se habían convertido y el lugar al que habían llegado desde que veinte años atrás se conocieron en una misión del Cuerpo de Paz en Costa Rica.

La vida que en el presente compartían era la que quería Doug, su visión de futuro y el sitio al que aspiraba llegar: una casa grande y cómoda en Connecticut, seguridad para ambos, varios hijos y un perro labrador. Cada día salía a la misma hora para su trabajo en Nueva York y cogía el tren de las siete y cinco en la estación de Westport. Veía las mismas caras, hablaba con las mismas personas y llevaba las mismas cuentas en el despacho. Trabajaba para una de las empresas de investigación de mercados más influyentes del país, un trabajo bien remunerado. En el pasado, India no se había preocupado por el dinero; en realidad, le daba igual. Se había sentido feliz cavando canales de riego y viviendo en tiendas de campaña en Nicaragua, Perú y Costa Rica.

Aquellos tiempos la habían cautivado por el entusiasmo y los desafíos que entrañaban y por la sensación de que hacía algo por la humanidad. Los peligros a los que tuvieron que hacer frente incluso la animaban a continuar.

Había empezado a hacer fotos mucho antes, en plena adolescencia. Aprendió de su padre, que era corresponsal del *New York Times*. Durante la niñez apenas lo vio pues lo enviaban a cubrir peligrosos reportajes de guerra. No sólo le encantaban sus fotos, sino las historias que él contaba. De pequeña soñaba con llevar una vida como la de su padre. Sus sueños se hicieron realidad cuando colaboró de manera independiente con periódicos estadounidenses mientras formaba parte del Cuerpo de Paz.

Los reportajes la llevaron a internarse en la selva y tuvo que hacer frente a bandidos y guerrilleros. En ningún momento se detuvo a pensar en los riesgos que corría. Para India el peligro era emocionante y, a decir verdad, le encantaba. Adoraba a las personas, las vistas, los olores, la profunda alegría de lo que hacía y la sensación de libertad que le proporcionaba. Cuando ambos terminaron la colaboración con el Cuerpo de Paz y Doug regresó a Estados Unidos, India permaneció varios meses en América Central y del Sur y posteriormente cubrió noticias en África y Asia. Logró estar presente en los sitios más conflictivos. Dondequiera que hubiera disturbios, India acudía y sacaba fotos. Formaba parte de su alma y de su sangre de un modo que jamás lo había estado en las de Doug. Para él había sido una experiencia emocionante, algo que realizar antes de asentarse y llevar una «vida real». Para India, ésa era la vida real y lo que verdaderamente deseaba.

En Guatemala había convivido dos meses con el ejército insurgente, tomando fotos increíbles que recordaban las de su padre. No sólo las habían alabado en todo el mundo, sino que le otorgaron varios premios por el modo de cubrir la noticia, su impacto y su valor.

Al recordar aquellos tiempos se daba cuenta de que había sido distinta, una persona en la que a veces pensaba y se preguntaba qué había sido de ella. ¿Dónde se había metido esa mujer, ese espíritu libre, indómito y apasionado? India aún la recordaba, aunque también era consciente de que ya no la conocía. Su vida había cambiado tanto que ya no tenía nada que ver con aquella mujer. A última hora de la noche se encerraba en el cuarto oscuro y en ocasiones se preguntaba cómo era posible que la satisficiera una existencia tan alejada de aquella que en el pasado tanto le había gustado. Por otro lado, sabía con absoluta certeza que adoraba la vida que compartía en Westport con Doug y los niños. Cuanto hacía en el presente era tan importante como lo había sido su existencia anterior. No experimentaba la sensación de sacrificarse ni de renunciar a nada, simplemente consideraba que la había cambiado por algo muy distinto. Siempre había creído que los beneficios habían merecido la pena. Se dijo que lo que hacía por su familia era muy importante para Doug y los niños. Estaba convencida de ello.

Al contemplar sus fotos quedaba de manifiesto que había sentido pasión por esa actividad. Algunos recuerdos perduraban intactos. Todavía recordaba la emoción, la sensación febril de saber que corría peligro, el escalofrío de captar el momento perfecto, la explosiva fracción de segundo en la que todo se reflejaba a través del visor de la cámara. No había vuelto a experimentar nada parecido. Se alegraba de haberlo hecho y superado. Sabía que lo que sentía lo había heredado de su padre. Éste había muerto en Da Nang cuando India contaba quince años de edad; un año antes le habían concedido el premio Pulitzer. A India no le había costado seguir sus pasos. Fue una trayectoria que en aquel momento no quiso ni pudo alterar. Necesitaba recorrer ese camino. Los cambios llegaron más adelante.

Regresó a Nueva York un año y medio después que Doug, cuando éste le dio un ultimátum. Le dijo que si quería compartir el futuro con él le convenía «asentar el culo en Nueva York» y dejar de jugarse el pellejo en Pakistán y Kenia. India sabía que tenía por delante una vida muy parecida a la de su padre y que tal vez también conseguiría el Pulitzer, pero al mismo tiempo reconocía los riesgos de la situación. A la larga, a su padre le había costado la vida y, hasta cierto punto, el matrimonio. Los únicos momentos de la vida que le importaban verdaderamente eran cuando lo arriesgaba todo a cambio del encuadre perfecto mientras las bombas estallaban a su alrededor. Doug le recordó que si deseaba estar con él y disfrutar de una existencia mínimamente tranquila, tarde o temprano tendría que decidirse y renunciar a su profesión.

A los veintiséis años se casó con Doug y durante un par de años trabajó para el *New York Times* haciendo fotos locales.

Doug estaba deseoso de tener hijos. Jessica nació poco antes de que India cumpliese los veintinueve. Dejó su trabajo en el periódico, se mudaron a Connecticut y cerró definitivamente las puertas a su vida anterior. Fue el acuerdo al que llegaron. Cuando se casaron, Doug dejó claro que, en cuanto tuvieran hijos, India tendría que dedicarse exclusivamente a la familia. Ella accedió, pues pensaba que estaría preparada para esa renuncia. Tuvo que reconocer que dejar el *Times* y consagrarse a la maternidad había sido más duro de lo que creía. Al principio echaba de menos su trabajo. Luego lo recordaba con pesar y después ni siquiera le quedó tiempo de pensar en ello. Tuvo cuatro hijos en cinco años, por lo que apenas pudo tomarse un respiro o colocar un carrete en la cámara. Se dedicó a los trayectos cortos en coche, los pañales, la dentición, los cuidados infantiles, la fiebre, los grupos de juegos y un embarazo tras otro. Las dos personas a las que veía con más frecuencia eran el ginecólogo y el pediatra y, por descontado, a las demás mujeres con las que se encontraba a diario, que llevaban una existencia idéntica a la suya y sólo se ocupaban de sus hijos. Algunas habían renunciado a su profesión o decidido moderar sus inquietudes adultas hasta que los hijos tuvieran una cierta edad. India se decantó por esta opción. Esas médicas, abogadas, escritoras, enfermeras, pintoras y arquitectas habían arrinconado sus profesiones a fin de ocuparse de los hijos. Algunas no hacían más que quejarse. Aunque añoraba el trabajo, a India no le molestaba lo que hacía. Adoraba compartir la jornada con sus hijos aunque al llegar la noche estuviese agotada y Doug llegara demasiado tarde para ayudarla. Era la vida que había elegido, la decisión que había tomado, el acuerdo que no había dejado de cumplir un solo día. No habría cambiado el cuidado de sus hijos por seguir trabajando. Si tenía tiempo, una vez cada equis años cubría una noticia. No disponía de tiempo para hacerlo más a menudo, como ya había explicado a su representante.

Lo que no sabía o no había comprendido claramente antes del nacimiento de Jessica fue lo mucho que se distanciaría de su existencia anterior. Mientras fotografiaba a los guerrilleros nicaragüenses, los niños que morían de hambre en Bangladesh o las inundaciones en Tanzania, no imaginaba lo distinta que sería o hasta qué punto se convertiría en otra persona.

Era consciente de que debía cerrar la puerta a los primeros capítulos de su vida y lo había hecho sin pensar en el prestigio que había ganado, en lo emocionante que era y en su capacidad. En su fuero interno —y, sobre todo, en el de Doug—, renunciar era el precio que debía pagar a cambio de tener hijos. No existía otra posibilidad. Conocía a algunas mujeres que hacían malabarismos para trabajar fuera y en casa; conocía a un par de amigas que seguían ejerciendo de abogadas y dos o tres veces por semana se trasladaban a la ciudad, artistas hogareñas y algunas escritoras que se esforzaban por escribir relatos entre el biberón de la medianoche y el de las cuatro de la madrugada. Pero al final abandonaban agotadas. A India le resultó imposible. No veía cómo continuar con su profesión tal como la había conocido. Se mantenía en contacto con su representante y de vez en cuando cubría noticias locales, aunque fotografiar las exposiciones florales de Greenwich no le producía la menor satisfacción. Por si fuera poco, a Doug no le gustaba. Por eso usaba la cámara como una especie de herramienta materna: no dejó de realizar archivos fotográficos de los primeros años de vida de sus hijos y de los niños de sus amigas, de la escuela y de actividades deportivas. Eso era lo que hacía en ese momento, mientras Sam y sus amigos jugaban a fútbol. No existía otra opción. Estaba atada, encadenada, con los pies encajados en un bloque de cemento, sujeta a su existencia de mil maneras distintas, tanto visibles como invisibles. Era lo que Doug y ella habían acordado y lo que querían. Ella había cumplido su parte del trato, pero siempre llevaba la cámara consigo. Era incapaz de imaginar la vida sin una cámara fotográfica.

De vez en cuando pensaba que volvería a trabajar en cuanto los niños crecieran, tal vez dentro de cinco años, fecha en que Sam ingresaría en el instituto. De momento no era posible. Sam sólo tenía nueve años; Aimee, once; Jason, doce, y Jessica, catorce. La vida de India era una ronda incesante de actividades de sus hijos: deportes extraescolares, barbacoas, partidos de fútbol y clases de piano. La única manera de cumplir con todo consistía en no parar jamás, no pensar en sí misma ni sentarse cinco minutos. Sólo respiraba en verano, cuando iban a Cape Cod. Doug permanecía tres semanas con ellos en la playa y el resto del tiempo se trasladaba los fines de semana. La familia al completo adoraba las vacaciones en Cape Cod. Cada año India realizaba magníficas fotografías y disponía de un poco de tiempo para sí misma. Al igual que en Westport, en la casa de la playa había adecentado un cuarto oscuro. En Cape Cod se encerraba horas en él mientras los niños visitaban a sus amigos, iban a la playa o jugaban a voleibol y tenis. En vacaciones usaban menos el coche pues los niños se desplazaban en bici a todas partes, por lo que tenía más tiempo libre, sobre todo desde hacía dos años, ya que Sam era más independiente. Su pequeño se estaba haciendo mayor. La única cuestión que se planteaba de vez en cuando era hasta qué punto había madurado. A veces se sentía culpable por los libros que no tenía tiempo de leer y porque la política había dejado de interesarle. En ocasiones tenía la sensación de que el mundo se movía y prescindía de ella. No percibía su maduración o evolución; su existencia consistía en mantenerse a flote, preparar la comida, trasladar a los chicos en coche y lograr que aprobasen un curso tras otro. En los últimos años de su vida nada le inducía a sentir que había evolucionado.

Su existencia había sido prácticamente igual durante los últimos catorce años, desde el nacimiento de Jessica: una vida de servicios, sacrificios y transacciones. Claro que el resultado era tangible y visible. Sus hijos estaban sanos y eran felices. Vivían en un mundo cerrado, conocido y seguro que giraba exclusivamente alrededor de ellos. Nada desagradable, inquietante o molesto los afectaba, y lo más grave que les podía ocurrir era una pelea con un niño vecino u olvidarse de hacer las tareas escolares. Desconocían la soledad tal como India la había experimentado de niña a raíz de la ausencia de su padre. Sus hijos estaban cuidados y atendidos con esmero. Cada noche su padre regresaba a casa a cenar. Este hecho era fundamental para India, pues sabía demasiado bien lo que significaba su ausencia.

Sus hijos vivían en un mundo muy distinto al de los niños que había retratado hacía dos décadas; esos niños se morían de hambre en África, corrían peligros inimaginables en los países subdesarrollados, arriesgaban su supervivencia diariamente, tenían que huir de sus enemigos o morían a causa de agresores naturales como las enfermedades, las inundaciones y las hambrunas. Sus hijos jamás conocerían una vida así, y eso era un hecho que la alegraba profundamente.

En ese instante, India vio que su hijo pequeño se apartaba de la maraña de críos que se le habían echado encima después de marcar un gol y le saludaba con la mano.

India sonrió, accionó el obturador de la cámara y regresó lentamente al banco donde se sentaban las otras madres. Ninguna miraba el partido pues estaban ocupadas charlando. Su presencia era tan habitual que casi nunca se fijaban en el juego o en lo que hacían sus hijos. Hacían acto de presencia, lo mismo que el banco en que se sentaban: formaban parte del escenario o del equipo.

A medida que India se acercaba, Gail Jones sonrió al verla. Hacía muchos años que eran amigas. India sacó del bolsillo un carrete y Gail le hizo sitio para que se sentase. Por fin los árboles volvían a tener hojas y todas estaban de buen humor. Gail sonrió y le ofreció un cappuccino en un vaso de plástico. Era un ritual, sobre todo en los gélidos inviernos en que asistían a los partidos de sus hijos, con el suelo cubierto de nieve, lo que las obligaba a mover los pies y caminar para entrar en calor.

—Sólo faltan tres semanas para que termine este curso —comentó Gail con alivio, y bebió un sorbo del humeante cappuccino—. Detesto los partidos de fútbol. Me encantaría tener niñas, al menos una. Cualquier día la vida definida por las camisetas y las botas de fútbol me volverá loca —acotó y sonrió pesarosa.

India sonrió a Gail, colocó el carrete y cerró la cámara. Estaba acostumbrada a las quejas de su amiga. Hacía nueve años que Gail se lamentaba de haber renunciado a su profesión de abogada.

—Te aseguro que también te hartarías del ballet. Es lo mismo, con otro uniforme y más presión —aseguró India a sabiendas de lo que decía.

Esa primavera, después de ocho años Jessica había dejado el ballet e India no sabía si alegrarse o preocuparse. Echaría de menos los festivales pero no añoraría los tres viajes semanales en coche. Jessica había cambiado el ballet por el tenis y ponía el mismo empeño; afortunadamente podía ir en bici y su madre no estaba obligada a coger el coche.

—Al menos las zapatillas de ballet son bonitas —repuso Gail mientras se levantaba.

Ambas mujeres caminaron lentamente alrededor del campo. India quería hacer más fotos desde otro ángulo para regalarlas al equipo y Gail la acompañó. Eran amigas desde que los Taylor se mudaron a Westport. El hijo mayor de Gail era como Jessica y tenía gemelos de la edad de Sam. Entre un embarazo y otro Gail había esperado cinco años pues su deseo era volver a trabajar. Se había dedicado a pleitos, pero después de alumbrar a los gemelos dejó de trabajar y tenía la sensación de que llevaba demasiado tiempo desconectada para plantearse regresar al bufete. En lo que a Gail se refería, su carrera había terminado; tenía cinco años más que India y aseguraba que, a los cuarenta y ocho, ya no le apetecía desgañitarse en los tribunales. Afirmaba que lo que de verdad añoraba eran las conversaciones inteligentes. Pese a las quejas, a veces Gail reconocía que era más fácil llevar esa vida y dejar que su marido librara diariamente la guerra en Wall Street. Su existencia también se definía por partidos de fútbol y traslados en coche. A diferencia de India, Gail estaba más dispuesta a reconocer que su vida la aburría. Por añadidura, tenía una leve y constante sensación de desasosiego.

—¿Qué piensas hacer? —inquirió Gail en cuanto acabó el cappuccino—. ¿Cómo va la vida en el paraíso de las madres?

—Muy ajetreada, como de costumbre. —India tomó varias fotografías; una excelente de Sam y otras cuando el equipo rival marcó un gol—. Dentro de unas semanas, en cuanto acaben las clases, nos vamos a Cape Cod. Este año Doug no hace vacaciones hasta agosto.

Habitualmente Doug intentaba veranear antes.

—En julio viajamos a Europa —dijo Gail sin entusiasmo.

India la envidió fugazmente. Hacía años que intentaba convencer a Doug de que visitasen Europa, pero su marido prefería esperar a que los niños fueran mayores. India siempre le recordaba que, si esperaba demasiado, los hijos volarían del nido, asistirían a la universidad e irían a Europa por su cuenta. De momento no lo había convencido. A diferencia de India, a Doug no le interesaba viajar pues su época aventurera estaba más que cumplida.

—Suena muy prometedor —aseguró India y se volvió para mirar a su amiga.

Las mujeres formaban un contraste interesante. Gail era menuda y apasionada; tenía el pelo oscuro y corto y sus ojos castaños eran sumamente vivaces. India era alta, delgada, de facciones clásicas, ojos azules y larga coleta rubia que le colgaba a la espalda. Siempre decía que llevaba el pelo recogido porque no tenía tiempo de peinarse. Al caminar, ninguna aparentaba los cuarenta y tantos años que tenían.

—¿Qué lugares visitaréis? —preguntó India.

—Italia y Francia. También pasaremos un par de días en Londres. No es precisamente una gran aventura ni un viaje de riesgo, pero con los niños es mejor así. Jeff quiere asistir al teatro en Londres. Hemos alquilado una casa en la Provenza, donde pasaremos dos semanas en julio. Iremos en coche a Italia y llevaremos a los niños a Venecia. —A India le pareció un viaje fantástico que nada tenía que ver con su tranquilo veraneo en Cape Cod—. Estaremos fuera seis semanas. No estoy segura de que Jeff y yo nos soportemos tanto tiempo, por no hablar de los chicos. Jeff pierde los estribos cuando pasa más de diez minutos con los gemelos.

Gail solía referirse a su marido de la misma manera que otros aludían a molestos compañeros de habitación, si bien India estaba convencida de que, por mucho que protestase, su amiga lo quería. Estaba segura de que era así pese a que las pruebas apuntaban en sentido contrario.

—Sé que lo pasaréis bien y veréis muchas cosas interesantes —apostilló India, aunque la idea de pasar períodos largos en el coche con los gemelos de nueve años y otro hijo de catorce tampoco la atraía.

—No conoceré a un apuesto italiano porque estaré todo el tiempo con los chicos y Jeff querrá que le haga de intérprete.

India rió y meneó la cabeza. Una de las peculiaridades de Gail consistía en hablar de otros hombres... y en ocasiones hacía algo más que hablar. Le había contado que en sus veintidós años de matrimonio con Jeff había vivido varias aventuras y la sorprendió al añadir que, a su manera, eso había mejorado la pareja. Era una clase de perfeccionamiento que a India jamás la había atraído y con el que no estaba de acuerdo. No obstante, sentía un gran afecto por Gail.

—Puede que Italia despierte algo de romanticismo en Jeff —dijo.

Se colgó la cámara del hombro y contempló a aquella mujer menuda e inquieta que había sido el terror de los tribunales. Era una situación fácil de imaginar. Gail Jones no aceptaba tonterías de nadie y, menos aún, de su marido. Era una amiga leal y, pese a sus quejas, una madre cariñosa.

—Creo que ni una transfusión de sangre de un gondolero veneciano despertaría el romanticismo en Jeff Jones. Por si esto fuera poco, los chicos nos acompañarán las veinticuatro horas del día. Antes de que lo olvide, ¿te has enterado de que los Lewison se han separado?

India asintió con la cabeza. No prestaba mucha atención a los cotilleos pues estaba demasiado ocupada con su vida, sus hijos y su esposo. Tenía un grupito de amigas por las que se preocupaba, pero las extravagancias de la vida de otros y curiosear no la atraían.

—Dan me invitó a comer. —India la miró de soslayo. Gail sonrió con complicidad—. No pongas esa cara. Sólo busca asesoramiento legal gratuito y un hombre en el que llorar.

—Déjate de historias. —Aunque no le interesaran los chismorreos locales, India sabía que a Gail le encantaba coquetear con los maridos de las demás—. Siempre le has caído bien.

—Y él a mí. Pero no pasa nada. Estoy aburrida y Dan se siente solo, furioso y desgraciado. Todo eso equivale a una comida, no necesariamente a una tórrida aventura amorosa. Te aseguro que no tiene nada de atractivo oírle quejarse de lo mucho que Rosalie le recriminaba no ocuparse de los niños y los domingos ver el fútbol por la tele. Dan no está preparado para otra cosa y todavía abriga la esperanza de la reconciliación. Es algo complicado, incluso para mí.

India observó a su amiga y la notó inquieta. Según la propia Gail, hacía años que Jeff no la excitaba. India lo sabía y no la sorprendía. Jeff no era un hombre excitante. De todos modos, nunca se le había ocurrido preguntar a Gail qué consideraba excitante.

—Gail, ¿qué quieres? ¿Para qué te tomas la molestia de comer con un hombre que no es tu marido? ¿En qué te beneficia?

Estaban casadas, llevaban una existencia ajetreada, tenían hijos que las necesitaban y obligaciones más que suficientes para no meterse en líos. India tenía la sensación de que Gail buscaba algo intangible y esquivo.

—¿Qué tiene de malo? Comer de vez en cuando con un hombre da sabor a mi vida. Si se convierte en otra cosa tampoco es el fin del mundo. Me acelera el pulso y vuelvo a sentirme viva. Me convierte en algo más que en chófer y ama de casa. ¿No lo echas de menos?

Gail taladró a su amiga con la mirada, seguramente como hacía en los tribunales cuando interrogaba a los acusados.

—No lo sé —repuso India francamente—. No lo pienso.

—Pues deberías pensarlo. Es posible que un día te hagas muchas preguntas sobre lo que no tuviste y no hiciste y deberías haber tenido y hecho. —Era posible, pero para India engañar a su marido aunque sólo fuese para comer con otro hombre no representaba, ni muchísimo menos, la solución ideal—. Sé franca, ¿nunca añoras la vida que llevabas antes de casarte?

La mirada de Gail denotaba que sólo aceptaría una respuesta totalmente sincera.

—Pienso en lo que solía hacer, en la vida que llevábamos..., pienso en el trabajo... en Nicaragua, en Perú, en Kenia... Pienso en lo que hice y en lo que significó para mí. Por supuesto que a veces lo echo de menos. Fue maravilloso y me encantó, pero no añoro a los hombres que recorrieron conmigo parte de ese camino.

No los añoraba, sobre todo, porque sabía que Doug apreciaba que hubiese renunciado por él.

—Supongo que en este aspecto has tenido suerte. ¿Cuándo volverás a trabajar? Con tus credenciales podrías hacerlo cuando quisieras. No es como la abogacía, yo ya no estoy en forma, he perdido el tren. A ti te basta la cámara para volver mañana mismo al ruedo. Es una locura que desperdicies tu talento.

India sabía muy bien cómo había sido la vida de su padre y la de su familia. La situación era más compleja de lo que Gail suponía. Por vivir esa vida se pagaba un precio altísimo.

—No es tan sencillo y lo sabes. ¿Qué pretendes que haga? ¿Esperas que esta noche llame a mi representante y le diga que por la mañana me envíe a Bosnia? Doug y mis hijos darían saltos de alegría.

La idea era tan descabellada que rió. Sabía perfectamente, al igual que Gail, que aquella época pertenecía al pasado. A diferencia de su amiga, India no necesitaba demostrar su independencia ni abandonar a su familia. Amaba a Doug y a sus hijos y estaba convencida de que su marido también la quería.

—Es posible que lo prefieran a que te vuelvas aburrida y gruñona.

India se sorprendió y miró a Gail.

—¿Lo soy? Dime, ¿soy gruñona?

Era cierto que en ocasiones se sentía sola y que de vez en cuando tenía nostalgia, pero ya no le sucedía a menudo. Nunca se había sentido realmente insatisfecha de lo que hacía. Aceptaba la situación a la que la vida la había conducido. Incluso le gustaba. Sabía que sus hijos no serían eternamente pequeños. Crecían rápidamente y en septiembre Jessica había comenzado el instituto. En el futuro podría reanudar su trabajo... siempre y cuando Doug se lo permitiera.

—Yo diría que te aburres, como a veces me ocurre a mí —repuso Gail sinceramente y la miró. En ese momento casi se había olvidado de sus hijos—. Aunque lo aceptas de buena gana, renunciaste a mucho más que yo. Si hubieras continuado con tu profesión ahora tendrías un Pulitzer y lo sabes.

—Lo dudo. Podría haber acabado como mi padre. Sólo tenía cuarenta y dos años cuando murió abatido por un francotirador. Ahora tengo un año más que él y hay que reconocer que era mucho más listo y con más talento que yo. No puedes llevar siempre esa clase de vida. Todo juega en tu contra.

—Algunas personas lo consiguen. Si vivimos hasta los noventa y cinco, ¿qué pasará? ¿Quién lamentará nuestra muerte salvo nuestros maridos e hijos?

—Tal vez con eso sea suficiente —murmuró India.

Gail le planteaba cuestiones en las que casi nunca pensaba, aunque tuvo que reconocer que últimamente la asaltaba la idea de que hacía mucho que no realizaba algo realmente inteligente, por no hablar de los desafíos que había dejado pasar. Un par de veces había intentado comentarlo con su marido pero Doug respondió que todavía se estremecía al recordar su etapa en el Cuerpo de Paz. En la actualidad Doug era mucho más feliz.

—No estoy tan segura como tú de que mi trabajo cambiara el mundo —observó India—. ¿Es realmente importante la persona que hace las fotos que vemos de Etiopía, Bosnia o una colina dejada de la mano de Dios un cuarto de hora después de que maten a un rebelde? ¿A quién le interesa? Tal vez lo que hago aquí es más importante.

India estaba convencida de que era así, pero Gail no compartía su opinión.

—Puede que no —espetó secamente—. Quizá lo que cuenta es que no eres tú, sino otra persona, quien toma esas fotos.

—Que lo hagan —dijo India y no se dejó convencer.

—¿Por qué? ¿Por qué han de ser los otros los que se diviertan? ¿Por qué nos toca estar en un maldito barrio residencial y limpiar el suelo cada vez que uno de nuestros hijos derrama zumo de manzana? Me gustaría que, para variar, lo hiciera otro. ¿No crees que representaría un cambio?

—Creo que nuestra presencia es importante para nuestras familias. ¿Qué existencia llevarían los míos si estuviera en un avión destartalado volando con un tiempo de mil demonios, expuesta a que me derriben en una guerra de la que nadie ha oído hablar y que no interesa? Eso sí sería un cambio radical para mis hijos.

—Yo no estaría tan segura. —Cuando reanudaron el paseo Gail parecía desdichada—. Últimamente no dejo de pensar en las razones por las que estoy en mi casa y en lo que hago. Tal vez se debe a la menopausia o, simplemente, a que tengo miedo de no volver a enamorarme o de que al mirar a un hombre no se me acelere el pulso. Quizá lo que me altera es saber que durante el resto de mi vida Jeff y yo nos miraremos y pensaré que, aunque no es la octava maravilla, tengo que conformarme porque me ha tocado en suerte.

Era una manera deprimente de sintetizar veintidós años de matrimonio e India la compadeció.

—Las cosas no son tan sombrías y lo sabes.

India abrigaba la esperanza de que así fuese por el bien de Gail; de lo contrario, resultaría terrible.

—No tanto. Está bien, pero resulta aburrido. Jeff es aburrido. Yo soy aburrida. Nuestra vida es aburrida. Dentro de diez años tendré casi sesenta y la vida será todavía más aburrida. ¿Qué puedo esperar?

—Te sentirás mejor después de recorrer Europa este verano —la animó India.

Gail se encogió de hombros y apostilló:

—Puede ser, pero lo dudo. Ya hemos estado en Europa. Jeff se dedicará a quejarse de lo mal que conducen en Italia, detestará el coche que alquilemos y protestará por el mal olor de los canales venecianos en verano. India, seamos francas, Jeff no es precisamente un romántico.

India sabía que su amiga se había casado porque estaba embarazada pero, al cabo de tres meses, había perdido el niño. Estuvo siete años tratando de volver a quedar en estado mientras escalaba hasta lo más alto en el escalafón del bufete. Su vida había sido menos complicada que la de Gail y la decisión de abandonar su profesión le había resultado menos dolorosa. Nueve años después de retirarse a causa del nacimiento de los gemelos, Gail aún se preguntaba si había hecho lo correcto. Había creído que estaba preparada para dejarlo, pero era evidente que no. Cabía la posibilidad de que sus comidas con otros hombres y sus infidelidades fueran el modo de compensar lo que Jeff nunca le daría, lo que no era y probablemente nunca había sido. India se preguntó si esas aventuras lograban que su amiga se sintiese todavía más insatisfecha con su vida. Tal vez buscaba algo que no existía o a lo que nadie tenía acceso. Quizá a Gail le resultaba imposible reconocer que esa faceta de sus vidas estaba cumplida. Doug jamás regresaba del despacho con un ramo de rosas. Y ella tampoco esperaba que lo hiciese. Aceptaba y le gustaba lo que habían creado. Doug también estaba satisfecho con lo que tenían.

—Es probable que ninguna vuelva a enamorarse locamente, creo que en este aspecto no hay nada que hacer —comentó India pragmáticamente.

Gail se encrespó.

—¡No digas tonterías! Si pensara así me moriría. ¿Por qué no tenemos derecho a enamorarnos? Nos lo merecemos a cualquier edad, como todo el mundo. Es el motivo por el que Rosalie dejó a Dan Lewison. Se ha enamorado de Harold Lieberman, razón por la cual Dan no la recuperará. Harold está loco por Rosalie y quiere casarse con ella.

India se sorprendió.

—¿Por eso abandonó a su esposa? —Gail asintió con la cabeza—. No me entero de nada, vaya. ¿Cómo es posible que no lo supiera?

—Porque eres muy buena, muy pura y la esposa perfecta —bromeó Gail.

Eran amigas hacía tanto tiempo que cada una confiaba plenamente en la otra. Se aceptaban tal como eran e India jamás la criticaba por acostarse con otros hombres, pese a que lo reprobaba y no lo entendía. La única explicación consistía en que Gail experimentaba un vacío que nada parecía llenar.

—¿Es lo que quieres? ¿Dejar a Jeff por el marido de otra? ¿Cambiaría eso tu situación?

—Probablemente no —admitió Gail—. Por eso no lo he hecho. Creo que quiero a Jeff. Somos amigos. La pega es que no resulta muy estimulante.

—Tal vez sea mejor así —observó India, y reflexionó acerca de lo que Gail acababa de decir—. Yo ya he tenido suficientes estímulos en el pasado y no quiero más —dijo con firmeza, como si intentara convencerse a sí misma más que a su amiga pero, por esta vez, Gail aceptó a pies juntillas sus palabras.

—Si lo que dices es verdad, eres muy afortunada.

—Ambas lo somos —afirmó India para animarla.

Seguía pensando que la solución no radicaba en que su amiga comiera con Dan Lewison u otros hombres como él. ¿Adónde la conduciría? ¿A un motel entre Westport y Greenwich? ¿Y qué? India era incapaz de imaginarse en la cama con otro hombre que no fuera su marido. Después de diecisiete años con Doug no deseaba a nadie más. Amaba la vida con Doug y sus hijos.

—Sigo pensando que desaprovechas tu creatividad —la azuzó Gail pues sabía perfectamente que era el único resquicio en la armadura de India, el único tema que a veces la llevaba a plantearse preguntas incómodas—. Deberías volver a trabajar.

Gail siempre decía que su amiga tenía un enorme talento y

que era lamentable que lo desperdiciase. India indefectiblemente respondía que, si le apetecía, en el futuro volvería a trabajar. De momento no tenía tiempo ni ganas de cubrir más que una noticia ocasional. Los niños requerían muchas horas y no deseaba cambiar su relación con Doug.

—Ya. Pero si vuelvo a trabajar tú aprovecharás para ir a comer con Doug. ¿Crees que soy tan tonta?

Rieron. Gail meneó la cabeza y se le encendió la mirada.

—Te aseguro que no tienes de qué preocuparte. Doug es el único hombre que conozco que resulta incluso más aburrido que mi marido.

—Gracias por el cumplido —apostilló India sin abandonar su sonrisa.

A decir verdad, Doug no era estimulante, ni siquiera animado, pero ella lo consideraba un buen marido y padre y con eso le bastaba. Era un hombre íntegro, correcto, fiel y hacendoso. Por añadidura, India lo quería aunque, según Gail, fuera muy aburrido. No compartía la debilidad de su amiga por las intrigas y los romances ilícitos. Hacía años que había renunciado a esas cosas.

En ese momento acabó el partido y, en cuestión de segundos, Sam y los gemelos de Gail se acercaron ruidosamente.

—¡Qué gran partido! —exclamó India y sonrió a Sam.

Hasta cierto punto, se alegraba del fin de aquella conversación. Gail lograba que se sintiese obligada a defenderse a sí misma y su matrimonio.

—¡Mamá, hemos perdido!

El niño la miró contrariado y la abrazó con todas sus fuerzas al tiempo que apartaba la cámara que su madre llevaba colgada del hombro.

—¿Te has divertido? —preguntó India y le besó la coronilla.

Sam aún desprendía ese maravilloso olor a niño pequeño que es una mezcla de aire fresco, jabón y sol.

—Sí, lo he pasado bien. Marqué dos goles.

—Entonces fue un buen partido. —Echaron a andar hacia los coches con Gail y los gemelos. Los niños querían tomar un helado y Sam deseaba acompañarlos—. No podemos. Tenemos que recoger a Aimee y Jason.

Sam protestó e India saludó a Gail con la mano mientras su amiga y los gemelos subían a la furgoneta. India se sentó al volante de la camioneta. Pese a todo, la charla había sido muy interesante. Gail no había perdido la capacidad de interrogar.

Al encender el motor India miró a su hijo por el retrovisor. Sam parecía cansado y contento. Tenía la cara manchada de polvo y daba la sensación de que había peinado su cabellera rubia con un batidor. Le bastó observarlo para recordar los motivos por los que ella no se ocultaba entre los arbustos en Etiopía o en Kenia. Ese rostro cubierto de polvo lo explicaba todo. Daba igual que su vida fuese aburrida.

Recogieron a Aimee y Jason en la escuela y emprendieron el regreso a casa. Jessica acababa de llegar y la mesa de la cocina estaba atiborrada de libros. El perro no cabía en sí de contento, meneaba la cola y ladraba. Ésa era la vida que India conocía y había elegido. La idea de compartirla con alguien que no fuese Doug la deprimió. Si a Gail no le bastaba con Jeff, lo sentía por ella. Al final cada uno hacía lo que le iba mejor. India había escogido esa vida. Sus fotos tendrían que esperar cinco o diez años más, aunque sabía que ni siquiera en el futuro abandonaría a Doug para recorrer medio mundo en busca de aventuras. No podía tenerlo todo. Hacía años que lo había comprendido. Había tomado una decisión y todavía la consideraba válida. Además, sabía que Doug apreciaba su elección.

—¿Qué hay de cenar? —gritó Jason para hacerse oír en medio de los ladridos del perro y el clamor de sus hermanos.

Jason formaba parte del equipo escolar de atletismo y estaba muerto de hambre.

—¡Servilletas de papel y helado si no salís de la cocina y me dejáis en paz cinco minutos! —gritó India.

Su hijo mayor cogió una manzana y una bolsa de patatas y se dirigió a su habitación a realizar las tareas escolares.

Jason era un chico bueno, aplicado y tierno. Se esforzaba en el instituto, sacaba buenas notas, tenía un buen rendimiento deportivo, se parecía mucho a Doug y nunca les había dado dolores de cabeza. El año anterior había descubierto que en el mundo vivían chicas pero, de momento, su incursión más osada se limitaba a una sucesión de tímidas llamadas telefónicas. Era más fácil tratar con Jason que con Jessica, su hermana de catorce años, de quien India decía que se convertiría en abogada laboralista. Jessica era la portavoz de la familia en nombre de los oprimidos y casi nunca eludía los encontronazos con su madre. A decir verdad, le encantaba discutir con India.

—¡Fuera de aquí! —exclamó India, echándolos de la cocina. Luego abrió la nevera y frunció el entrecejo.

Esa semana habían comido dos veces hamburguesas y una pastel de carne. Tuvo que reconocer que le faltaba inspiración. A esas alturas del curso escolar le resultaba imposible pensar en cenas creativas. Sacó dos pollos congelados, los metió en el microondas, extrajo doce panochas y se dispuso a limpiarlas.

Se sentó a la mesa de la cocina, pensó en lo que Gail había dicho por la tarde, lo analizó e intentó discernir si se arrepentía de haber abandonado su profesión. A pesar de los años transcurridos seguía teniendo la certeza de que había tomado la decisión correcta. De todas maneras, no venía a cuento pues le habría resultado imposible viajar por el mundo como reportera gráfica e incluso cubrir demasiadas noticias locales mientras se ocupaba como debía de sus hijos. Lo había hecho por ellos. Si por ese motivo Gail la consideraba aburrida, peor para ella. Doug no opinaba lo mismo. Sonrió al pensar en su marido, colocó las panochas en una olla con agua y encendió el hornillo. Sacó los pollos del microondas, los untó con mantequilla y especias y los introdujo en el horno. Sólo le faltaba hervir el arroz y preparar la ensalada para que la cena estuviese lista como por arte de magia. Con los años su estilo había mejorado. No era cocina de primera, sino platos rápidos, sencillos y sanos. Hacía tantas cosas que no le quedaba tiempo de preparar comidas elaboradas. Tenían suerte de que no los llevase a comer a McDonald's.

Servía la cena cuando llegó Doug, que estaba algo agobiado. Salvo que hubiese crisis en el despacho regresaba a las siete en punto. Su jornada duraba doce horas o algo más, pero se lo tomaba con calma. Besó el aire cerca de la cabeza de su esposa, dejó el maletín sobre la mesa, sacó una Coca-Cola de la nevera, miró a India y sonrió.

Ella se alegró de verlo.

—¿Qué tal te ha ido? —preguntó, y se secó las manos con un paño de cocina.

Varios mechones de pelo trigueño enmarcaban el rostro de India, que apenas se preocupaba de su aspecto. Afortunadamente no lo necesitaba. Tenía facciones clásicas, saludables y definidas y la coleta le quedaba muy bien. Su cutis era excelente, aparentaba treinta y cinco años en lugar de cuarenta y tres, poseía una figura larga y esbelta a la que sentaban bien los tejanos, las camisas y los jerséis de cuello alto, que eran su uniforme de cada día.

Doug dejó la lata encima de la mesa, se aflojó la corbata y replicó:

—Como siempre. No ha pasado nada emocionante. Me he reunido con un nuevo cliente. —Su vida laboral era bastante tranquila y cuando surgían problemas los comentaba con India—. Y tú, ¿qué has hecho?

—Sam jugó a fútbol y tomé fotos del equipo. No he hecho nada del otro mundo.

Mientras hablaba, India pensó en Gail y en lo que había dicho acerca de que sus vidas eran aburridas. Tenía razón. ¿Qué más podía esperar? Criar cuatro hijos en Connecticut no era una tarea fascinante ni emocionante. India no entendía de qué manera los devaneos de Gail modificarían la situación. Se engañaba si pensaba que marcaban una diferencia o mejoraban su vida.

—¿Te gustaría cenar mañana en Ma Petite Amie, querida? —propuso Doug después de que India llamase a los niños a cenar.

—Me encantaría —respondió sonriente.

Al cabo de pocos segundos se desencadenó el caos en la cocina. Lo cierto es que les encantaba compartir la cena. Los chicos hablaron de lo que habían hecho, de sus amigos y sus actividades y se quejaron de los profesores y de la cantidad de tareas que les habían asignado. Aimee explicó que esa tarde un chico nuevo había telefoneado tres veces a Jessica y que tenía voz de adulto, tal vez de universitario. Jessica la fundió con la mirada. Jason los hizo reír durante casi toda la cena. Era el payaso de la familia y le sacaba punta prácticamente a todo. Aimee la ayudó a recoger la mesa y Sam se fue temprano a la cama porque el partido de fútbol lo había agotado. Cuando se reunió con su marido en el dormitorio, India vio que Doug leía informes del despacho.

—Por lo visto esta noche los salvajes te han dado más trabajo que de costumbre —comentó, y abandonó la lectura.

Su marido poseía un fondo formal y serio que desde el principio le había gustado. Era un hombre alto, delgado, desgarbado, de aspecto deportivo y cara de niño. A los cuarenta y cinco años seguía siendo muy guapo y parecía un futbolista universitario. Tenía pelo oscuro y ojos castaños; vestía trajes grises para trabajar y los fines de semana se ponía pantalones de pana y jerséis de lana. India siempre lo había considerado muy atractivo, por mucho que Gail pensase que era aburrido. En muchos aspectos era el marido ideal, un hombre sólido, de confianza, infalible y muy razonable en sus exigencias.

India tomó asiento frente a su esposo, en un sillón cómodo y confortable, recogió las piernas y por unos instantes intentó recordar al muchacho que había conocido en el Cuerpo de Paz. No era tan diferente al hombre sentado frente a ella, aunque por aquel entonces sus ojos habían dejado escapar un brillo travieso que había encantado a aquella joven que soñaba con el triunfo y la gloria. Doug ya no era travieso, sino un hombre honesto en el que podía confiar. Aunque lo había querido muchísimo, India no buscó un esposo como su padre, que nunca estuvo cuando lo necesitaron y que arriesgó y perdió la vida en pos de quimeras desaforadas y románticas. La guerra lo había subyugado. En cambio, Doug era un hombre sensato y a India le agradaba saber que contaba con él.

—Los chicos estaban algo alterados. ¿Qué ha pasado? —dijo Doug al tiempo que cerraba el informe.

—Supongo que están nerviosos por el fin del curso. Les hará bien ir a Cape Cod y desahogarse. Todos necesitamos tiempo libre.

Por esta época del curso, India también estaba harta de las idas y venidas en coche.

—Ojalá pudiese hacer vacaciones antes de agosto —dijo Doug, y se mesó el pelo al recordar que debía supervisar los estudios de mercado de dos nuevos clientes muy importantes y no podía adelantar las vacaciones.

—A mí también me gustaría —comentó India—. He visto a Gail. Este verano viajan a Europa. —Sabía que no conseguiría convencerlo y que era demasiado tarde para modificar los planes estivales, pero también le habría gustado ir a Europa—. Deberíamos ir el año que viene.

—No empieces otra vez. Yo visité Europa al terminar la universidad. A nuestros hijos no les pasará nada si esperan un par de años más. Es un viaje muy caro para una familia numerosa como la nuestra.

—Doug, podemos pagarlo y no sería justo privarlos de la experiencia.

India no quiso recordarle que de pequeña había estado en Europa con sus padres. En vacaciones, su padre aceptaba reportajes en sitios que consideraba divertidos y había llevado a su esposa e hija. Esos viajes se convirtieron en una experiencia enriquecedora e inolvidable y a India le habría encantado compartirla con sus hijos.

—Me fascinaba viajar con mis padres —añadió con voz baja.

Doug se mostró molesto, como siempre que ella mencionaba ese tema, y replicó severamente:

—Si tu padre hubiera tenido un trabajo serio, de niña no habrías visitado Europa.

Le contrariaba que su esposa lo presionase.

—No digas tonterías. Mi padre tuvo un trabajo serio y se esforzó más que tú y yo.

Le habría gustado añadir que su progenitor se había esforzado más que Doug en el presente, pero se abstuvo. Su padre había sido incansable y apasionado, incluso lo habían galardonado con un Pulitzer. Detestaba que Doug hiciese esa clase de comentarios. Era como si la profesión de su padre careciera de sentido porque se había ganado la vida con la cámara fotográfica, algo que a su marido le parecía pueril. Siempre pasaba por alto que hubiese encontrado la muerte en el ejercicio de su profesión y que le hubieran concedido premios internacionales.

—Tu padre tuvo mucha suerte y lo sabes —prosiguió Doug—. Le pagaban por hacer lo que le gustaba, es decir, perder el tiempo y observar a las personas. Es una especie de accidente fortuito, ¿no crees? No tiene nada que ver con acudir todos los días a un despacho y tener que aguantar la política empresarial y otras tonterías.

—No lo creo —replicó India y se le encendió la mirada. Doug tendría que haberse dado cuenta de que pisaba en falso, pero no se enteró. Se limitó a restar importancia al heroico y adorado padre de India. Simultáneamente degradó la profesión de su esposa—. En mi opinión, lo que hizo fue mucho más difícil y considerarlo un «accidente fortuito» es como una bofetada.

Un bofetón en su rostro y en el de su padre. India echaba chispas por los ojos.

—¿Qué te pasa? ¿Gail te ha alterado?

Como de costumbre, Gail había agitado el avispero. India ya lo había comentado con Doug. Pero lo que su marido acababa de decir de su padre no tenía nada que ver con Gail, sino con ella misma y con la opinión que tenía del trabajo que había realizado antes de casarse.

—Gail no tiene nada que ver. Me parece incomprensible que restes importancia a una trayectoria que incluye un Pulitzer y que hables como si mi padre hubiese tenido suerte con una Brownie prestada.

—Simplificas demasiado. Seamos sinceros, tampoco dirigía la General Motors. Era fotógrafo. Tenía talento, sí, pero probablemente también tuvo suerte. Es posible que si siguiera vivo te dijera lo mismo. Las personas como tu padre suelen reconocer que han tenido suerte.

—Doug, ya está bien. ¿Qué dices? ¿Piensas lo mismo de mí? ¿Crees que sólo he tenido suerte?

—No —replicó con serenidad y se sintió incómodo por haber provocado una discusión después de una larga jornada. Se preguntó si India estaba agotada o si los niños la habían sacado de sus casillas. Seguramente todo se debía a las quejas de Gail. Esa mujer nunca le había caído bien y lo sacaba de quicio. Sus protestas incesantes ejercían una influencia negativa en su esposa—. Lo que hiciste durante una época fue lo que querías. Te sirvió de excusa para conocer mundo y divertirte... probablemente más tiempo del aconsejable.

—¿Se te ha ocurrido que si hubiera seguido con mi trabajo tal vez ahora tendría un Pulitzer?

India lo miró a los ojos. Francamente, no se consideraba merecedora de un Pulitzer, pero la posibilidad existía. Había dejado huella en su profesión antes de consagrarse a la tarea de esposa y madre.

—¿Eso piensas? —repuso Doug, sorprendido—. ¿Te arrepientes de haberlo dejado? ¿Eso intentas decir?

—No, no he dicho eso. Jamás me he arrepentido, pero tampoco lo considero un juego. Hice seriamente mi trabajo y fui muy buena... todavía lo soy... —Miró a su marido y se percató de que no la entendía. Doug se las había ingeniado para que pareciese un juego, una diversión a la que se había dedicado antes de centrarse en la vida real. Aunque era cierto que lo había pasado bien, varias veces se había jugado el pellejo para conseguir fotos extraordinarias—. Doug, menosprecias mi trabajo. ¿No eres consciente de lo que dices?

Para ella era fundamental que Doug la entendiera. Si la comprendía, las opiniones de Gail no tendrían fundamento. Pero si su esposo consideraba que aquello a lo que había renunciado carecía de importancia, ¿qué le quedaría? Hasta cierto punto se sintió una nulidad.

—Me parece que estás demasiado sensible y que exageras. Sólo he dicho que trabajar como reportera gráfica no es lo mismo que estar en una empresa. No es tan serio ni requiere la misma disciplina y capacidad de evaluación.

—Claro que no, es mucho más difícil. Si realizas la clase de tarea a la que mi padre y yo nos dedicamos te juegas la vida. Si no estás atento y alerta vuelas por los aires, te matan. Es mucho más duro que trabajar en un despacho y menear papeles.

—¿Pretendes decirme que por mí renunciaste a la panacea de tu vida? —preguntó molesto y sorprendido. Se levantó, cruzó el dormitorio y abrió la lata de Coca-Cola que India le había llevado—. ¿Quieres que me sienta culpable?

—No, pero merezco que mis logros sean reconocidos. Abandoné una profesión muy respetable para venirme a este barrio residencial y cuidar de nuestros hijos. Hablas como si para mí el trabajo hubiera sido un juego y me hubiese dado lo mismo abandonarlo. Te aseguro que representó un gran sacrificio.

India lo observó beber el refresco. Doug acababa de abrir la caja de Pandora, y lo que vio no le gustó nada: su marido no tenía en cuenta su labor hasta la fecha y a lo que había renunciado.

—¿Te arrepientes de haber hecho un sacrificio tan grande? —preguntó él y depositó la lata en la mesa auxiliar.

—No, claro que no, pero creo que tendrías que reconocerlo. No puedes descartarlo sin más.

Doug lo había minimizado y por eso India estaba tan afectada.

—De acuerdo, lo reconozco. ¿Damos por zanjada la cuestión? ¿Nos relajamos? He tenido un día muy duro en el despacho.

Pero su tono la irritó todavía más, ya que daba a entender que era más importante que ella.

Doug recogió los papeles y se empeñó en ignorarla mientras India lo miraba incrédula. Le costaba aceptar lo que su marido había dicho. No sólo había menospreciado su trabajo, sino el de su padre. Sus comentarios la habían herido. Doug jamás había mostrado tamaña falta de respeto, razón por la cual las opiniones de Gail no sólo se volvieron reales, sino válidas.

India no volvió a dirigirle la palabra hasta que se acostaron. Permaneció largo rato en la ducha y reflexionó. Doug había herido sus sentimientos. Al acostarse no hizo el menor comentario. India estaba segura de que su marido se disculparía. Solía reparar en estas cuestiones y pedirle disculpas.

Pero en esta ocasión no abrió la boca. Apagó la luz, le volvió la espalda y se durmió como si no pasara nada. India no le dio las buenas noches y estuvo despierta hasta muy tarde, meditando acerca de los comentarios de Gail y las palabras de su marido mientras yacía a su lado y lo oía roncar.

2

Como de costumbre, la mañana siguiente fue caótica e India tuvo que llevar a Jessica al instituto porque se retrasó. Doug no hizo el menor recordatorio sobre la charla de la víspera y se fue antes de que India pudiese despedirlo.

De regreso en casa India se puso a limpiar la cocina y se preguntó si su marido estaba arrepentido. Seguramente por la noche se disculparía. No era propio de él guardar silencio. Tal vez el día anterior había sido extenuante en el despacho o estaba de mal humor y quería provocarla. Doug se había expresado con gran calma, mostrando muy poca consideración por lo que ella había hecho antes de casarse. Él nunca se había comportado de un modo tan insensible y descaradamente explícito. El teléfono sonó cuando terminaba de colocar los platos en el lavavajillas y pensaba dirigirse al cuarto oscuro para revelar las fotos del partido. Había prometido al capitán del equipo que se las entregaría enseguida.

Respondió al cuarto timbrazo y supuso que era Doug para disculparse. Esa noche cenarían en un elegante restaurante francés y la velada resultaría más gozosa si, como mínimo, Doug reconocía su error al hacerla sentir tan poca cosa.

—¿Sí?

India sonrió con la certeza de que era su esposo, pero no oyó la voz de Doug, sino la de su representante, Raúl López. Era muy conocido en el campo de la fotografía y el periodismo gráfico y estaba en la cresta de la ola. La misma agencia, aunque no Raúl personalmente, había representado a su padre.

—¿Cómo está la progenitora del año? ¿Sigue haciendo fotos de los niños sentados en el regazo de Papá Noel y se las regala a las madres?

Las Navidades anteriores, India colaboró desinteresadamente con un refugio infantil y había realizado esa tarea, pero a Raúl no le había sentado demasiado bien. Hacía años que insistía en que India desaprovechaba su talento. Cada dos años realizaba para la agencia algún reportaje que convencía a Raúl de que algún día la fotógrafa retornaría al mundo real. Tres años antes había llevado a cabo un magnífico reportaje sobre los abusos a menores en Harlem. Lo realizó mientras sus hijos estaban en la escuela y no se había saltado ni un solo día para recogerlos en coche. Aunque no estuvo de acuerdo, Doug le permitió hacerlo. Durante semanas India habló con su marido de las condiciones de vida de esos niños. Al igual que antes de casarse, fue galardonada por el reportaje.

—Muy bien. ¿Y tú, Raúl?

—Agobiado de trabajo. Estoy cansado de intentar que los artistas que represento sean razonables. ¿Por qué a las personas creativas os cuesta tanto tomar decisiones inteligentes?

Raúl había empezado la mañana con mal pie. India rogó que no le pidiera que hiciese una locura. Pese a las limitaciones que había impuesto a medida que pasaban los años, ocasionalmente Raúl todavía le solicitaba algo imposible. El representante también estaba alterado porque a comienzos de abril había perdido a uno de sus mejores clientes, un hombre simpatiquísimo y gran amigo, en la corta guerra santa librada en Irán.

—¿Qué estás haciendo? —preguntó Raúl e intentó mostrarse más amable.

Cuando tenía carta blanca Raúl era genial para emparejar el fotógrafo con el reportaje adecuado.

—La verdad, estaba cargando el lavavajillas. ¿Encaja con la imagen que tienes de mí? —India rió.

Él se lamentó.

—Desgraciadamente encaja a la perfección. ¿Cuándo crecerán tus hijos? El mundo no esperará una eternidad.

—Pues tendrá que esperar.

Ella no sabía si, una vez crecieran sus hijos, Doug estaría dispuesto a que aceptase encargos. De momento lo que quería era ocuparse de su familia y su hogar. Lo había repetido tantas veces que Raúl casi la creía, aunque nunca se daba totalmente por vencido. Todavía abrigaba la esperanza de que un día ella abriría los ojos y dejaría Westport deprisa y corriendo.

—¿Llamas para encomendarme una misión a lomos de una mula en un rincón perdido del norte de China?

Era la clase de encargo para el que la llamaba, aunque ocasionalmente le proponía un trabajo factible, como el reportaje de Harlem. A India le encantaba, razón por la cual no quiso que eliminaran su nombre de la lista de colaboradores de la agencia.

—No exactamente, aunque tampoco vas tan desencaminada —repuso mientras pensaba cómo plantear la cuestión. Sabía que era muy difícil convencerla, pues vivía dedicada exclusivamente a sus hijos y su marido. Como no estaba casado ni tenía familia le resultaba difícil entender que la fotógrafa estuviese tan empeñada en arrojar su profesión por la borda. Era una mujer de un talento fuera de serie y Raúl consideraba que su renuncia era imperdonable. De pronto decidió jugarse el todo por el todo—: Se trata de un trabajo en Corea. El reportaje es para la revista dominical del *Times* y quieren asignarlo a un independiente en lugar de a un fotógrafo de plantilla. En Seúl hay una mafia de adopciones que se ha desmandado. Corre la voz de que matan a los niños que no son adoptados. El trabajo es relativamente seguro a menos que husmees demasiado. India, se trata de una noticia interesantísima, y cuando la revista publique el reportaje podrás venderlo a las agencias de prensa. Alguien tiene que hacerlo, necesito tus fotos para dar validez al artículo y te prefiero al resto de los fotógrafos. Sé que adoras a los niños y pensé... bueno, es perfecto para ti.

India experimentó una subida de la adrenalina. El tema la afligió como nada la había afectado desde el reportaje de Harlem. Pero Corea quedaba muy lejos. ¿Qué diría a Doug y sus hijos? ¿Quién los llevaría en coche y les prepararía la cena? La mujer de la limpieza sólo iba dos veces por semana, hacía muchos años que India se ocupaba de todas las tareas domésticas y sin ella no se las arreglarían.

—¿De cuánto tiempo hablamos?

Si sólo era una semana tal vez Gail accedería a sustituirla, pero India oyó suspirar a Raúl. Tenía la costumbre de hacerlo cada vez que se preparaba para decir algo que sabía que no le gustaría.

—De tres semanas, quizá cuatro —respondió finalmente.

India se sentó en un taburete y cerró los ojos. No quería perderse el reportaje, pero debía pensar en sus hijos.

—Raúl, sabes que no puedo. ¿Para qué me has llamado? ¿Para que me sienta fatal?

—Tal vez. Puede que un día de éstos te enteres de que el mundo necesita tu trabajo. No quiere que le muestren fotos bonitas, sino las injusticias que existen. Podrías convertirte en la persona que acabe con el asesinato de bebés en Corea.

—¡No eres justo! —exclamó acalorada—. No tienes derecho a hacerme sentir culpable. Sabes que no puedo aceptar un encargo de cuatro semanas. Tengo cuatro hijos y un marido y no dispongo de ayuda.

—Contrata a una niñera o divórciate. No puedes seguir sentada viendo pasar los años. Ya has desperdiciado catorce. Me extraña que todavía haya alguien dispuesto a ofrecerte trabajo. Eres tonta si desperdicias tu talento.

Sus palabras disgustaron a India.

—Raúl, no he desperdiciado catorce años. Tengo hijos sanos y felices precisamente porque cada día los llevo a la escuela, los recojo, asisto a sus actividades deportivas y les preparo la cena. Si en esos catorce años hubiera muerto, tú no estarías aquí para ocupar mi lugar.

—En eso tienes razón —reconoció él—. Pero tus hijos ya son mayores. Podrías volver a trabajar, al menos en reportajes como éste. Tus hijos ya no son bebés. Estoy seguro de que tu marido lo entendería.

A juzgar por el episodio de la noche anterior, era imposible que Doug lo comprendiese. India ni siquiera consiguió imaginarse diciéndole que se iba un mes a Corea. Quedaba descartado en el contexto de su matrimonio.

—Raúl, no puedo y lo sabes. Sólo has conseguido hacerme sentir desgraciada —aseveró con tono nostálgico.

—Me alegro. Tal vez decidas volver al mundo real. Si con mi llamada lo consigo habré prestado un gran servicio a la humanidad.

—Tal vez. De todos modos, me siento halagada. No creo haber sido tan competente. Puedes estar seguro de que no prestarías un servicio a mis hijos.

—Muchas madres trabajan y sus hijos sobreviven.

—¿Y si yo no sobreviviera?

India tenía el ejemplo de su padre, muerto cuando ella sólo contaba quince años. Nadie podía garantizar que no le sucedería lo mismo, sobre todo dada la clase de reportajes que la habían hecho famosa. El de Corea habría sido seguro en comparación con los realizados antes de casarse.

—No pasaría nada —aseguró Raúl—. Yo jamás te haría encargos de alto riesgo. Lo de Corea es algo peligroso, aunque no puede compararse con Bosnia u otros puntos candentes del planeta.

—Raúl, lo siento mucho, pero no puedo.

—Lo sabía. Llamarte fue una tontería, pero tenía que intentarlo. Ya encontraré otro fotógrafo, no te preocupes —dijo desilusionado.

—No te olvides completamente de mí —dijo India apenada.

Experimentó algo que hacía años no sentía. Deseaba cubrir ese reportaje y se sintió amargamente decepcionada por tener que descartarlo. Era la clase de sacrificio del que había hablado la víspera con Doug y éste no le había dado la menor importancia. Su marido le había transmitido la sensación de que aquello a lo que había renunciado por él y por los niños no tenía el menor sentido.

—Si tardas mucho en volver a hacer algo significativo es posible que me olvide de ti. No puedes retratar eternamente a Papá Noel.

—Tal vez tenga que hacerlo. Consigue un reportaje más cercano, como el de Harlem.

—Sabes perfectamente que esos encargos son poco habituales y se los asignan a los fotógrafos de plantilla. Quisieron resaltar la importancia de ese artículo y tuviste suerte. —Raúl hizo una pausa, suspiró y apostilló—: Veremos qué consigo. Di a tus hijos que crezcan más rápido.

¿Y a qué velocidad crecería Doug, si es que maduraba? A juzgar por los comentarios de la víspera, no comprendía que su profesión había sido muy importante para India.

—Te agradezco que hayas pensado en mí. Deseo de todo corazón que encuentres un fotógrafo excelente.

India ya estaba preocupada por los bebés coreanos.

—Una excelente fotógrafa acaba de rechazar el encargo. Volveré a llamarte. No olvides que me debes el próximo reportaje.

—En ese caso ocúpate de que no tenga que trepar a la copa de un árbol en Bali.

—Hago lo que puedo. Cuídate.

—Tú también. Gracias por llamar. —Como si de pronto se acordara de algo, India añadió—: Por cierto, pasaré el verano en Cape Cod. Estaré julio y agosto enteros. ¿Tienes el número de teléfono?

—Sí. Avísame si haces buenas fotos de veleros. Las venderemos a Hallmark.

Había realizado ese trabajo cuando los niños eran muy pequeños. Le había gustado, pero Raúl se había puesto furioso. En lo que a él se refería, India era una valiosa reportera gráfica y no debía tomar fotos de nada ni de nadie que no estuviese sangrando, muerto o agonizante.

—No seas tan criticón. Sirvieron para pagar dos años de guardería.

—Eres imposible.

Colgaron, pero India no recobró la calma. Por primera vez en mucho tiempo tuvo la sensación de que le faltaba alguna cosa.

Aún estaba triste cuando por la tarde se encontró con Gail en el supermercado. Su amiga parecía más animada que de costumbre y llevaba falda y tacones. Al acercarse India notó que se había perfumado.

—¿Dónde te habías metido? ¿Has ido de compras a la ciudad?

Gail meneó la cabeza, sonrió con complicidad y bajó la voz para responder:

—He comido con Dan Lewison en Greenwich. No está tan desesperado como me imaginaba. Lo pasamos francamente bien y bebimos un par de copas de vino. Es un encanto y si lo miras un rato acabas por encontrarlo muy atractivo.

—Me parece que has bebido más que dos copas de vino.

Lo que su amiga acababa de decir la deprimió. ¿Qué sentido tenía que comiese con Dan Lewison? No lo entendía.

—¿Qué te ocurre?

Era raro que India estuviese desmoralizada. En general todo la entusiasmaba. Siempre le pedía a Gail que se animase y aseguraba que la vida era fantástica.

—Anoche discutí con Doug y mi representante acaba de telefonear para encargarme un reportaje en Corea. Por lo visto, la mafia de las adopciones mata a los niños que no consigue colocar.

—¡Qué espanto! Puedes estar contenta de no tener que ir allí. —Puso cara de asco—. ¡Es francamente horroroso!

—Me habría encantado ese reportaje. Es muy interesante, pero requiere desplazarse por un período de tres a cuatro semanas. Tuve que rechazarlo.

—¡Vaya novedad! ¿Por qué tienes tan mala cara?

El día anterior Gail había influido en India como nunca antes, y los comentarios de Doug y la llamada de Raúl la habían deprimido todavía más.

—Anoche Doug dijo muchas tonterías acerca de que mi profesión era una especie de juego o pasatiempo, por lo que no había renunciado a nada importante. Ganarse la vida con la cámara fotográfica permite que cualquiera piense que podría hacerlo, siempre y cuando se tome la molestia.

Gail sonrió y no negó la verdad de ese comentario.

—¿Qué le pasa a Doug?

Gail sabía que no solían discutir e India parecía muy afectada.

—No lo sé. Habitualmente no es tan insensible. Tal vez tuvo una jornada agotadora.

—O tal vez no quiere saber a qué renunciaste por él y por tus hijos. —Era precisamente lo que India temía y se sorprendió al comprender que le atribuía mucha importancia—. Tal vez deberías aclarar el asunto y hacer el reportaje en Corea.

Gail intentó provocarla y convencerla, pero India intuía que sería desaforado.

—No creo que los chicos tengan que sufrir porque Doug haya herido mis sentimientos. Además, no puedo dejarlos un mes. Dentro de tres semanas partimos para Cape Cod... Es imposible.

—En ese caso tendrías que aceptar el próximo encargo.

—Si lo hay. Supongo que Raúl está harto de telefonear para que le diga que no puedo.

Aunque lo cierto es que Raúl apenas la llamaba, pues muy pocos trabajos se adecuaban a sus limitaciones.

—Probablemente Doug se presentará en casa con un ramo de flores y te olvidarás de todo esto —afirmó Gail para tranquilizarla.

Compadeció a su amiga. India era inteligente, guapa, con talento y, como tantas mujeres, desaprovechaba la vida limpiando la cocina y haciendo infinitos trayectos en coche. Era la anulación de un talento extraordinario.

—Cenaremos en Ma Petite Amie. Tenía ganas de ir hasta que Doug me puso de mal humor.

—Bebe mucho vino y no te acordarás. Por cierto, el martes comeré de nuevo con Dan.

—Menuda tontería —espetó India y metió una caja de tomates en la cesta—. ¿Para qué te sirve?

—Me divierto. ¿Qué tiene de malo? No hacemos daño a nadie. Rosalie está enamorada de Harold. Jeff no se enterará y contará con toda mi dedicación las seis semanas que pasaremos en Europa.

A Gail le parecía una justificación infalible, pero India lo veía desde otra perspectiva.

—Sigo pensando que no tiene sentido. ¿Y si te enamoras de Harold?

Si lo que Gail necesitaba era enamorarse locamente podía ocurrir en cualquier momento. Pero ¿qué haría en ese caso? ¿Abandonar a Jeff? ¿Divorciarse? En opinión de India los riesgos no compensaban. En este aspecto eran muy distintas.

—No pienso enamorarme. Sólo nos divertimos. No seas aguafiestas.

—¿Te molestaría que Jeff hiciese lo mismo?

—Me llevaría una sorpresa mayúscula —respondió Gail con expresión divertida—. Lo único que Jeff hace a la hora del almuerzo es acudir al podólogo o cortarse el pelo.

—¿Y si no fuera así? ¿Y si cada uno engañara al otro?

Dado su estado de ánimo, a India le resultó francamente patético.

—Tienes que cortarte el pelo y hacerte la manicura o un masaje. Anímate. Dudo que rechazar un reportaje sobre niños asesinados en Corea deprima tanto. Sería mejor que te deprimieras por algo que realmente valga la pena perderse, por algo divertido... por una aventura... —añadió Gail.

Su amiga le tomaba el pelo y, muy a su pesar, India no pudo evitar sonreír.

—No sé por qué te aprecio, ya que eres la persona más inmoral que conozco —repuso India y la miró con afecto pese a que no estaba de acuerdo—. Si no te conociera y alguien me hablase de ti pensaría que eres una perdida.

—No, no te equivoques. Simplemente digo lo que hago y lo que pienso. Sabes que la mayoría de las personas lo ocultan.

Había algo de verdad en esas palabras, aunque Gail exageraba a la hora de manifestar sus opiniones con franqueza.

—De todos modos te quiero, pero un día de éstos te meterás en un buen lío y Jeff se enterará.

—No creo que le preocupe, a no ser que me olvide de recoger su ropa de la tintorería.

—Yo no estaría tan segura.

—Dan dice que hace dos años que Rosalie se acuesta con Harold y que no se dio cuenta hasta que se lo contó. Casi todos los hombres son así.

Repentinamente India se preguntó si Doug recelaría en el caso de que ella comiese con otro hombre. Quiso creer que le molestaría.

—Tengo que irme corriendo —dijo Gail—. Debo llevar a los niños al médico para que les hagan un chequeo antes del viaje a Europa. En cuanto volvamos irán de campamento y todavía no he rellenado las solicitudes.

—Si para variar te quedaras algún día en casa podrías hacerlo a la hora de comer —bromeó India.

Gail se despidió y correteó hasta la caja.

India terminó de comprar lo que necesitaba para el fin de semana. Evidentemente su vida no era muy emocionante, aunque tal vez Gail tenía razón. El reportaje en Corea habría sido muy deprimente. Habría querido volver rodeada de bebés coreanos para salvarlos de una muerte segura porque nadie quería adoptarlos.

Seguía con el ánimo por los suelos cuando por la tarde recogió a los niños. Jason y Aimee llevaron a sus amigos a casa y armaron tanto jaleo que nadie se dio cuenta de que ella apenas hablaba.

Preparó la merienda, la sirvió en la mesa de la cocina y decidió tomar un baño. Había contratado a una canguro y pensaba preparar la cena y alquilar vídeos para sus hijos. Para variar, disponía de un rato para sí misma y se relajó en la bañera mientras pensaba en su marido. Todavía la afectaba lo que había dicho la noche anterior y quería convencerse de que había tenido una jornada muy agitada en el despacho.

Cuando Doug llegó, su esposa lucía un vestido negro corto, calzaba tacones y se había recogido el largo cabello en un elegante moño.

Él se preparó un cóctel, que era lo que solía hacer los viernes por la noche, y cuando subió se alegró de verla.

—¡Vaya, cariño, estás espectacular! —exclamó y bebió un trago de bloody mary—. Parece que has dedicado todo el día a arreglarte.

—Pues no. Sólo he tardado una hora. ¿Qué tal ha ido la jornada?

—Bastante bien. La reunión con el nuevo cliente fue sobre ruedas. Estoy seguro de que conseguiremos el trabajo. Será un verano muy ajetreado.

Era la tercera cuenta que le encargaban y le había comentado a su secretaria que podría considerarse afortunado si lograba ir a Cape Cod en agosto, pero esto no lo mencionó a India.

—Me alegro de que esta noche cenemos fuera —afirmó ella y

le dirigió la misma mirada nostálgica que en el supermercado había cruzado con Gail. A diferencia de su amiga, su marido no la percibió—. Necesitamos una tregua o divertirnos.

—Por eso propuse que cenáramos fuera.

Doug sonrió y se llevó el bloody mary al cuarto de baño. Se duchó y se vistió para salir. Reapareció media hora después con el pantalón gris y la americana y la corbata azul marino que India le había regalado por Navidad.

Formaban una pareja impresionante cuando se despidieron de los niños. Diez minutos después llegaron al restaurante y se dirigieron a la mesa reservada.

Era un local pequeño y bonito y los fines de semana bullía de actividad. La comida era deliciosa y el ambiente acogedor y romántico. Precisamente lo que necesitaban para relajar las tensiones de la víspera.

India sonrió a su marido cuando el camarero descorchó la botella de vino francés. Doug lo cató y lo aprobó.

—¿Qué has hecho hoy? —preguntó retóricamente Doug dejando la copa en la mesa, aunque sabía que se había dedicado a los niños.

—Me ha llamado Raúl López. —Su marido se sorprendió pero no mostró demasiada curiosidad. Las llamadas del representante se reducían cada vez más y en general no servían de nada—. Me propuso un reportaje muy interesante en Corea.

—Típico de Raúl. —Doug parecía divertirse y en modo alguno se sintió inquieto por la información—. ¿Cuál es el país al que intentó enviarte la última vez? ¿Zimbabue? Me sorprende que te siga llamando.

—Supuso que estaría dispuesta a aceptar. Es para la revista dominical del *Times* y tiene que ver con la mafia de adopciones que asesina bebés en Corea. Raúl dice que requiere tres o cuatro semanas de trabajo y le he dicho que no puedo.

—Desde luego. No puedes ir a Corea, ni siquiera tres o cuatro minutos.

—Es lo que respondí. —India esperó que su marido le agradeciese su negativa. Deseaba que entendiese a qué había renunciado y que le habría encantado realizar ese encargo—. Dijo que volverá a llamar para un artículo más accesible, como el reportaje de Harlem —añadió India.

—¿Por qué no te borras de la lista de colaboradores de la agencia? Sería lo más sensato. ¿De qué te sirve que cuenten contigo y que Raúl te llame para encargarte reportajes que, de todos modos, no realizarás? Francamente, me sorprende que siga llamando. ¿Por qué insiste?

—Porque soy muy buena en mi trabajo y todavía intereso a los directores de los medios de comunicación —replicó ella—. Te aseguro que resulta muy halagador.

India buscaba algo a tientas e intentaba recurrir a Doug, pero éste no captaba el mensaje. En ese aspecto nunca se daba por enterado y la situación lo superaba.

—No tendrías que haber cubierto la noticia de Harlem. Probablemente creó la sensación errónea de que estás dispuesta a recibir ofertas.

Era evidente que Doug deseaba que la puerta de su profesión estuviera cerrada todavía con más firmeza. De pronto le interesó la posibilidad de abrirla, aunque sólo fuera un poquito, siempre y cuando consiguiese un encargo como el de Harlem.

—Fue un reportaje extraordinario y me alegró haber participado en él —aseguró mientras el camarero les entregaba la carta.

De repente se le pasó el hambre. Volvió a sentirse fatal. Por lo visto, Doug no lo entendía. Tal vez no era culpa suya, ya que ni ella misma estaba segura de comprender lo que le pasaba. De la noche a la mañana le faltaba algo a lo que prácticamente había renunciado hacía catorce años y pretendía que Doug lo supiese sin habérselo explicado.

—Me encantaría volver a trabajar, aunque sólo sea parcialmente, si consigo combinarlo con el resto de mis tareas. En todos estos años no había vuelto a pensar en el trabajo, pero empiezo a echarlo de menos.

—¿A qué se debe?

—No lo sé muy bien —respondió con franqueza—. Ayer Gail insistió en que desperdicio mi talento. Hoy telefoneó Raúl y el reportaje es muy interesante.

La discusión de la víspera había añadido leña al fuego. De repente experimentó la necesidad de confirmar su existencia. Tal vez Gail tenía razón y se había convertido, lisa y llanamente, en criada, cocinera y chófer. Quizá había llegado el momento de recuperar su profesión.

—Gail es una metomentodo, ¿no crees...? ¿Te apetece comer mollejas?

Al igual que la noche anterior, Doug despojaba de sentido sus palabras, por lo que se sintió muy sola.

—Creo que todavía se arrepiente de haber abandonado su profesión. No tendría que haberlo hecho —aseguró India e ignoró la pregunta sobre las mollejas. Pensó que probablemente Gail no comería con Dan Lewison si tuviera algo mejor que hacer, pero no lo comentó con Doug—. Me considero privilegiada. Si regreso al mundo laboral podré elegir lo que haga. No estoy obligada a trabajar a jornada completa ni a ejercer mi profesión en Corea.

—¿Qué intentas decir? —Doug había pedido la cena y la miró. No estaba nada contento de lo que acababa de oír—. ¿Intentas decir que quieres volver a trabajar? Sabes perfectamente que es imposible.

Ni siquiera le dio la posibilidad de responder a la pregunta.

—Nada me impide hacer algún reportaje local, ¿verdad?

—¿Para qué? ¿De qué te servirá exhibir tus fotos?

Su marido logró que sonara tan superficial e inútil que estuvo a punto de sentirse incómoda por lo que acababa de plantear. Repentinamente la resistencia de Doug la empecinó.

—No se trata de exhibirme, sino de utilizar el talento que poseo.

Con sus preguntas incisivas el día anterior Gail había abierto las compuertas y desde entonces la cascada iba creciendo. El rechazo de Doug logró que la cuestión se volviese todavía más importante.

—Si tanto deseas desarrollar tu talento aplícalo con los niños —le espetó Doug con desdén—. Siempre has hecho excelentes fotos de nuestros hijos. ¿No te basta eso o se trata de otra de las cruzadas de Gail? Por alguna razón me parece que tiene algo que ver con eso. Raúl te ha alterado. Sólo pretende ganar dinero. Que se aproveche de otros. Dispone de muchos fotógrafos a los que puede enviar a Corea.

—Estoy segura de que dará con alguien —opinó India quedamente mientras les servían el paté—. No creo ser insustituible, pero los niños crecen y considero que de vez en cuando podría aceptar un encargo.

—Déjate de tonterías. No necesitamos otro salario y Sam sólo tiene nueve años. Nuestros hijos te necesitan.

—Doug, no se me ocurriría pensar en abandonarlos, simplemente digo que el trabajo es importante para mí.

Necesitaba que su marido la entendiera. La víspera le había dicho a Gail que apenas le importaba haber renunciado a su profesión, pero después de escuchar a su amiga y a Raúl y ver la actitud de Doug la cuestión adquiría gran importancia. Su marido se negó a tomarla en serio.

—¿Por qué es importante? No lo entiendo. ¿Qué tiene de importante tomar fotos?

India tuvo la impresión de que intentaba escalar una montaña y no avanzaba ni un centímetro.

—Es mi modo de expresarme, lo hago bien y me encanta, eso es todo.

—Bien, pues, fotografía a los niños. También puedes retratar a sus amigos y regalar las fotos a sus padres. Puedes hacer muchas cosas con la cámara sin necesidad de aceptar encargos.

—¿No has pensado que tal vez me gustaría hacer algo significativo? Quizá me apetece tener la certeza de que mi vida tiene sentido.

—¡Pero bueno! —Doug depositó el tenedor en el plato y la miró contrariado—. ¿Qué diablos te pasa? Estoy seguro de que la culpa de todo es de Gail.

—No tiene nada que ver con Gail. —Aunque intentó defenderse, India se sintió impotente—. Se trata de mí. En la vida hay algo más que recoger el zumo de manzana que los niños derraman.

—Hablas como Gail —la acusó Doug molesto.

—¿Y si ella tiene razón? Hace muchas tonterías porque se siente inútil y su vida carece de sentido. Si se dedicara a algo inteligente no necesitaría hacer cosas que realmente no sirven para nada.

—Si intentas decirme que engaña a Jeff, lo sé hace años. Si Jeff es tan ciego que no lo ve, no es mi problema. Gail persigue a todo lo que lleve pantalones en Westport. ¿Me amenazas con la infidelidad? ¿Es lo que pretendes decir?

Doug estaba furioso.

El camarero les sirvió el segundo plato mientras la cena romántica se iba al garete.

—Por supuesto que no. —India se apresuró a tranquilizarlo—. No sé qué hace Gail —mintió para proteger a su amiga, si bien las aventuras de Gail no venían a cuento ni eran asunto de Doug—. Sólo hablo de mí y digo que en esta vida necesito algo más que los niños y tú. Por muy poco importante que te parezca, en el pasado tuve una trayectoria brillante y es posible que quiera recuperarla para ensanchar mis horizontes en la vida.

—Pues no dispones de tiempo para ensanchar horizontes —aseguró Doug pragmáticamente—. Los niños te ocupan demasiadas horas a no ser que te dediques a contratar canguros o los dejes en manos de otra. ¿Es esto lo que se te ha ocurrido? Es la única manera en que puedes hacerlo y, si quieres que te sea sincero, no lo permitiré. Eres su madre y te necesitan.

—Lo sé y lo comprendo, pero hice el reportaje en Harlem sin desatenderlos. Puedo hacer otros encargos por el estilo.

—Lo dudo. Además, no creo que tenga sentido. Hiciste aquellos trabajos, te divertiste y maduraste. No se puede volver al pasado. Ya no eres una veinteañera sin responsabilidades. Eres una adulta casada y con hijos.

—Una cosa no excluye la otra siempre y cuando tenga claras las prioridades. En primer lugar está mi familia y el resto debe acoplarse.

—¿Sabes una cosa? Al oírte me da la sensación de que confundes las prioridades. Tus palabras son increíblemente egoístas. Sólo quieres divertirte como tu amiguita, que engaña a su marido porque los hijos la aburren. ¿Es eso? ¿Te aburrimos?

Doug estaba muy ofendido y enfadado. India había fastidiado la cena y él cuestionaba su autoestima y su futuro.

—Es evidente que vosotros no me aburrís. No soy Gail.

—¿Qué demonios persigue tu amiga? —Doug troceó enérgicamente el bistec—. No es posible que el sexo le guste tanto. ¿Qué pretende? ¿Humillar a su marido?

—Yo diría que no. Me parece que se siente sola e insatisfecha y la compadezco. Doug, no estoy diciendo que lo que Gail hace sea correcto. Me parece que le ha dado un ataque de pánico. Tiene cuarenta y ocho años, ha abandonado su profesión y en el futuro no ve más que traslados en coche de arriba abajo. Tú no lo comprendes. Estás en activo y jamás has tenido que renunciar a nada. Has incorporado facetas nuevas a tu vida.

—¿Eso crees? ¿Gail opina lo mismo?

Doug parecía preocupado.

—Francamente, no. Estoy más satisfecha que Gail, pero también pienso en mi futuro. ¿Qué pasará cuando los chicos crezcan y se vayan de casa? ¿Qué haré? ¿Saldré a fotografiar a niños desconocidos en los parques cercanos a casa?

—Ya tendrás tiempo de pensarlo. De momento quedan nueve años con los niños en casa, tiempo de sobra para decidir a qué te dedicarás en el futuro. Tal vez nos mudemos a la ciudad, en cuyo caso podrás visitar los museos.

¿Eso era todo? ¿Visitar museos? Semejante opción de futuro

le produjo escalofríos. India esperaba mucho más del futuro. Desde cierta perspectiva Gail acertaba. Al cabo de nueve años India quería hacer algo más que pasar el rato. Claro que nueve años después sería mucho más difícil reanudar su profesión, incluso en caso de que Doug se lo permitiera. A juzgar por sus comentarios, no estaba dispuesto a aceptar que volviese a trabajar.

—Los niños son demasiado pequeños para que te plantees la posibilidad de trabajar. Cuando sean mayores podrás trabajar en una galería de arte o algo parecido. ¿Para qué te preocupas ahora de estas cosas?

—¿Qué haría? ¿Contemplar las fotos tomadas por otros y pensar que las mías son mejores? Tienes razón, de momento estoy ocupada, pero ¿qué pasará en el futuro?

A lo largo de las últimas veinticuatro horas la cuestión había adquirido tintes muy definidos para India.

—No asumas los problemas de los demás. Deja de hacer caso a esa mujer. Ya te he dicho que es una entrometida y una lianta. Se siente desgraciada, está decepcionada con la vida y sólo quiere crear dificultades.

—Gail no sabe lo que necesita —declaró India apenada—. Seguramente busca amor porque Jeff no la excita.

Se percató de que había sido demasiado explícita, pero no era grave porque Doug estaba al tanto de sus devaneos.

—A nuestra edad es absurdo buscar el amor —afirmó él severamente; bebió un trago de vino y fulminó a su esposa con la mirada—. ¿Qué tiene Gail en la cabeza?

—No creo que vaya tan errada. Yo diría que busca por un camino equivocado —respondió sin inmutarse—. Según dice, la deprime la idea de no volver a estar enamorada. Me temo que Jeff y ella no se aman apasionadamente.

—¿Quiénes se aman apasionadamente después de veinte años de matrimonio? —preguntó con expresión contrariada, ya que la última frase de India le pareció ridícula—. A los cuarenta y cinco o cincuenta años nadie siente lo mismo que a los veinte.

—Tienes razón, pero puedes experimentar otras emociones. Con un poco de suerte sientes más que al principio.

—Sólo dices tonterías románticas y lo sabes.

India observó a su marido y experimentó una creciente sensación de pánico.

—¿Consideras una tontería seguir enamorado de tu cónyuge quince o veinte años después de la boda?

A India le costó dar crédito a sus oídos.

—Creo que para entonces nadie está enamorado y, si tiene dos dedos de frente, tampoco espera estarlo.

—¿Y qué esperas entonces? —repuso ella con voz quebrada mientras dejaba la copa sobre la mesa y miraba a su marido.

—Compañía, franqueza, respeto, alguien que cuide de los niños, alguien en quien confiar. Es todo lo que cabe esperar del matrimonio.

—La mujer de la limpieza o el perro te ofrecen las mismas cosas.

—¿Qué supones que hay que esperar? ¿Corazones, ramos de flores y tarjetas del día de los Enamorados? Déjate de fantasías. Me cuesta admitir que creas en todo eso. Si respondes afirmativamente sabré que has pasado con Gail más horas de las que dices.

—Doug, no espero milagros, pero pretendo algo más que «alguien en quien confiar» y supongo que tú deseas algo más que «alguien que cuide de los niños». ¿Nuestro matrimonio tiene ese significado?

No tardaron en entrar en detalles.

—Tenemos algo que durante diecisiete años ha funcionado bien y que seguirá funcionando si no sacudes las estructuras con esa historia de tu profesión, los reportajes, los viajes a Corea y las chorradas de seguir como dos tortolitos después de tanto tiempo. Dudo que haya alguien así y creo que nadie tiene derecho a esperarlo.

India se sintió como si la hubieran abofeteado. Las palabras de Doug la horrorizaron.

—Si quieres que te sea franca, yo lo espero. Siempre lo he esperado e ignoraba que tú no eras del mismo parecer. Espero que estés enamorado de mí hasta el día en que te mueras porque, de lo contrario, nuestro matrimonio no tiene sentido. Espero que estés tan enamorado de mí como yo siempre lo he estado de ti. ¿Por qué crees que sigo aquí? ¿Por lo emocionante que es nuestra vida? Pues no lo es. Nuestra convivencia puede resultar muy tediosa y en ocasiones aburrida, pero sigo aquí por lo mucho que te quiero.

—Me alegra que lo digas, porque tenía mis dudas. No creo que, a estas alturas de la vida, alguien se haga demasiadas ilusiones románticas. El matrimonio no tiene nada de romántico.

—¿Estás seguro? —India decidió jugarse el todo por el todo. Puesto que en una noche Doug había hecho añicos casi todos sus sueños, ¿por qué no llegar hasta el final? ¿Cambiaría significativamente la situación?—. Podría serlo, ¿no te parece? Tal vez la gente no se esfuerza lo necesario ni piensa lo suficiente en la fortuna que significa tenerse el uno al otro. Es posible que si Jeff se esforzara y pensase más, Gail no compartiría la comida y Dios sabe qué más con los maridos de otras.

—Estoy seguro de que, más que un fracaso por parte de Jeff, esa actitud tiene que ver con la integridad y la moralidad de Gail.

—Yo no pondría las manos en el fuego. Puede que Jeff sea un hombre estúpido —espetó India.

—No; Gail es la estúpida porque todavía abriga ilusiones pueriles sobre el amor y el romance. Sabes perfectamente que no son más que tonterías.

Ella guardó silencio y asintió con la cabeza. Sabía que si hablaba se echaría a llorar o se levantaría y se iría. Continuó sentada hasta que acabaron de cenar y hablaron de naderías.

Esa noche India oyó cosas más que suficientes para toda una vida. En una sola velada Doug cuestionó sus creencias, destrozó sus sueños cuando le explicó qué opinaba del matrimonio y, sobre todo, de ella. La consideraba alguien en quien confiar, alguien que cuidaba de sus hijos. Durante el regreso se planteó llamar a Raúl y aceptar el reportaje en Corea, pero no podía hacerle eso a sus hijos por muy enfadada o decepcionada que estuviese con su marido.

—Esta noche lo he pasado bien —aseguró Doug cuando estaban a punto de llegar a casa. India procuró no pensar en el nudo que tenía en el estómago—. Me alegro de que hayamos aclarado la cuestión de tu profesión. Supongo que ahora sabes qué pienso al respecto. Considero que la semana que viene debes llamar a Raúl y darte de baja en la agencia.

Ella tuvo la sensación de que Doug esperaba que cumpliese sus órdenes. El oráculo había hablado. Nunca la había tratado así, aunque lo cierto es que en el pasado ella tampoco lo había cuestionado.

—Sé lo que piensas sobre muchas cosas —repuso India en voz baja.

Permanecieron un rato en el coche y finalmente Doug apagó el motor.

—India, no permitas que Gail te llene la cabeza de tonterías. Dice muchos disparates con tal de justificar su comportamiento v, si te convence, mejor para ella. Aléjate de Gail. Te altera.

Era mentira. No era Gail quien la alteraba, sino él. Había dicho cosas que la perturbarían durante años y que jamás olvidaría. No la amaba, tal vez nunca la había amado. En su opinión el amor era cuestión de adolescentes y de insensatos.

—Tarde o temprano tenemos que madurar —afirmó Doug, abrió la portezuela del coche y miró a su esposa—. El problema es que Gail no ha madurado.

—Ella no, pero tú sí, ¿verdad?

India se expresó con profunda tristeza y, al igual que la víspera y esa noche en el restaurante, Doug no captó el significado. En veinticuatro horas había definido lo que para él era el matrimonio, había pasado por alto la importancia de la trayectoria profesional de India y, lo que era más importante, le había transmitido que no la amaba o, como mínimo, que no estaba enamorado de ella. India no sabía qué pensar, qué sentir o cómo continuar igual que antes sin que la afectase.

—Ese restaurante me encanta. ¿Qué opinas? —preguntó Doug mientras entraban—. La cena estaba mejor que otras veces.

En la casa reinaba el silencio e India supuso que sólo Jessica seguía despierta. Seguramente los demás dormían. Habían estado mucho rato fuera y Doug había necesitado varias horas para destruir la última y más querida ilusión de su esposa. Doug habló sin reparar en el daño que le había infligido. Se comportó como el iceberg que hundió al *Titanic*. India se preguntó si su barco se hundiría. Costaba pensar que se mantendría a flote, aunque tal vez ella debería seguir adelante como alguien en quien confiar, estable y una buena compañía. Era lo que Doug quería y esperaba. No quedaba espacio para su corazón y su alma ni tenía con qué alimentarlos.

—Estuvo bien. Muchas gracias por la invitación —dijo India y subió a ver a sus hijos.

Estuvo un rato con Jessica, que estaba viendo la tele. Tal como había supuesto, los demás dormían, así que pasó por sus habitaciones y se dirigió a su dormitorio. Doug se desvestía y la contempló con ceño. Percibió algo muy extraño en la postura de su esposa.

—¿Sigues alterada por las tonterías que te dijo Gail?

India vaciló un segundo y negó con la cabeza. Doug era tan ciego y sordo que no se percató del daño que había provocado a su esposa y su matrimonio. No tenía sentido seguir hablando ni dar explicaciones. Lo miró y supo con certeza que nunca olvidaría ese momento.

3

A lo largo de las tres semanas siguientes India se comportó como un robot. Preparaba el desayuno, trasladaba a los niños en coche a la escuela, los recogía y los acompañaba a actividades extraescolares, desde el tenis hasta el béisbol. Por primera vez en años dejó la cámara en casa porque de repente le pareció absurdo llevarla. Experimentaba la sensación de haber sufrido una herida mortal de necesidad. Su espíritu había muerto y con el paso del tiempo el cuerpo lo seguiría. Con las cosas que había dicho y las ilusiones que su marido le había frustrado, India sentía como si le hubiera arrancado la vida, como si hubiese desinflado sus neumáticos. Todo lo que hacía le costaba un esfuerzo sobrehumano.

Como de costumbre, se topó asiduamente con Gail, por lo que supo que seguía saliendo con Dan Lewison. Habían comido juntos varias veces y Gail dio a entender que llegaron a citarse en un hotel. India imaginó lo demás pero, como no quería saberlo, se abstuvo de hacer preguntas.

No comentó con Gail las hirientes palabras de Doug. Su amiga notó que estaba deprimida y supuso que se debía a que rechazó el reportaje en Corea.

India no telefoneó a Raúl López para darse de baja de la lista de colaboradores de la agencia. No estaba dispuesta a hacerlo. Lo único que deseaba era ir a Cape Cod e intentar olvidar lo sucedido. Pensaba que quizá se calmaría cuando estuvieran distanciados. Necesitaba recobrar fuerzas, reconsiderar las afirmaciones de su marido y recuperar los buenos sentimientos hacia él si es que pretendía pasar el resto de su vida a su lado. Era muy difícil volver a sentir lo mismo por un hombre que, básicamente, decía que no te amaba y que sólo eras una compañía conveniente. Con un mero comportamiento irrespetuoso ese hombre había restado importancia a la profesión a la que había renunciado por él, pese a lo significativa que había sido para ella. Cada vez que lo miraba India tenía la sensación de que ya no lo conocía. Por lo visto, Doug ni siquiera sospechaba el mal que ocasionaron sus palabras. Para él nada había cambiado. Cada día viajaba a la ciudad en el tren de las siete y cinco, regresaba a la hora de cenar, contaba a su esposa cómo había ido la jornada y se dedicaba a leer informes. Como India se mostraba cada vez menos deseosa de compartir la cama, Doug lo achacó a que estaba cansada u ocupada. No se le ocurrió que ya no le apetecía hacer el amor con él.

Al final, India experimentó un profundo alivio cuando partió de vacaciones con los niños. Preparó el equipaje en sólo tres horas. En Cape Cod vestían informalmente, casi siempre usaban pantalones cortos, tejanos y trajes de baño y al final del verano dejaban la ropa que habían llevado. Con los niños siempre se planteaba la necesidad de llevar cosas nuevas. A lo largo de la última semana había logrado evitar a Doug, quien debido a las reuniones que mantenía con clientes nuevos durmió dos noches en la ciudad.

La mañana de la partida Doug salió al jardín, los despidió con la mano y a punto estuvo de olvidarse de dar un beso de despedida a su esposa; la besó deprisa y casi por obligación. A India no le importó. Los niños y el perro estaban en la camioneta y el equipaje se encontraba en el maletero, que iba tan lleno que tuvieron que cerrarlo entre tres.

—¡No te olvides de telefonear! —gritó Doug cuando se alejaban.

India asintió con la cabeza, sonrió y aceleró con la sensación de que acababa de despedirse de un desconocido. Doug le comentó que el primer fin de semana no podría ir a verlos, y la noche anterior le dijo que, probablemente, tampoco podría trasladarse el Cuatro de Julio, ya que se le acumulaba el trabajo con los nuevos clientes. Pensó que India se lo había tomado muy bien porque no protestó y se lo agradeció. No se percató de que hacía varias semanas, mejor dicho, desde la cena en Ma Petite Amie, que India estaba demasiado callada.

Tardaron seis horas y media desde Westport hasta Harwich e hicieron varias paradas. Los niños estaban de excelente humor. Ansiaban llegar a la playa y reencontrarse con sus amigos de verano.

Durante el trayecto no cesaron de hablar de todo lo que harían en Cape Cod. Sólo Jessica, que iba en el asiento del acompañante, reparó en que su madre parecía estar en otro mundo.

—Mamá, ¿tienes algún problema? —le preguntó.

India se emocionó al ver que su hija se percataba de su estado de ánimo. Doug ni se había enterado. Estaba muy ocupado e incluso pareció alegrarse de que se fueran para así dedicarse en cuerpo y alma a sus nuevos clientes.

—No; estoy bien. Simplemente me encuentro cansada. El ajetreo de las vacaciones me agota mucho.

Ese motivo justificaba su actitud. No quería que Jessica supiera que estaba enfadada con su padre. Por primera vez tuvo la impresión de que Doug y ella tenían un problema difícil de resolver.

—¿Por qué no viene papá las dos primeras semanas?

Jessica había percibido que desde hacía un tiempo su madre estaba con la moral por los suelos y se preguntó si sus padres habían discutido, aunque lo cierto era que se peleaban menos que los de sus amigos.

—Está muy ocupado con los nuevos clientes. Vendrá el fin de semana de aquí a quince días y en agosto pasará tres semanas con nosotros.

Jessica asintió y se puso los auriculares del walkman.

El resto del trayecto India se sumió en sus pensamientos mientras, como cada verano, conducía hacia Massachusetts.

El día anterior había hablado con Gail, quien le había dicho que ese fin de semana volaban a París. Gail estaba tan poco entusiasmada como de costumbre. Lo había pasado bien con Dan Lewison y no le agradaba dejarlo, sobre todo porque sabía que era la clase de relación que no sobrevivía al tiempo ni a la distancia. Cuando Gail regresara, Dan habría continuado con su vida, y sin duda se habría relacionado con el tropel de divorciadas desesperadas y deseosas de devorarlo. Gail sólo podía ofrecerle una tarde ocasional y clandestina en un motel, pero había otras mujeres dispuestas a hacer lo mismo. No se hacía ilusiones con respecto a esta aventura. Al oír a su amiga, India se deprimió todavía más. Le deseó buen viaje y le pidió que llamase cuando regresara. La invitó a pasar unos días con sus hijos en Cape Cod mientras Jeff estuviera trabajando. Gail aseguró que le encantaría.

Al caer la tarde llegaron a la casa de Harwich. India se apeó, estiró las piernas y, con una profunda sensación de alivio, contempló el océano. Estar allí era precisamente lo que necesitaba. Era un marco maravilloso que albergaba una cómoda casa victoriana en la que encontraba la paz. Amigos de Boston y Nueva York también pasaban el verano allí y le encantaba reunirse con ellos. Pero este año deseaba pasar unos días a solas con sus hijos, necesitaba tiempo para pensar, para recobrar fuerzas y recuperarse del golpe que su marido le había asestado en aquella fatídica cena. Por primera vez en catorce años no tuvo ganas de llamar a Doug una vez se instalaron en la casa. Le resultó imposible.

Doug telefoneó por la noche para saber si habían llegado bien. Habló con sus hijos y luego con ella.

—¿Va todo bien?

India le aseguró que sí. El servicio de limpieza había dejado la casa limpia como una patena esa misma semana. No había reventones, persianas rotas ni daños ocasionados durante el invierno. Doug la sorprendió con la pregunta que planteó:

—¿Por qué no telefoneaste al llegar? Temí que os hubiera pasado algo.

¿Para qué telefonear? Puesto que los corazones y las flores no tenían la menor importancia para Doug, ¿qué cambiaría si telefoneara? ¿De verdad le preocuparía que le pasara algo? ¿Lo habría inquietado la pérdida de alguien que cuidaba de sus hijos? Si a ella le pasaba algo podría contratar a un ama de llaves.

—Lo siento, Doug. Se nos pasó el tiempo mientras aireábamos la casa y deshacíamos el equipaje.

—Pareces agotada —comentó con tono comprensivo, aunque Doug no había reparado en la fatiga ni la depresión que India arrastraba desde hacía semanas.

—El trayecto es muy largo, pero estamos bien.

«Tanto los hijos como la cuidadora estaban sanos y salvos, lo mismo que el perro», pensó India.

—Me gustaría estar con vosotros en lugar de sufrir las aburridas reuniones con mis clientes —apostilló Doug.

Parecía sincero.

—Pronto vendrás —aseguró India, deseosa de colgar. De momento no tenía nada que decir a su marido. Sentía que le faltaban las fuerzas. A la luz de los comentarios de Doug, India no tenía nada que ofrecerle, pero su marido no se daba por aludido—. Ya te llamaremos —añadió con afabilidad.

Pusieron fin a la conversación. Para variar, Doug no le dijo que la quería. De todos modos, daba igual. Estaba claro que en esa etapa de la vida la palabra amor apenas tenía significado para su esposo.

India se reunió con sus hijos y los ayudó a hacer las camas. Una vez acostados se dirigió al cuarto oscuro. Hacía casi un año que no entraba y lo encontró todo en su sitio. Al encender la luz vio en la pared algunas de las fotos preferidas de su padre. También había colgado un retrato de Doug, que contempló largo rato. Con excepción de las caras de sus hijos, conocía ese apuesto rostro mejor que ningún otro. Al observar los ojos retratados vio la misma frialdad en la mirada que había descubierto en las tres últimas semanas y también percibió sus carencias. Se asombró de no haberlas descubierto antes. ¿Acaso había querido creer que albergaban algo más? ¿Deseaba pensar que Doug todavía la amaba como cuando eran jóvenes, que seguía enamorado de ella, como suponía, hasta que él le aclaró que en el matrimonio el amor no tiene la menor importancia? Las palabras aún resonaban en su cabeza como si estuviera pronunciándolas: «Necesitas compañía, franqueza, respeto, alguien que cuide de los niños, alguien en quien confiar... Se preguntó si realmente era lo que Doug deseaba, mucho menos que lo que ella esperaba de él.

Se concentró en una foto de su padre. Era alto y delgado y, hasta cierto punto, parecido a Doug, aunque su mirada era risueña y su porte denotaba felicidad, entusiasmo y alegría. Al hablar inclinaba graciosamente la cabeza e India lo imaginó enamorado a cualquier edad. Había muerto muy joven, a los cuarenta y dos años, pero en la foto parecía mucho más vivo que Doug. Había sido un hombre vibrante. India sabía que su madre había padecido las ausencias de su padre y que su vida había sido dura, pero también era consciente de lo mucho que se habían amado. Su madre se enfadó con él por morirse y dejarla sola. De pronto recordó claramente lo afligida que se había sentido cuando su madre le dio la noticia de lo sucedido. Era incapaz de imaginar el mundo sin su padre. Le costaba creer que había muerto hacía ya veintiocho años; tenía la sensación de que había transcurrido toda una vida.

De las paredes del cuarto oscuro también colgaban fotos enmarcadas de sus reportajes. Las examinó críticamente. Eran buenas, excelentes, y captaban emociones y sentimientos con tanta intensidad que parecían cuadros. Contempló los rostros estragados de los niños hambrientos y a la pequeña keniata sentada sobre una roca, con una muñeca en la mano, llorando mientras a sus espaldas ardía la aldea. Vio caras de ancianos, de soldados heridos y la de la mujer que reía jubilosamente mientras sostenía a su hijo recién nacido. India había ayudado a traerlo al mundo y aún lo recordaba. Ocurrió en una choza diminuta de las afueras de Quito cuando colaboraba con el Cuerpo de Paz. Esas fotos eran fragmentos de su vida, congelados en el tiempo y enmarcados, lo que permitía contemplarlos siempre. No se resignaba a pensar que ya no formaban parte de su vida. Con Doug había hecho un trato que siempre consideró justo, pero ahora tenía sus dudas. ¿Había recibido lo suficiente a cambio de su sacrificio? Sabía que sí cuando pensaba en sus hijos, pero ¿qué más tenía? ¿Qué le quedaría cuando sus hijos creciesen? No tenía respuestas para esas preguntas.

Repasó el estado de los productos químicos y del equipo, tomó algunas notas, apagó la luz y fue a su dormitorio. Se desvistió, se puso el camisón, se acostó, apagó la luz y durante largo rato estuvo atenta al sonido del oleaje. Era un murmullo apacible que cada año olvidaba y que nada más llegar recuperaba. De noche la ayudaba a conciliar el sueño y por la mañana la arrullaba. Apreciaba la solemnidad y el consuelo que le proporcionaba. Era una de las cosas que más adoraba de las vacaciones. Cerró los ojos y al adormilarse saboreó su soledad, con la única compañía de sus hijos, sus recuerdos y el océano. Por el momento, era lo único que necesitaba.

4

Cuando India despertó el sol brillaba y el océano relumbraba como si estuviese salpicado de plata. Entró en la cocina y vio a sus hijos levantados y preparándose los cereales del desayuno. Se había puesto una camiseta, pantalón corto y sandalias, y llevaba el pelo recogido con dos pinzas de carey. Aunque no lo sabía, estaba muy guapa.

—¿Qué planes tenéis? —inquirió.

Preparó la cafetera. Le parecía absurdo hacer café sólo para ella, pero le encantaba sentarse en la terraza con una taza de café, leer y contemplar de rato en rato el océano. Era otro de sus pasatiempos preferidos en Cape Cod.

—Me acercaré a casa de los Boardman —se apresuró a responder Jessica.

Los Boardman tenían tres chicos mayores que su hija y una adolescente de su edad. Habían crecido codo a codo, Jessica los adoraba y los muchachos le resultaban muy interesantes porque dos cursaban estudios secundarios y el tercero estaba en primer año de universidad.

Jason tenía un amigo calle abajo, al que la víspera había telefoneado y con quien quedó para pasar la jornada. Aimee quería ir a nadar a casa de una amiga e India se comprometió a llamar y arreglarlo en cuanto se bebiese su taza de café. A Sam le apetecía caminar por la playa con su madre y con *Crockett*, el labrador. La propuesta le resultó interesante y aceptó hacerlo un poco más tarde. Entretanto, Sam decidió sacar los juguetes del año anterior y la bicicleta.

A las diez ya no quedaba nadie en casa. Sam y su madre bajaron la escalera que conducía a la playa con el perro pisándoles los talones. Sam había llevado una pelota y la lanzaba a *Crockett*. El perro la recuperaba fielmente incluso cuando el niño la arrojaba al agua. India caminó encantada y los observó con la cámara colgada del hombro. Después de treinta años parecía formar parte de su cuerpo y a sus hijos les resultaba difícil imaginarla sin la cámara.

Habían recorrido un kilómetro y medio cuando se encontraron con los primeros conocidos. La temporada acababa de empezar y todavía había pocos veraneantes. Se topó con un matrimonio que Doug y ella conocían desde hacía años. Eran médicos y vivían en Boston. El marido era mayor que Doug y la esposa tenía un par de años más, rondaba la cincuentena. Su hijo estudiaba medicina en Harvard y los dos últimos años no había veraneado en Cape Cod debido a sus estudios. Sus padres estaban orgullosos de que hubiese decidido seguir sus pasos. Jenny y Dick Parker sonrieron en cuanto los vieron.

—Me preguntaba cuándo llegaríais —comentó Jenny muy contenta.

Como de costumbre, India había recibido una tarjeta navideña de los Parker, aunque en invierno casi nunca se comunicaban. Sólo se veían en verano en Cape Cod.

—Llegamos anoche —les informó India—. Doug no vendrá hasta dentro de dos semanas. Tiene muchos clientes nuevos.

—¡Qué pena! —exclamó Dick mientras jugaba a boxear con Sam y el perro ladraba agitado, dando vueltas alrededor de ellos—. El Cuatro de Julio celebramos una fiesta y pensé que vendríais. Supongo que asistirás aunque no venga tu marido. Trae a los niños. Como el año pasado quemé las costillas y las hamburguesas, Jenny me ha obligado a contratar un servicio de catering.

—Pero los filetes te salieron de maravilla —declaró India sonriente, pues recordaba las costillas quemadas y las hamburguesas carbonizadas.

—Eres muy amable. —Dick sonrió; se alegraba mucho de ver a India. Siempre había sentido debilidad por sus hijos, como manifestaba el modo en que jugaba con Sam—. Os espero a todos.

—Iremos con mucho gusto. ¿Quién más ha llegado? —quiso saber India.

Jenny enumeró a los veraneantes. Ya habían llegado unos cuantos de los habituales, lo que era agradable para los chicos.

—El Cuatro de Julio vendrán algunos amigos —dijo Jenny. Siempre tenían la casa llena de amistades, pero en esta ocasión estaba impaciente por decir a India quiénes eran sus invitados—. Nos visitarán Serena Smith y su marido.

—¿La escritora? —India se sorprendió.

Con sus tórridas novelas Serena Smith siempre figuraba en la lista de libros más vendidos. India suponía que se trataba de una mujer muy interesante.

—Estudiamos juntas —comentó Jenny—. Al pasar los años perdimos el contacto, pero en la universidad fuimos buenas amigas. Este año nos reencontramos en Nueva York. Es muy divertida y su marido me cae bien.

—Y cuando veas su velero quedarás boquiabierta —apostilló Dick con admiración—. A bordo de él han dado la vuelta al mundo. Es espectacular. Navegarán desde Nueva York con varios amigos y piensan pasar una semana por aquí. Tienes que traer a los niños para que vean el barco.

—Avísanos cuando llegue —pidió India.

Dick sonrió.

—No creo que haga falta. Es imposible ignorar el velero. Mide cincuenta metros de eslora y la tripulación consta de nueve miembros. Viven como reyes, pero son encantadores. Estoy seguro de que te caerán bien. Es una pena que Doug no pueda conocerlos.

—Lamentará perdérselo —dijo India con amabilidad.

No tenía por qué explicar que a Doug le bastaba mirar una embarcación para marearse. A ella no le ocurría lo mismo y sabía que a Sam le encantaría visitar el velero.

—Estoy seguro de que Doug sabe quién es Paul Ward. Se dedica a la banca internacional.

En los últimos años Paul Ward había ocupado dos veces la portada de *Time* e India había leído artículos sobre él en el *Wall Street Journal*. Jamás lo había relacionado con Serena Smith y supuso que rondaba los cincuenta y cinco años.

—Me encantará conocerlos. Este año no nos privamos de nada, ¿verdad? Hasta tenemos escritoras famosas, grandes yates y financieros internacionales. Por comparación los demás resultamos aburridos.

Sonrió a los Parker, que siempre se rodeaban de gente interesante.

—Querida, yo no diría que eres precisamente aburrida —aseguró Dick sonriente y la abrazó. Compartían la pasión por la fotografía. Dick sólo era un aficionado, pero había realizado algunos bonitos retratos de sus hijos—. ¿Este invierno has hecho algún reportaje?

—Desde el trabajo de Harlem no he hecho nada —replicó con pesar y le habló del reportaje en Corea.

—Habría sido muy duro —comentó Dick.

—No podía dejar un mes a los chicos. Cuando Doug se enteró se puso furioso. Con franqueza, me dijo que no quiere que realice más encargos.

—Sería lamentable que con el talento que atesoras no hicieras nada —aseguró él pensativo mientras Jenny hablaba con Sam de los deportes que había practicado durante el invierno—. Debes convencerle de que te deje trabajar más asiduamente —añadió con seriedad, por lo que India recordó la fatídica cena.

—Doug no comparte tu perspectiva —dijo, y sonrió apenada a su viejo amigo—. Tengo la penosa sensación de que para él trabajo y maternidad son incompatibles.

Algo en la mirada de India indicó a Dick que estaba pisando un terreno peligroso.

—Dejemos que Jenny lo convenza. Hace cinco años le propuse que se retirara y casi me mata. Pensé que trabajaba demasiado porque, además de las intervenciones quirúrgicas, se dedicaba a la docencia. Estuvo a punto de separarse de mí y dejarme plantado. Me parece que no volveré a intentarlo hasta que cumpla los ochenta.

Dick miró con afecto a su esposa.

—No se te ocurra ni siquiera entonces —advirtió Jenny que sonrió a su marido y se sumó a la conversación—. Seguiré dando clases como mínimo hasta cumplir los cien años.

—Ya lo creo —dijo Dick y sonrió a India.

La belleza y la naturalidad de India siempre lo sorprendían. Ella no era consciente del efecto que ejercía en los demás. Estaba tan acostumbrada a mirar a través del visor que no se le ocurría pensar que alguien la observara. India le habló de la nueva cámara que había comprado, le dio detalles sobre las especificaciones técnicas y le aseguró que se la dejaría probar. Se había acordado de llevarla a Cape Cod. A Dick le encantaba visitar el cuarto oscuro de India, y allí había aprendido a revelar fotos. El talento de su amiga siempre lo había impresionado mucho más que a Doug, que desde hacía años no le atribuía la menor importancia.

Los Parker debían volver a casa pues esperaban la llegada de unos amigos. India se comprometió a visitarlos con Sam un par de días después y añadió que pasasen por su casa cuando quisieran.

—¡No te olvides de la fiesta del Cuatro de Julio! —le recordaron mientras se alejaba con Sam y el perro brincaba a sus espaldas.

—¡Allí estaremos! —exclamó India, saludó y se alejó con Sam de la mano.

Dick Parker comentó con su esposa lo mucho que se alegraba de verlos.

—Es absurdo que Doug no quiera que trabaje —dijo Jenny mientras avanzaban por la playa y pensó en lo que India les había comentado—. No es una fotógrafa de poca monta y antes de casarse realizó reportajes memorables.

—Tienen muchos hijos.

Dick intentó ponerse en la piel de los dos. Siempre había sospechado que Doug no daba importancia a la labor de su esposa. Casi nunca mencionaba las fotos de India ni las alababa.

—¿Qué quieres decir? —A Jenny no le parecía motivo suficiente para que India rechazara todos los encargos—. Podrían contar con ayuda para el cuidado de los niños. No es justo que India haga eternamente de niñera para aplacar el orgullo de Doug.

—¡Está bien, está bien, Atila!, te he entendido —bromeó Dick—. Díselo a Doug, pero a mí no me grites.

—Discúlpame. —Jenny sonrió a su marido cuando éste la cogió del hombro. Estaban casados desde que estudiaban en Harvard y se querían apasionadamente—. Me molesta que los hombres adopten esas posturas tan injustas. ¿Y si India le pidiera que dejase el trabajo y se ocupara de los niños? Pensaría que se ha vuelto loca.

—¡No me digas! Doctora Parker, sea más explícita.

—De acuerdo. Reconozco que Simone de Beauvoir fue mi modelo. Mátame si quieres.

—Da la casualidad de que te quiero aunque tengas opiniones muy firmes sobre muchísimos temas.

—¿Me amarías si no las tuviera?

A Jenny le bastaba fijarse en su esposo para que se le encendiese la mirada. Era evidente el amor que se profesaban.

—Probablemente no te amaría tanto y me habría hartado hace años.

Estar casado con Jenny Parker había sido de todo menos aburrido. Lo único que Dick lamentaba era no tener más hijos. Jenny siempre había estado muy ocupada con su trabajo para ser madre más de una vez y Dick estaba orgulloso de su único hijo. Phillip era igual a su madre y estaban convencidos de que se convertiría en un excelente médico. De momento, quería especializarse en pediatría; los niños lo adoraban y sus padres consideraban que era una buena elección.

Mientras continuaban el paseo por la playa Sam hablaba de los Parker con su madre. Los quería mucho y los comentarios de Dick sobre el velero no cayeron en saco roto.

—¿Has oído que unos amigos vendrán en velero para asistir a la fiesta del Cuatro de Julio? —preguntó India y Sam asintió con la cabeza—. Es un barco enorme.

—¿Podremos subir? —preguntó el niño con interés.

Sam adoraba los barcos y ese verano tomaría clases de vela en el club náutico.

—Supongo que sí. Dick ha dicho que nos llevaría.

Semejante posibilidad llenó de emoción a Sam. Por su parte, India deseaba conocer a Serena. Había leído dos o tres novelas suyas y le habían encantado, pero no había tenido tiempo de disfrutar con las más recientes.

Llegaron al final de la playa y emprendieron el regreso paseando por el borde del agua. Sam lanzaba la pelota y *Crockett* la recuperaba.

Cuando arribaron a casa no había nadie, así que India preparó la comida y luego salieron en bici. Visitaron las casas de amigos e hicieron un alto para saludar. Era fantástico estar en un sitio querido y rodeados de conocidos. Cape Cod era el lugar perfecto para todos. En la última casa que visitaron Sam coincidió con todos sus amigos e India accedió a que se quedase a cenar.

Regresó sola y al llegar oyó sonar el teléfono. Pensó que podía ser Doug y titubeó antes de responder. No tenía ganas de hablar con él. Pero era Dick Parker.

—Los Ward acaban de telefonear —informó entusiasmado—. Llegan mañana. Mejor dicho, Paul llega mañana con un grupo de amigos. Serena vendrá en avión el fin de semana. Quería que lo supieras y que trajeses a Sam. Paul dice que llegará por la mañana. Ya te avisaremos.

—Se lo diré a Sam —replicó India.

Se dirigió a la cocina y se preparó un plato de sopa. Ninguno de sus hijos cenó en casa, aunque llamaron para avisar. La independencia de los niños le sentó bien. Era una de las cosas que más apreciaba de las estancias en Cape Cod. Se trataba de una comunidad segura, formada por personas que conocía y en quienes confiaba. Prácticamente no había forasteros y muy pocos alquilaban casas en verano. Los propietarios adoraban tanto el lugar que no veraneaban en otros sitios. Era uno de los motivos por los que Doug no tenía ganas de visitar Europa y, hasta cierto punto, India no se lo reprochaba.

Cuando Sam apareció su madre le dijo que el velero llegaría por la mañana.

—Han prometido avisarnos en cuanto atraque.

—Espero que no se olviden —murmuró Sam preocupado mientras India lo arropaba, lo besaba e insistía en que estaba segura de que sus amigos no olvidarían avisarles.

Los demás regresaron poco después. India les sirvió palomitas y limonada. Estuvieron charlando y riendo en la terraza hasta que, uno tras otro, se fueron a dormir. Doug no telefoneó e India tampoco. Estaba contenta de disponer de tiempo para sí y se metió en el cuarto oscuro en cuanto los chicos se durmieron.

Era tarde cuando por fin entró en su dormitorio. Contempló la luna llena que se reflejaba en el agua. El firmamento estaba salpicado de miles de estrellas. Hacía una noche perfecta, estaba en un sitio adorable y añoró fugazmente a Doug. Tal vez, después de todo, sí sería agradable tenerlo a su lado, pese a las diferencias que les separaban y a su deprimente opinión acerca del matrimonio. India no quería ser, simplemente, una «compañía en quien confiar», detestaba esa idea. Deseaba ser la mujer amada y aún soñaba con esa posibilidad. Le dolía pensar en la poca importancia que le daba Doug. Tal vez aquella noche no hablaba realmente en serio, pensó esperanzada mientras observaba el firmamento y el sueño la vencía. Era imposible que hablase en serio... ¿Todo era tan rígido e inmutable? Aspiraba a ser mucho más que la cuidadora de sus hijos. Deseaba correr por la playa a la luz de la luna, cogida de la mano de Doug, dejarse caer en la arena y besarse como de jóvenes lo habían hecho en Costa Rica. No podía creer que Doug lo hubiese olvidado y se hubiera distanciado tanto de esos sueños. ¿Adónde había ido a parar aquel joven de veinte años que una vez conoció en el Cuerpo de Paz? El servicio en ese organismo se convirtió en una especie de error de juventud para Doug y los veinte años transcurridos lo habían transformado en una persona muy distinta. Ya no era el mismo. Según decía, había madurado. Y en el proceso de maduración había perdido algo..., algo que India amaba intensamente. Lo quería tanto que renunciaría a toda su vida por él. India también había cambiado, aunque no tanto como para olvidar qué había sido. La situación era muy penosa para ambos. Se quedó dormida mientras los pensamientos se agolpaban y no despertó hasta la mañana siguiente.

5

Cuando India despertó notó que el día era muy soleado y que una suave brisa agitaba las cortinas de la ventana de su dormitorio. Se desperezó, se levantó, contempló el océano y divisó el velero más grande que había visto en su vida. Varias personas trajinaban en cubierta, en el palo mayor ondeaban diversas banderas, el casco era azul oscuro y la superestructura plateada. El conjunto ofrecía una vista espectacular y en el acto supo a quién pertenecía la embarcación. No hacía falta que los Parker telefoneasen. El velero se veía a kilómetros mientras navegaba majestuoso. Corrió a despertar a su hijo.

—¡Venga, Sam! ¡Levántate! ¡Quiero mostrarte algo! ¡Ya ha llegado!

—¿Qué dices?

El niño se levantó adormilado y siguió a su madre hasta la ventana.

Ella señaló el velero.

—¡Caray, mamá! ¡Es fantástico! ¡Seguro que se trata del velero más grande del mundo! ¿Ya se va?

A Sam le aterraba perderse la posibilidad de subir a bordo.

—Está entrando en el club náutico.

Habían izado una vela balón de colores vivos y el espectáculo era increíble. El viento arreció y la embarcación avanzó con elegancia hacia el muelle. India corrió a su dormitorio y cogió la cámara. Salió con su hijo pequeño a la terraza y fotografió el velero. Se dijo que, en cuanto las revelase, regalaría las fotos a Dick Parker. El barco era maravilloso.

—¿Por qué no llamamos a Dick? —preguntó Sam, a quien le costaba refrenar su entusiasmo.

—Deberíamos esperar un rato. Sólo son las ocho de la mañana.

—¿Y si regresan a Nueva York antes de que podamos visitarlo?

—Cariño, acaban de llegar y Dick ha dicho que se quedarán una semana. No te perderás nada. ¿Qué te parece si antes de telefonear preparo unas crepes?

Fue lo único que se le ocurrió para ganar tiempo y Sam accedió de mala gana. A las ocho y media el niño ya no aguantaba más y suplicó a su madre que telefonease.

Contestó Jenny. India se disculpó por llamar tan temprano y le expuso la situación. Jenny rió al enterarse de la impaciencia de Sam.

—Si quieres que te diga la verdad, acaban de llamar desde el barco y nos han invitado a comer. Atracarán en el club náutico.

—Es precisamente lo que le dije a Sam. Me pareció que el velero navegaba en esa dirección.

Sam había salido a la terraza con los prismáticos, pero el velero ya había doblado el promontorio y no se divisaba.

—¿Por qué no venís con nosotros? —propuso Jenny—. Estoy segura de que les da igual que seamos dos más. ¿Los otros también querrán venir? Llamaré a Paul, aunque sé que no le molestará.

—Lo consultaré y te llamaré de nuevo. Jenny, muchas gracias. Aunque no creo que Sam pueda resistir hasta mediodía. Quizá necesite que le administres un calmante.

—¡Ya verás cuando Sam suba a bordo! —exclamó Jenny.

Cuando sus hijos mayores se levantaron, India les comunicó la llegada del velero y les preguntó si querían visitarlo. Habían hecho planes y estar con sus amigos les interesaba más que el barco.

—¡No sabéis lo que os perdéis! —comentó Sam mientras sus hermanos desayunaban. India había preparado crepes para todos y, aunque Sam ya había comido, los acompañaba—. ¡Es el velero más grande del mundo! ¡Deberíais verlo!

—¿Cómo lo sabes? —preguntó Jason sin inmutarse.

Los jóvenes Tilton habían recibido la visita de una prima de Nueva York, a la que Jason consideraba la chica más guapa del mundo. No había velero que le llegase a la suela de los zapatos, y no estaba dispuesto a desaprovechar la ocasión de pasar el día con ella.

—Mamá y yo lo vimos esta mañana. Es tan grande como... es tan grande como...

Sam se quedó sin palabras e India sonrió.

Aimee era la única que, como su padre, se mareaba, por lo que se negaba a navegar ni aunque la ataran en cubierta. Jessica ya había hecho planes más interesantes con los Boardman. Tres muchachos, uno de los cuales estudiaba el primer curso en Duke, y su mejor amiga la atraían mucho más que el mejor de los veleros.

—A Sam y a mí nos han invitado a comer a bordo —explicó India—. Tal vez nos inviten de nuevo y podréis venir. Recorreremos el barco de arriba abajo y haré muchas fotos.

Un velero de cincuenta metros de eslora era algo que no podía perderse por nada del mundo.

A mediodía madre e hijo cogieron las bicicletas y se dirigieron al club náutico. El niño estaba tan nervioso que le costaba mantener el equilibrio. En dos ocasiones estuvo a punto de caer e India le instó a que se serenase y le aseguró que el velero no zarparía sin ellos.

—Mamá, ¿crees que hoy navegaremos?

—No lo sé, aunque es posible. Supongo que es bastante trabajoso entrar y salir del puerto. Tal vez no quieran navegar. Al menos lo visitaremos.

—No te olvides de tomar muchas fotos —insistió Sam.

India rió. Era muy divertido ver tan feliz y emocionado a su hijo. Compartir esa experiencia con él era como verla a través de los ojos de un niño y estaba casi tan entusiasmada como Sam.

Llegaron sin dificultades al club náutico y pedalearon por el muelle sin apartar la mirada del velero. Era imposible pasar de largo, ya que sobresalía en un extremo del muelle y el palo mayor se elevaba tanto como un edificio de varios pisos. A primera vista parecía más grande que el club náutico. Varios veleros estaban fondeados, pero ninguno podía compararse con el que se encontraba al final del muelle.

India comprobó aliviada que los Parker habían llegado y los esperaban. Habría sido incómodo subir al velero rodeada de desconocidos, pero a Sam le habría dado lo mismo tener que avanzar entre piratas. Nada lo habría amedrentado. Corrió por la pasarela y se arrojó a los brazos de Dick Parker mientras su madre recogía las bicicletas. India vestía camiseta y pantalón corto blancos y se había recogido la melena en una coleta sujeta con una cinta blanca. Más que la madre parecía la hermana mayor de Sam. Vio a los Parker y sonrió.

Diversas personas se encontraban en cubierta, repantigadas en cómodos sillones y en dos sofás grandes y elegantes, forrados con lona azul. Marineros y tripulantes con pantalón corto azul marino y camiseta blanca trajinaban sin cesar. India contó como mínimo seis invitados, entre los que destacaba un individuo canoso, alto y de aspecto juvenil. Cuando se acercó vio que su cabello había sido del mismo tono que el suyo y que estaba salpicado de canas. De penetrantes ojos azules y apuestas facciones bien cinceladas, tenía hombros anchos y un cuerpo largo, delgado y atlético. Vestía pantalón corto blanco y camiseta roja. El hombre se acercó presuroso a Dick Parker. Cruzó su mirada con la de India y rápidamente se dirigió a Sam, sonrió y le tendió la mano.

—Seguro que eres Sam, el amigo de Dick. ¿Por qué has tardado tanto? Te estábamos esperando.

—Mi mamá pedalea muy despacio. Si voy muy rápido se cae de la bici —explicó el niño.

—Me alegro de que estéis aquí —declaró el anfitrión con gesto afable y miró a India con expresión risueña.

Paul experimentó una afinidad instantánea con Sam y quedó intrigado por su madre. Era una mujer atractiva, parecía inteligente y su expresión denotaba un carácter afable. Evidentemente se sentía orgullosa de su hijo y, al hablar con él, Paul llegó a la conclusión de que tenía sobrados motivos para estarlo. Sam era listo, educado, se interesaba por todo y hacía infinidad de preguntas sorprendentemente complejas. Incluso sabía que el yate era un queche, había calculado correctamente la altura del palo mayor basándose en la eslora y conocía los nombres de las velas. Era evidente que los veleros lo apasionaban, razón por la cual el anfitrión simpatizó aún más con él. Al cabo de cinco minutos Sam se sentía a sus anchas. Se hicieron amigos en un abrir y cerrar de ojos y Paul no tardó en llevarlo a la cabina de mando.

Dick Parker presentó a India al resto de los invitados. India tomó asiento y se puso a charlar al tiempo que una camarera le ofrecía champán o un bloody mary. Pidió zumo de tomate y se lo sirvieron poco después en un grueso vaso de cristal con el nombre del barco tallado: *Sea Star*. Según contó uno de los invitados, lo construyeron específicamente para Paul en Italia y era el segundo de esas características que poseía. Tanto en el primero como en éste había dado la vuelta al mundo y le ensalzaron como un navegante excepcional.

—Tu hijo aprenderá mucho con Paul —aseguró una invitada—. De joven participó en la Copa América y no ha dejado de interesarse por la vela. Siempre insiste en que se retirará de Wall Street y se dedicará a navegar por el mundo, pero no creo que Serena lo permita.

Todos rieron.

—¿Navega siempre con él? —preguntó India con interés.

Estaba deseosa de tomar fotos del velero, pero quería hacerlo con discreción y suponía que más tarde se presentaría la oportunidad. Todos se desternillaron de risa al oír su pregunta. Por lo visto era una broma entre amigos y al final una de las invitadas le explicó la situación:

—Para Serena, navegar de Cannes a Mónaco es muy peligroso y Paul se siente decepcionado a menos que salga airoso de un tifón en pleno océano Índico. Serena se las apaña para reunirse con su marido en distintos puertos... con la menor frecuencia posible. Intenta convencerlo de que compre un avión y dedique menos tiempo al velero, pero sospecho que tiene la batalla perdida.

El hombre que estaba a su lado asintió con la cabeza.

—Pues yo apuesto por Serena. Detesta que Paul haga largas travesías. Se siente mejor cuando están firmemente amarrados en Cap d'Antibes o en Saint-Tropez. Es evidente que a Serena no le gusta navegar.

A India le costaba imaginar una travesía en el *Sea Star* como algo desagradable, aunque era posible que la famosa escritora se marease. Su rechazo a los recorridos en velero era perfectamente conocido y desató comentarios. Al oírlos, India pensó que se trataba de una mujer interesante y difícil. Mientras charlaban sacó discretamente la cámara y se dedicó a tomar fotos. Los invitados estaban tan ocupados que apenas repararon en lo que hacía y transcurrieron varios minutos hasta que alguien se fijó en la cámara. Era la nueva, la que deseaba mostrar a Dick Parker, y a su amigo le encantó. A Dick le pareció el momento adecuado de explicar a los demás quién era India, por lo que comentó en su nombre:

—A su padre le concedieron el Pulitzer y a India se lo darán cualquier día, siempre y cuando decida volver a trabajar. Ha visto tanto mundo como Paul y en la mayoría de los lugares la apuntaban con armas de fuego o las bombas estallaban a su alrededor. Tendríais que ver las fotos que ha tomado.

Era evidente que Dick Parker estaba orgulloso de India.

—Hace mucho que no me dedico a mi trabajo —explicó con modestia—. Lo dejé hace muchos años, cuando me casé.

—Aún estás en condiciones de cambiar el orden de las cosas —declaró Jenny.

Los invitados reanudaron afablemente la conversación y transcurrió media hora. Sam y Paul Ward volvieron y el niño no cabía en sí de alegría.

Paul le había mostrado hasta el funcionamiento de las velas. Todo estaba informatizado y, si era imprescindible, podía gobernar la nave con una sola mano, como había hecho con frecuencia. Era un navegante extraordinario y hasta Sam lo había comprendido. Paul le había dado las explicaciones con términos muy sencillos y él quedó todavía más impresionado por las agudas preguntas del chico. Incluso dibujó varios diagramas para mostrarle el funcionamiento de algunos dispositivos.

—Temo que tienes entre manos a un navegante de tomo y lomo —dijo a India en cuanto regresaron y Sam bebió el refresco que la camarera le ofreció—. Es una adicción grave. En tu lugar me preocuparía. Compré mi primer velero a los veinte años, cuando no tenía dónde caerme muerto y para conseguirlo a punto estuve de vender mi alma.

—Paul, ¿puedo ayudarte a gobernar el velero? —preguntó Sam y lo miró con adoración.

El magnate sonrió y le revolvió el cabello. Se llevaba francamente bien con los niños y Sam le encantaba.

—Hijo, no creo que hoy volvamos a salir. ¿Qué te parece mañana? Visitaremos algunas islas. ¿Quieres venir? —Sam estaba radiante. Paul miró a India y preguntó—: ¿Nos acompañaréis mañana? Estoy seguro de que tu hijo lo pasará muy bien.

—No me cabe duda. —India le sonrió—. ¿No es un abuso?

La fotógrafa no quería molestar y sabía que el entusiasmo de Sam podía resultar agobiante.

—Sam sabe de veleros más que muchos amigos míos. Me encantará mostrarle cómo funciona cada elemento del velero. Es difícil tener la oportunidad de educar a un joven navegante. La mayoría de los que suben a bordo sólo se preocupan por el bar y por el tamaño de los camarotes. Creo que Sam puede aprender mucho.

—Será fantástico. Te lo agradezco.

India se sentía extrañamente cohibida. Paul era un hombre importante y poderoso, lo que la intimidaba ligeramente. Por su parte, Sam se sentía a sus anchas con su nuevo amigo, con los invitados y con los tripulantes. Paul había logrado que el pequeño estuviera cómodo e India se sorprendió. Esa actitud decía mucho de Paul y al cabo de unos minutos se puso a charlar con él y le preguntó si tenía hijos. Pensaba que sí, pues era muy hábil con un crío de la edad de Sam. No se llevó una sorpresa cuando Paul asintió sonriente.

—Tengo un hijo que detesta los barcos. —Rió—. Si tiene que pasar diez minutos en un velero prefiere que lo quemen en la hoguera. Es un hombre hecho y derecho y tiene dos hijos que detestan la navegación tanto como su padre. Mi esposa es igual que mi hijo. Soporta la vida en el *Sea Star*, pero le cuesta. Serena y yo no hemos sido padres. Sospecho que Sam disfrutará de mi necesidad de enseñar a navegar a alguien, aunque tal vez sea muy pesado para él. —Cogió una copa de champán de la bandeja de plata que la camarera le ofreció, sonrió a India y reparó en la cámara fotográfica—. Dick me ha dicho que eres una mujer de extraordinario talento.

—Me temo que exagera. Al menos en el presente. Actualmente me limito a hacer buenas fotos de mis hijos.

—Por lo que Dick me ha contado pecas de modesta. Parece ser que tu especialidad son los bandidos, guerrilleros y conflictos bélicos. —India rió al oír esa descripción, pero no estaba tan lejos de la verdad. Había realizado muchos reportajes peligrosos en lugares insólitos—. He hecho lo mismo, aunque no tomando fotos. Fui piloto de la marina y más adelante, antes de volver a casarme, participé en transportes por puente aéreo a sitios remotos. Organicé un grupo de pilotos voluntarios para llevar a cabo misiones de rescate y trasladar provisiones. Es probable que hayamos coincidido en varios lugares.

A India le bastó escucharlo para saber que le habría encantado fotografiar sus aventuras.

—¿Aún te dedicas a esas empresas? —preguntó.

Paul era un individuo polifacético. Evidentemente llevaba una existencia lujosa, pero aderezada de peligros y emociones. India también estaba al tanto de sus éxitos en Wall Street. Tenía fama de íntegro y de triunfador legendario.

—Hace años que no realizo transportes por puente aéreo. Mi esposa se opone tajantemente. Lo encuentra muy peligroso y no está desesperada por quedarse viuda.

—Seguro que es muy sensata.

—Nunca perdimos un avión ni un piloto. De todos modos, no quise alterarla. Sigo apoyando económicamente el proyecto, pero ya no vuelo. Organizamos varias misiones a Bosnia para ayudar a los niños cuando las cosas se pusieron difíciles. También colaboramos en Ruanda.

Todo en Paul era admirable e impresionante e India estaba fascinada. Le habría gustado coger la cámara y retratarlo.

Paul conversó con los demás invitados y media hora después pasaron al comedor. La mesa estaba impecablemente puesta, la porcelana y la cristalería eran exquisitas y los manteles y servilletas estaban bordados. Paul abastecía el velero como si fuese un hotel de cinco estrellas o una bella mansión. Hasta el más mínimo detalle era perfecto. Por lo visto su hospitalidad era tan excelsa como sus dotes para la navegación.

India se sorprendió y se sintió honrada al sentarse a la derecha del anfitrión. Durante la comida dispusieron de tiempo para conversar. Era fascinante charlar con él. Conocía el mundo entero, sabía mucho de arte, sentía pasión por la política y manifestó muchas opiniones firmes y puntos de vista interesantes. Al mismo tiempo mostró una delicadeza, una amabilidad y una sabiduría encantadoras. En más de una ocasión la hizo reír con las anécdotas que contaba. Poseía un espíritu liberal y un ácido sentido del humor. Por muchos temas que abordaran, siempre terminaban hablando de navegación, la pasión de su vida. A la izquierda de India, Sam hablaba con Dick Parker del mismo tema. De vez en cuando el niño miraba a Paul y sonreía, ya que en pocas horas se había convertido en su héroe.

—Creo que me he prendado irremediablemente de tu hijo —confió el magnate con voz baja mientras las camareras servían café en preciosas tazas de Limoges—. Es un niño encantador y sabe mucho de barcos. Ojalá yo hubiera tenido más hijos.

India pensó que no era demasiado tarde para que Paul tuviese más descendencia. Por lo que recordaba, en la revista *Fortune* había leído que tenía cincuenta y siete años y que Serena rondaba los cincuenta. Dado sus sentimientos, se sorprendió de que Paul no hubiera tenido hijos con Serena. Por un comentario que hizo durante la comida supo que llevaban once años de matrimonio, aunque Paul también se refirió a lo ocupada que estaba su esposa escribiendo novelas y supervisando hasta el último detalle la producción de las películas basadas en sus obras. En ese momento estaba en Los Ángeles inmersa en el rodaje de una película. Paul la describió como una perfeccionista totalmente entregada a lo que hacía y añadió que en el trabajo desplegaba todo su talento compulsivo.

Durante la comida Paul le contó que se casó por primera vez cuando todavía estaba en la universidad; fruto de ese matrimonio nació el único hijo al que ya se había referido. Estuvo quince años casado y aguardó diez más antes de casarse con Serena. Ésta tenía treinta y nueve cuando dieron el paso y era su primer matrimonio.

—En realidad, Serena no ha querido hijos. Su profesión la apasiona y teme que los niños interfieran en ella.

Paul no hizo comentarios sobre la decisión de Serena. India dedujo que no le había importado porque ya tenía un hijo. Encontró que la perspectiva era interesante, ya que ella había renunciado a su profesión para tener, entre otras cosas, cuatro hijos.

Paul aclaró con toda franqueza:

—Creo que jamás se ha arrepentido de la decisión que tomó. Sinceramente, no sé si Serena habría sido competente como madre. Es una mujer muy compleja.

India tuvo ganas de preguntarle qué quería decir con eso, pero no se atrevió. Pese a la ambigüedad de sus palabras, intuyó que Paul era feliz con su esposa.

Paul e India abordaron muchos temas y al final se concentraron en sus amplios conocimientos del mundo. Paul todavía disfrutaba perdiéndose por sitios remotos, casi siempre con el velero.

—No lo hago tanto como me gustaría, pero todo llegará —reconoció—. No hago más que repetirme que me jubilaré pronto, pero Serena está tan ocupada que no tiene sentido mientras no disponga de tiempo para compartirlo conmigo. Si no he perdido el rumbo, cuando Serena baje el ritmo yo estaré en silla de ruedas —sonrió apesadumbrado.

—Espero que no sea así.

—Lo mismo digo. ¿Cuáles son tus planes? ¿Piensas volver a trabajar o los hijos todavía requieren todo tu tiempo?

Paul imaginaba que cuatro hijos tenían que ser agotadores. Mejor dicho, le parecía una tarea abrumadora, aunque a juzgar por sus palabras a India le encantaba. La única persona de la que apenas había hablado era su marido, lo que a Paul no le pasó inadvertido. Había reparado enseguida en la falta de alusiones a su esposo.

—Supongo que no volveré a trabajar —dijo ella—. Mi marido se opone a rajatabla. Ni siquiera concibe que piense en volver a trabajar.

Casi sin darse cuenta, India le habló del reportaje en Corea y de la reacción de Doug. Su marido no había entendido los motivos por los que le apetecía ese reportaje ni la desilusión que la embargó al rechazarlo.

—Al parecer tu marido no sabe en qué siglo vive. Es absurdo pretender que una mujer renuncie a su profesión, así como a la identidad y la autoestima que conlleva, y suponer que no reaccionará ante semejante sacrificio. Personalmente, yo no sería tan valiente.

Paul pensó que tampoco sería tan insensato, pero se abstuvo de expresarlo en voz alta. Sabía que, tarde o temprano, el marido de India lo pagaría... y muy caro. Serena le había dado esa lección. Pedirle que le reservara un poco de tiempo para navegar a su lado sólo provocaba el enfado de su esposa, aunque en su caso Serena era muy compulsiva con su trabajo.

Al cabo de unos segundos el magnate preguntó:

—Añoras tu profesión, ¿verdad? ¿Me equivoco?

Paul deseaba conocerla. Aquella mujer destilaba una serenidad que lo atraía y cada vez que la veía hablar con Sam se conmovía pues el diálogo era cálido y afectuoso. Podía citar muchos elementos positivos de su esposa, pero las muestras de cariño nunca habían sido su fuerte y jamás la habría definido como afectuosa. Serena era excitante, apasionada, obstinada, poderosa, sofisticada y genial. Daba la sensación de que su esposa e India habían nacido en planetas distintos y vivían en mundos diferentes. India estaba dotada de suavidad, sensualidad sutil, mente aguda e ingenio travieso, cualidades que Paul encontró muy atractivas. Su sencillez y franqueza lo impactaron. Su relación con Serena siempre había sido fascinantemente compleja. Serena era así y en esta vida lo que más le gustaba era provocarlo. Por lo visto, India era muy tranquila aunque, ciertamente, no parecía débil.

Ella reflexionó antes de responder:

—Sí, la añoro. Lo curioso es que durante mucho tiempo no la eché de menos. Estaba tan ocupada que ni siquiera pensaba en ello. Los niños han crecido y últimamente noto un vacío en el lugar que ocupaba mi trabajo. Todavía no lo tengo muy claro, pero creo que necesito llenarlo con algo que no se relacione con mis hijos.

Doug se había negado de plano a escucharla cuando intentó explicárselo. Despreció sus opiniones y obvió la naturaleza de sus sentimientos. Por primera vez India convertía sus pensamientos en palabras y expresaba lo que realmente sentía.

—No creo que nada te impida recuperar tus ilusiones ahora mismo, siempre y cuando aceptes encargos de menos riesgo —opinó Paul con sensatez.

Era más o menos lo mismo que le había planteado a su esposa. Le sugirió que supervisara una película por año y escribiera una novela cada dos o tres. No era necesario que Serena controlase dos filmes por año, asistiera a innumerables programas de televisión y firmase un contrato blindado por seis novelas a entregar en tres años. Serena se sintió amenazada por sus palabras y acabaron peleando.

—Hace tres años realicé un reportaje en Harlem sobre el abuso a menores —contó India—. Para mí fue el encargo ideal. Estaba cerca de casa y mi vida no corría peligro. Fue un buen reportaje. El problema es que esta clase de encargos no es frecuente. Suelen llamarme para que haga reportajes como los de antes, sobre todo en lugares donde abundan los disturbios o los movimientos revolucionarios. Evidentemente piensan que es para lo que sirvo, pero aceptar encargos así sería muy duro para Doug y mis hijos.

—Y no hablemos de lo peligroso que sería para ti —observó Paul. Supuso que tampoco le gustaría que su esposa se jugase el pellejo por un reportaje. Los peores lugares donde Serena había estado eran el salón Polo del hotel Beverly Hills y el despacho neoyorquino de su editorial. En toda su vida, nunca había corrido peligro alguno—. India, tendrás que buscar un término medio. No puedes privarte eternamente de algo que necesitas como el aire que respiras. Te hace falta, como a todos. Por eso yo no me jubilo. Mal que me pese, hasta cierto punto ostentar poder alimenta mi orgullo.

A India le agradó que Paul lo reconociese. De algún modo lo volvía vulnerable, palabra que muy pocos habrían utilizado para describirlo. India percibió claramente su accesibilidad al oírle contar lo que sentía por su esposa, en la manera de hablarle, en las cosas que compartían e incluso en su actitud con Sam. El magnate poseía mucho valor moral, sinceridad y ternura oculta. Le caía francamente bien, parecía un hombre apasionante.

Se levantaron de la mesa a las tres y media. Paul se ofreció a salir con Sam en el pequeño bote de vela que llevaban a bordo y enseñarle a navegar. El niño no cabía en sí de gozo. Paul le puso un chaleco salvavidas y pidió a los marineros que arriasen el bote. Descendieron por la escala y al cabo de unos minutos India los vio alejarse. Le preocupaba que pudiesen zozobrar, pero los amigos y la tripulación aseguraron que Paul era responsable y un excelente nadador. Le bastó ver la cara de su hijo para darse cuenta de que era feliz.

India vio que Sam reía y miraba a Paul. Desenfundó la cámara y con ayuda del teleobjetivo realizó una serie de tomas magníficas. Divisaba claramente los rostros y tuvo que reconocer que era difícil ver expresiones más dichosas que la de su hijo y la de su nuevo amigo.

Eran más de las cinco cuando, a regañadientes, Paul y Sam retornaron al *Sea Star*. Sam subió a bordo y exclamó sonriente:

—¡Caray, mamá, ha sido fabuloso! ¡Fantástico! ¡Paul me enseñó a gobernar el bote!

Sam estaba feliz y Paul parecía contento. Era evidente que en el bote habían profundizado aún más en su incipiente amistad.

—Lo sé. Cariño, os he visto y he hecho muchas fotos —dijo ella mientras Paul la miraba y sonreía.

Sam fue a buscar refrescos. Gracias a la hospitalidad de Paul se sentía a sus anchas en el velero y sabía que serían amigos para toda la vida. India tuvo la certeza de que su benjamín nunca olvidaría ese día.

—Es un niño genial. Debes de estar muy orgullosa de él. Es un chico listo, cortés, íntegro y con gran sentido del humor. Igual que su madre.

Paul tenía la sensación de que, al intimar con Sam, también conocía mejor a su madre. El pequeño actuaba como una especie de puente entre ambos.

—¿Averiguaste tantas cosas en la hora que pasaste en un bote del tamaño de una bañera? —repuso India con tono burlón, aunque estaba emocionada por lo que Paul había dicho de su hijo.

—Es el mejor lugar para percibirlo. La navegación enseña muchas cosas sobre las personas, especialmente en un bote tan pequeño. Sam se mostró muy inteligente, sensato y cuidadoso. No tienes que preocuparte por él.

—De todos modos, me preocupo. —Sonrió y miró a Paul con confianza—. Forma parte de mis obligaciones. No cumpliría mi parte del pacto si no me ocupase de él.

—Es un navegante nato —declaró Paul.

—Como tú —repuso India sin ambages—. No dejé de observarte.

—Me gustaría ver las fotos.

—Las revelaré y mañana te las traeré.

—De acuerdo.

Sam se acercó a la carrera con dos latas de Coca-Cola, entregó una a Paul y sonrió a su madre. De momento, aquél venía siendo el mejor día de su vida.

Tomaron sus refrescos. Estaban cansados y sedientos, pero muy contentos. Al aumentar la brisa, a Paul le había costado gobernar el bote. No era fácil distinguir quién había disfrutado más.

Dirigieron sus miradas al bar, donde algunos invitados jugaban a los dados. Otros tomaban el sol, un par leía y alguien dormía. Había sido una tarde tranquila e India lo había pasado muy bien, pero ya era hora de irse y volver a casa. El niño se mostró alicaído.

—Sam, mañana volverás —recordó Paul—. Si te apetece venir temprano, adelante. Haremos varias cosas antes de zarpar.

—¿A qué hora puedo venir, Paul? —preguntó Sam esperanzado.

Paul e India vieron su expresión y rieron.

—¿A las nueve te parece demasiado tarde? —El magnate pensó que el niño estaba dispuesto a presentarse a las cinco de la madrugada—. No, mejor a las ocho y media. —Miró a India—. ¿Estás de acuerdo?

—Muy bien. Antes de salir de casa prepararé la comida y organizaré a los demás. Son bastante autosuficientes. Además, pasan todo el día con sus amigos y no creo que nos echen en falta.

—Si quieres, tráelos. Mis invitados no pasarán el día en el velero. Sólo estaremos Sam, tú y yo. Hay sitio de sobra para tus hijos si quieren venir.

—Lo consultaré. —Era una pena perderse semejante oportunidad, pero India tuvo la certeza de que a sus hijos no les atraería la invitación. Querían pasar hasta el último segundo con sus amigos y Sam era el único al que le gustaba navegar—. De todos modos, gracias por la invitación y por tu hospitalidad.

India estrechó la mano de Paul y sus miradas se encontraron. Ella percibió algo y no supo si era admiración, curiosidad, amistad... Algo eléctrico e inefable recorrió su interior y el momento pasó.

Madre e hijo montaron en las bicicletas mientras los invitados y los tripulantes los despedían con la mano. Súbitamente, la fotógrafa tuvo la sensación de que abandonaba su hogar o que las vacaciones más mágicas de su vida tocaban a su fin. Al igual que

Sam, mientras pedaleaban sólo deseaba dar media vuelta y regresar al *Sea Star*.

Había sido una jornada perfecta y sólo pensaba en Paul mientras pedaleaba detrás de su hijo y hacía esfuerzos por no caerse de la bicicleta. El hombre que había conocido poseía unas cualidades muy peculiares y profundas, y estaba convencida de que tenía más fondo del que había percibido. No por nada lo llamaban el León de Wall Street. Sin duda, tenía un lado duro, tal vez implacable, aunque India había tratado con un hombre muy delicado y afectuoso. Tuvo la certeza de que Sam y ella jamás olvidarían aquel día.

6

Los chicos estaban en casa cuando Sam e India llegaron. Todos lo habían pasado bien y se alegraron de verlos. Sam contó cosas acerca de Paul, del velero y de las aventuras en el bote. Sus hermanos lo escucharon con cariño, aunque con poco interés. Para Sam los barcos eran lo que los aviones o los tanques para otros críos. A sus hermanos les traían sin cuidado. Mientras hablaban India fue a la cocina para ocuparse de la cena.

Preparó pasta, ensalada, pan de ajo y metió en el horno pizzas congeladas. Sospechaba que se sumarían varias bocas más a la cena y no se equivocó. A las siete se sentaron a la mesa y en ese momento se presentaron cuatro chicos, dos amigos de Jason y dos de Aimee. Era típico del estilo de vida estival. La actividad era informal y relajada y a India no le preocupaba que los niños invadiesen la casa. Formaba parte de la vida en la playa, era lo que cabía esperar y le gustaba.

Cuando terminaron de cenar Jessica la ayudó a recoger la mesa mientras los demás jugaban. Doug telefoneó justo cuando pusieron el lavavajillas en marcha. Sam le contó a su padre las aventuras vividas en el *Sea Star*. Describió la embarcación como si fuese el transatlántico más grande del mundo y precisó con todo lujo de detalles la complejidad de las velas y el programa informático para izarlas y arriarlas. Era evidente que Sam había aprendido muchas cosas y había prestado mucha atención a lo que Paul le explicaba.

Cuando India se puso al teléfono Doug se mostró sorprendido por el entusiasmo del pequeño.

—¿Qué es lo que ha alegrado tanto a Sam? ¿El barco es tan grande como dice o sólo se trata de una cáscara de nuez del club náutico?

—Es una hermosa cáscara de nuez —respondió India con una sonrisa, recordando la deliciosa jornada que habían pasado—. El propietario es amigo de Dick y Jenny. He oído hablar de él y estoy segura de que lo conoces. Se llama Paul Ward y está casado con la escritora Serena Smith. Serena está en Los Ángeles supervisando una película, y Paul y un grupo de amigos han venido en el velero a pasar una semana aquí. Puede que todavía esté cuando vengas.

—Prefiero ahorrármelo —repuso Doug y le bastó pensarlo para marearse—. Ya sabes que los barcos me desagradan. De todos modos, me gustaría conocer a Paul Ward. ¿Cómo es? ¿Es un hombre infernalmente arrogante, cuya máscara encubre a un auténtico cabrón?

Era lo que Doug esperaba de una persona con influencias y éxito en Wall Street. Le resultaba inconcebible que alguien pudiera ostentar tanto poder y siguiese siendo un ser humano íntegro.

—De hecho parece muy humano. Fue muy comprensivo con Sam y le enseñó a navegar en el bote —explicó India, molesta porque Doug había supuesto que Paul era un cabrón.

—Tengo entendido que es implacable. Tal vez se las da de bueno ante sus amigos. Parece la clase de persona que devora sus crías y las de cuantos lo rodean.

India no estaba dispuesta a discutir sobre el tema.

—No se comió nuestras crías y Sam quedó encantado.

Iba a contarle que al día siguiente volverían a navegar con Paul, pero recapacitó y decidió no mencionarlo.

—¿Cómo estás?

Doug cambió de tema e India se abstuvo de dar más explicaciones sobre Paul. No había mucho más que decir, salvo que le parecía una persona fuera de lo común que opinaba que ella debía volver a trabajar lo antes posible. India estaba segura de que a Doug le habría encantado oír esos comentarios.

—Estoy bien, muy ocupada con los chicos. Las mismas caras de los amigos de siempre. Para variar, Jenny y Dick se han portado de maravilla. Los niños han recuperado a sus compinches. Aquí no hay nada nuevo. —Era precisamente lo que le gustaba de Cape Cod, la uniformidad y la familiaridad sempiternas. Era como abrazar la almohada de toda la vida arropada con tu camisón preferido—. Y tú, ¿cómo estás?

—Cansado y con mucho trabajo. Desde que os fuisteis no he podido descansar. Pensaba hacer un esfuerzo y tomarme tiempo libre, pero no podré estar ahí para el Cuatro de Julio.

—Lo imaginaba, ya me lo habías dicho.

India no dejó traslucir sus sentimientos pues seguía afectada por la conversación sostenida durante la fatídica cena.

—No quiero que los niños o tú os llevéis una desilusión —dijo Doug a modo de disculpa.

—Descuida. Iremos a la barbacoa de los Parker.

—Tomad filetes, es lo único que Dick no quema.

India sonrió al recordar otras barbacoas y contó a su marido que habían contratado un servicio de catering.

—Os echo de menos —dijo Doug.

Se había referido a todos, no le había dicho «te echo de menos», que era lo que a ella le habría gustado oír. De todas maneras, India tampoco le dijo que lo añoraba. Lo cierto es que no lo echaba de menos. Aún albergaba sentimientos contradictorios hacia Doug.

India tuvo la sensación de que Doug se había olvidado de todo. No era consciente de hasta qué punto la había trastornado ni de lo herida que se había sentido cuando le explicó sus ideas acerca del matrimonio. Por momentos, India ya no sabía quién era: su amiga, su ama de llaves o su compañía de confianza. No estaba dispuesta a desempeñar esos papeles, sólo deseaba ser su amante. Pero no lo era. Se sentía como una asalariada, una esclava, algo conveniente, un objeto cuya existencia Doug daba por supuesta, como el vehículo con el que transportaban a los niños. Sentía que para Doug era tan importante como la camioneta con que habían ido hasta Cape Cod. Aquella situación le provocaba sensación de vacío y creaba una distancia que India jamás había experimentado.

—Llamaré mañana —concluyó Doug impersonalmente—. Buenas noches, India.

Ella esperó a que le dijese que la quería o la añoraba, pero Doug guardó silencio. Al colgar se preguntó si ésa era la forma en que Gail había llegado al estado en que desde hacía años estaba instalada y en el que se sentía usada, aburrida, vacía y sin amor. Por eso necesitaba citarse con otros hombres en habitaciones de hotel. Era un punto final al que India no deseaba arribar. Haría lo que fuera antes de acudir con hombres a moteles o acostarse con casados. No había recorrido un camino tan largo para llegar a esa situación. Se dirigió ensimismada al cuarto oscuro y se preguntó para qué había recorrido ese camino.

Preparó los productos químicos e inició el proceso de revelado mientras reflexionaba sobre la charla con su marido. Miró las cubetas con las fotos y vio a Paul, que le sonreía, se divertía con Sam y agachaba la cabeza en el bote, indescriptiblemente apuesto con el horizonte de fondo. Todos los retratos eran sorprendentes y narraban la historia de la tarde mágica que el hombre y el niño habían compartido. Parecían las fotos de un héroe y ella las estudió largo rato sin dejar de pensar en Paul y Serena. El magnate había empleado una curiosa combinación de palabras para describir a su esposa. En algunos aspectos semejaba una mujer aterradora y en otros fatalmente seductora. India comprendió que Paul estaba enamorado y fascinado a la vez; además, aseguraba ser feliz con Serena. Por su descripción, India supo instintivamente que aquella escritora era cualquier cosa menos una mujer de trato fácil. Lo que compartían sugería intensas emociones. Esta realidad la llevó a cuestionarse su relación con Doug. ¿Qué significaba? Y, aún más importante, ¿cuáles eran los elementos imprescindibles de un buen matrimonio? Ya no lo sabía. Doug había precisado que los ingredientes que ella consideraba necesarios carecían de importancia y las afirmaciones de Paul sobre Serena —que era difícil de tratar, obstinada, desafiante y por momentos agresiva— correspondían a lo que, aparentemente, hacía que la amase. India llegó a la conclusión de que, de momento, era incapaz de descifrar las relaciones y lo que permitía que funcionasen. Ya no tenía respuestas a lo que hasta hacía poco había estado tan segura.

Puso a secar las fotos, salió del cuarto oscuro y fue a ver a los niños. Sam se había dormido en el sofá viendo un vídeo y los demás jugaban fuera, a la luz de las linternas; Jessica y uno de los Boardman comían pizza fría en la cocina. Todo estaba en orden y discurría sobre ruedas en su pequeño y cerrado mundo.

Llevó a Sam a la cama y logró desvestirlo sin que se despertara. El niño estaba agotado. India lo miró y pensó en Paul y en las fotos que había tomado.

Cuando apagó la luz y se encaminó lentamente a su dormitorio la asaltó una idea muy extraña. De pronto se preguntó qué significaría hacer todo aquello sola, en el caso de que Doug y ella ya no estuviesen casados. ¿Tan distinto sería? Ahora se encargaba de todo. Cuidaba de los niños y atendía la casa; asumía todas las responsabilidades, realizaba las tareas, educaba a los chicos, afrontaba los problemas, cocinaba y limpiaba. Únicamente le faltaba ocuparse de la manutención. La asustaba pensarlo, pero ¿qué sucedería si Doug la abandonaba? ¿Y si moría? ¿Cambiaría tanto su vida? ¿Se sentiría más sola, sabiendo que para él no era más que un instrumento, alguien conveniente? ¿Qué le ocurriría si lo perdía? Años antes, cuando los chicos eran pequeños, el tema la había preocupado pues sentía que no podía vivir ni una hora sin él. Era lo que experimentaba cuando pensaba que Doug la amaba. Ahora sabía que no estaba enamorado y que no necesitaba estarlo. Se preguntó qué significaría quedarse sin su marido. Este pensamiento la llevó a sentirse culpable, como si hubiera esgrimido la varita mágica y lo hubiese hecho desaparecer. Reflexionar sobre este asunto le pareció una especie de traición. Claro que nadie sabía lo que discurría por su cabeza. Jamás se habría atrevido a expresarlo verbalmente, ni siquiera habría sido capaz de comentarlo con Gail, y menos aún con Doug.

Se tumbó un rato y al final cogió un libro, pero le resultó imposible concentrarse; en su mente retumbaban mil preguntas a la vez, y la que más oía era la más temida: ¿qué significado tenía ahora su matrimonio? Ya sabía qué pensaba Doug y eso lo modificaba todo, como el sutil giro del sintonizador que convierte la música de una balada en una inquietante estática que hiere los oídos. No estaba dispuesta a fingir que lo que oía era música. No lo era, hacía semanas que no, tal vez incluso más tiempo. Quizá nunca había sido música. Ésa era su pesadilla. ¿Acaso habían compartido algo muy tierno y lo habían perdido? Supuso que sí. Cabía la posibilidad de que, a la larga, a todos los matrimonios les ocurriera lo mismo. Con el paso del tiempo la magia se perdía... y te amargabas, te enfadabas por nada o, como Gail, intentabas llenar un océano de soledad con un vaso. Tuvo la impresión de que se encontraba en un callejón sin salida.

Cerró el libro, salió a la terraza a echar un vistazo a los niños jugando, pero vio que se habían reunido en la sala y charlaban tranquilamente con el sonido de la televisión de fondo. Permaneció en la terraza, contempló las estrellas y se preguntó qué sería de su vida. Probablemente nada cambiaría. Iría y vendría en coche nueve años más, hasta que Sam tuviese edad para conducir o quizá se vería libre de esa obligación tres años antes, cuando Jason fuera lo bastante mayor para llevar en el coche a Aimee y a su hermano pequeño. Y después, ¿qué? Haría más coladas y prepararía más comidas hasta que sus hijos asistiesen a la universidad y luego esperaría a que regresaran a casa en vacaciones. ¿Qué sería de la relación entre Doug y ella? ¿Qué se dirían? De repente, el futuro le pareció solitario y vacío. Se sentía hueca, rota, engañada... A pesar de todo debía seguir adelante como un engranaje más de la rueda, tenía que darle la vuelta a la manivela y producir lo que esperaban de ella hasta que la máquina se averiara definitivamente. No se trataba de una perspectiva esperanzadora ni atractiva. Mientras reflexionaba contemplaba el océano y, repentinamente, avistó el *Sea Star*. El glorioso velero tenía encendidas las luces del salón principal y de los camarotes y en el palo mayor titilaban las luces rojas en su recorrido nocturno. Fue la visión más bella de su vida y le pareció la escapatoria ideal. Era una especie de alfombra mágica que te transportaba allá donde te apeteciese. Comprendió por qué Paul navegaba por el mundo. ¿Existía mejor modo de explorar sitios nuevos? Era como llevar la casa contigo, tu pequeño y privado mundo te acompañaba a todas partes. A India no se le ocurrió nada mejor y fugazmente pensó que le encantaría esconderse en el velero. Consideró que Paul Ward era afortunado al contar con el *Sea Star*. El barco pasó majestuosamente ante su vista y ella lamentó que Sam estuviese dormido y no lo viera. Claro que por la mañana volvería a subir a bordo, ya que el niño estaba ansioso por repetir la experiencia.

A las once mandó a todos a la cama y al cabo de unos minutos apagó la luz de su dormitorio.

India despertó a Sam a las siete y media de la mañana. El pequeño se levantó en el acto pues estaba desesperado por ponerse en marcha.

India ya se había duchado y se había puesto camiseta azul celeste, tejano blanco y las zapatillas azul claro que Gail le regaló el verano anterior. Se trenzó el pelo y entró en la cocina para preparar el desayuno.

Había prometido a sus hijos mayores pastelitos de arándanos y macedonia de frutas. También les dejó cuatro paquetes de cereales. La víspera los chicos le habían contado sus planes, que incluían comer en casa de amigos, y sabía que podían prescindir de ella. Si surgía algún problema recurrirían a los vecinos. Paul le había dado el número de teléfono del velero y lo anotó para sus hijos. Todo estaba bajo control y a las ocho y media pedaleaban rumbo al club náutico.

Cuando llegaron Paul estaba en cubierta y los invitados a punto de desembarcar. Habían alquilado una furgoneta y se disponían a visitar a sus amigos de Gloucester, con quienes pasarían la noche.

El niño subió al velero con una sonrisa de oreja a oreja y Paul lo abrazó.

—Apuesto a que ayer dormiste como un tronco después de la travesía en el bote —dijo Paul y rió cuando Sam asintió con la cabeza—. Yo también. Da mucho trabajo, pero es muy divertido. Hoy será más fácil. Creo que nos dará tiempo de navegar hasta New Seabury, bajar a comer y regresar. —El magnate se dirigió a India—: ¿Estás de acuerdo?

—Me parece maravilloso —dijo India.

Paul preguntó si ya habían desayunado.

—Sólo cereales —contestó Sam contrito como si su madre le hubiese puesto a dieta.

Ella sonrió.

—No es suficiente para un navegante —declaró Paul con expresión comprensiva—. ¿Te gustan los *waffles*? Acaban de prepararlos.

—Me encantan.

Paul pidió a India que dejara sus cosas en uno de los camarotes para invitados. Ella bajó por la escalera, encontró enseguida el camarote y al abrir la puerta se sorprendió. La estancia era más hermosa que la habitación de un hotel de lujo. Las paredes estaban revestidas de caoba y los armarios y cajones contaban con tiradores de bronce. El camarote era espacioso, ventilado, disponía de varias portillas, de un amplio armario y un fabuloso cuarto de baño de mármol blanco, que incluía bañera y ducha. Era todavía más lujoso de lo que India había imaginado e incluso más bonito que su casa de Westport. Todos los cuadros llevaban la firma de artistas famosos.

Dejó el bolso en la cama y vio que la manta era de cachemira y llevaba el emblema del velero. Sacó del bolso el sobre con las fotos que había revelado.

Cuando India regresó al comedor Sam se había atiborrado de *waffles* y en la barbilla tenía restos de jarabe de arce. Paul y su hijo sostenían una interesante charla sobre la navegación a vela.

—India, ¿te apetecen unos *waffles*?

—No, gracias. —Sonrió ligeramente incómoda—. Creerás que no doy de comer a Sam.

—Los navegantes necesitamos un desayuno suculento —explicó Paul y sonrió—. India, ¿quieres café?

A Paul le encantaba el sonido de su nombre y lo repetía a menudo. El día anterior le había preguntado por qué se llamaba así, a lo que ella respondió que, cuando nació, su padre estaba destinado en aquel país. El magnate dijo que le gustaba mucho y lo encontraba realmente exótico.

Una camarera sirvió a India un humeante café en una taza de Limoges decorada con estrellitas azules. La vajilla y la cristalería del velero lucían el logotipo del *Sea Star* o estrellitas.

Eran más de las nueve cuando Sam terminó de desayunar y Paul propuso subir al puente de mando. Hacía un día perfecto y soplaba una ligera brisa, las condiciones ideales para navegar. Paul echó un vistazo al cielo y habló con el capitán. Saldrían del club náutico navegando a motor y en cuanto se alejaran izarían las velas. Le explicó a Sam todos los pasos. Los marineros soltaron amarras y arrojaron las maromas a cubierta mientras las camareras bajaban y guardaban los objetos frágiles.

India disfrutó con el ajetreo que la rodeaba. Sam no se apartó de Paul y estuvo pendiente de sus explicaciones. En pocos minutos se alejaron del muelle y salieron del puerto.

—¿Preparado? —preguntó el magnate y apagó el motor.

Antes de abandonar el club náutico bajaron hidráulicamente la quilla.

—Preparado —respondió Sam muy emocionado.

Se moría de ganas de navegar.

Paul le mostró los botones que debía accionar para desplegar las velas. Orientó el foque, la vela de estay, la enorme vela mayor, la sobremesana y, por último, la mesana, formando un perfecto ángulo recto. El velamen sólo tardó un minuto en hincharse y de pronto el velero se inclinó con elegancia y no tardó en ganar velocidad. Fue una experiencia extraordinaria y Sam no cabía en sí de alegría. India pensó que la vista era magnífica a medida que se internaban mar adentro a toda vela y ponían rumbo a New Seabury.

Paul y Sam ajustaron las velas y observaron con atención los mástiles. El magnate volvió a explicarle la función de cada botón e India los observó. Permanecieron juntos al timón y, sin apartarse, Paul permitió que Sam gobernase un rato el velero. Finalmente entregó el timón al capitán, con el que Sam quiso quedarse.

Paul se acercó a India y se sentó a su lado.

—Lo convertirás en un niño malcriado. Ya no le gustarán otros veleros. El *Sea Star* es fabuloso.

India estaba radiante. Navegar con Paul era una experiencia maravillosa y disfrutaba casi tanto como Sam.

—Me alegro de que te guste. —Él se mostró ufano. Evidentemente el barco era la niña de sus ojos y el lugar donde, según había confesado, se sentía más feliz y a gusto—. El velero me encanta. He pasado muchísimos momentos buenos en el *Sea Star*.

—Supongo que como todos los que han estado aquí. Me divertí mucho con los comentarios de tus amigos.

—Imagino que la mitad se referían a Serena abandonando el barco o amenazando con desembarcar cada vez que se mueve. No es precisamente una gran navegante.

—¿Se marea? —India sentía curiosidad por la escritora.

—A decir verdad, no. Sólo se mareó una vez. Pero detesta la navegación y las embarcaciones.

—Debe de ser difícil, porque a ti te apasionan.

—Significa que no estamos juntos tanto como deberíamos. Se inventa todas las excusas que puede para no venir y es difícil discutir con ella. Nunca sé si de verdad tiene que ir a Los Ángeles o a la editorial o si busca pretextos para no poner pie en el *Sea Star*. Antes intentaba convencerla de que viniese, pero ahora dejo que haga lo que quiera.

—¿Te molesta que no te acompañe?

India sabía que era una pregunta un tanto osada, pero Paul la hacía sentir tan cómoda que supuso que podía planteársela. Quería saber qué permitía el funcionamiento de otros matrimonios y cuál era el secreto de su éxito. De pronto se convirtió en una cuestión fundamental. Tal vez aprendiera algo que le sería de gran utilidad.

—A veces me molesta —reconoció Paul mientras un miembro de la tripulación les ofrecía un bloody mary a pesar de que eran las once de la mañana—. Me siento solo sin ella, pero me he acostumbrado. No puedes obligar a nadie a hacer lo que no quiere. Si te impones pagas un precio, en ocasiones un precio muy alto. Aprendí esa lección con mi primera esposa. Me equivoqué en todo y prometí que, si volvía a casarme, las cosas cambiarían. Y así ha sucedido. Mi matrimonio con Serena es todo lo que no ha sido el primero. Esperé mucho antes de volver a casarme. Quería cerciorarme de que era la mujer adecuada.

—¿Y has acertado?

Planteó la pregunta con tanta delicadeza que Paul no se sintió incómodo. Por extraño e inesperado que parezca, su amistad avanzaba a pasos agigantados.

—Creo que sí. Serena y yo somos muy distintos. No siempre deseamos lo mismo de la vida, pero cuando estamos juntos lo pasamos bien. La respeto, y sé perfectamente que el respeto es mutuo. Admiro su éxito, su tenacidad y su fuerza. Es una mujer muy valiente. Aunque también debo añadir que a veces me vuelve loco —añadió con una sonrisa.

—Lamento hacer estas preguntas, pero últimamente me las he planteado y creo que ya no conozco las respuestas. Pensaba que sí, pero está claro que las correctas no son las que yo pensaba.

—Tus palabras adoptan un mal cariz —repuso Paul con cautela.

Por la razón que fuese, en alta mar y con las velas desplegadas, tanto una como el otro sintieron que podían contárselo todo.

—Así es —reconoció ella. A pesar de que apenas lo conocía, se sentía segura al hablar con él—. Ya no sé qué hago, adónde voy o dónde he estado los últimos catorce años. Llevo diecisiete de matrimonio y de pronto me pregunto si mi vida tiene algún sentido. Pensaba que sí, pero a estas alturas ya no estoy segura.

—¿A qué te refieres?

Paul deseaba oírla y tal vez ayudarla. Aquella mujer desprendía algo que lo impulsaba a ayudarla. No tenía nada que ver con traicionar a Serena, era algo muy distinto. Tuvo la impresión de que podían ser amigos y hablar sin tapujos.

—Hace catorce años renuncié a mi trabajo en el *New York Times*. Hacía dos años que colaboraba con el periódico, desde mi regreso de Asia, de África, Nicaragua, Costa Rica y Perú... He recorrido todo el mundo. Volví porque Doug me dijo que, si no lo hacía, nuestra relación había terminado. Hacía más de un año que me esperaba en Estados Unidos y me pareció justo. Nos casamos al cabo de unos meses y durante más de dos años continué mi trabajo en Nueva York, hasta que quedé embarazada. Entonces Doug insistió en que lo dejara. No quería que, cuando tuviésemos hijos, me dedicara a hacer fotos en guetos y callejones, y seguir a las pandillas callejeras para obtener la foto genial. Fue el pacto que hicimos cuando nos casamos. En cuanto fuéramos padres dejaría mi trabajo. Y lo dejé. Nos mudamos a Connecticut, he tenido cuatro hijos en cinco años y desde entonces no me ocupo de otra cosa. Mi vida la conforman los desplazamientos en coche y los pañales.

—¿Te desagrada?

Paul sospechaba que sí. India estaba demasiado llena de vida para esconderse catorce años tras los pañales o dedicarse a trayectos en coche. No podía entender que un hombre estuviera tan ciego para obligarla a tomar esa decisión. Estaba más que claro que Doug se había impuesto en la relación.

—A veces la detesto —respondió sinceramente—. No puede ser de otra manera. No es precisamente con lo que soñaba cuando estudiaba. En mis tiempos de reportera me acostumbré a una vida muy distinta, pero hay momentos en que me gusta incluso más de lo que imaginé. Adoro a mis hijos, me encanta estar con ellos y saber que contribuyo a que sus vidas merezcan realmente la pena.

—¿Y qué beneficios te reporta?

Paul entornó los ojos y la observó.

—Experimento algunas satisfacciones. Me siento bien cuando estoy con mis hijos, me gustan y son buenos.

—Como su madre. —Sonrió—. ¿Qué harás? ¿Continuarás con los desplazamientos en coche hasta que no puedas conducir o decidirás volver a trabajar?

—Ése es el quid de la cuestión. Se ha planteado hace poco. Mi marido se opone tajantemente a que vuelva a trabajar. Este asunto ha provocado muchas tensiones entre nosotros. Hace poco hablamos largo y tendido y Doug me explicó qué espera del matrimonio —apostilló India y pareció deprimirse.

—¿Qué es lo que espera?

—No mucho. Ése es el problema. Por su descripción espera una criada, una conductora que cocine y limpie. Si no me equivoco, dijo que quería una buena compañía, alguien fiable que se haga cargo de los niños. Es prácticamente lo único que espera.

—No suena muy romántico —ironizó Paul.

India sonrió. Le gustaba hablar con él y se animó. Hacía un mes que estaba en ascuas a causa de las palabras de Doug y, sobre todo, por lo que no había expresado.

—No me hago muchas ilusiones sobre la imagen que tiene de mí. De pronto vuelvo la vista atrás y me doy cuenta de que no ha habido otra cosa, al menos desde hace mucho tiempo. Quizá fue siempre así. Tal vez sólo he sido una acompañante que incluye servicio de habitaciones y un ama de llaves competente. He estado tan ocupada que no me percaté. Supongo que podría soportarlo si volviera a trabajar, pero él no quiere. —Miró a Paul a los ojos—. En realidad, me lo ha prohibido.

—Actúa de un modo muy temerario. En el pasado jugué a ese juego y perdí. Mi primera esposa era jefa de redacción de una revista y yo aún estudiaba en la universidad. Ella desempeñaba una labor magnífica y supongo que sentí celos. Cuando me licencié quedó embarazada. Conseguí trabajo y la obligué a dejar el suyo. Por aquel entonces los hombres solíamos cometer esta clase de disparates. A partir de ese momento me odió. Jamás me lo perdonó. Sintió que le había arruinado la vida y que la había condenado a correr detrás de nuestro hijo. Nunca ha sido muy maternal y no quiso más hijos. Al cabo de un tiempo, me dejó. El matrimonio se rompió en medio de un gran dolor. Cuando nos separamos volvió a trabajar. En la actualidad es una de las jefas de redacción más antiguas de *Vogue* pero todavía me odia. Es peligrosísimo intentar cortar las alas a una mujer, y por eso ahora no me meto con el trabajo de Serena. Aprendí la lección. Jamás le he exigido que tengamos hijos. Tampoco tendría que haberlo hecho con Mary Anne, mi primera esposa. En cuanto volvió a trabajar, nuestro hijo Sean quedó a cargo de diversas niñeras, a los diez años ingresó en el internado y a los trece vivía conmigo. Sigue sin tener una buena relación con su madre. Por lo menos tú has educado como corresponde a tus hijos. —Paul veía en Sam el amor que su madre le prodigaba y estaba seguro de que había actuado igual con sus hermanos—. No puedes imponer a nadie que haga lo que no quiere, no le resultará natural y no dará resultado. Me sorprende que tu marido lo ignore.

—Durante muchos años mis deseos coincidieron con los suyos. Adoro a mi familia y me encanta estar con los chicos. No quiero hacerles daño y volver a trabajar a jornada completa. Ya no puedo recorrer el mundo como en el pasado, pero estoy segura de que sobrevivirían si un par de veces al año me fuera una o dos semanas o si realizara reportajes cerca de casa. De pronto, tengo la sensación de que he renunciado a mi identidad y de que a nadie le importa, sobre todo a mi marido. No aprecia los sacrificios que he hecho. Les resta importancia y logra que parezca que, antes de casarnos, yo sólo perdía el tiempo y me divertía.

—Por lo poco que sé no es así. Según Dick Parker te han concedido muchos galardones.

—Sólo cuatro o cinco, pero para mí son muy importantes. Ahora necesito trabajar y mi marido ni siquiera quiere oír hablar del tema.

—¿Qué opción te queda? ¿Qué harás? ¿Aceptarás lo que dice o defenderás tus anhelos con uñas y dientes?

Paul sabía que Serena haría esto último sin titubear, pero India era muy distinta.

—No lo sé —repuso ella y miró a su hijo. Sam era feliz y no se había apartado del capitán—. La discusión quedó en ese punto cuando vine a Cape Cod. Doug me pidió que me diese de baja en la lista de colaboradores de la agencia.

—Ni se te ocurra —aconsejó Paul. Aunque no la conocía demasiado, sabía que destruiría algo importante si abandonaba por completo esa faceta de su personalidad. Para India era un modo de expresarse, de comunicarse, de ser y de existir. Ambos eran conscientes de que no debía renunciar a la fotografía—. Por cierto, ¿dónde está tu marido?

—En nuestra casa de Westport.

—¿Sabe hasta qué punto te han afectado sus palabras?

—Lo dudo. Me temo que no les atribuye importancia.

—Creo que ya te he dicho que es muy temerario. Tres años después de desquitarse de manera insidiosa y soterrada, un día mi ex esposa se plantó ante mí como un huracán. En cuanto logró exteriorizar su ira acudió directamente a los abogados. Ni siquiera reaccioné y no supe qué me había golpeado.

—Creo que sería incapaz de hacer algo así, pero mi perspectiva ha cambiado. Ha bastado un mes para que tenga la sensación de que mi vida se cae a pedazos y no sé qué hacer. No sé qué decir, pensar o creer. Ni siquiera estoy segura de quién es mi marido y, peor aún, quién soy yo. Hasta hace dos meses mi felicidad consistía en ser ama de casa. Y de repente me encierro en el cuarto oscuro a llorar. Ah, antes de que lo olvide, te he traído algo. —India había dejado el sobre en el sofá, a su lado, y al entregárselo sonrió cohibida—. Algunas son magníficas.

Paul sacó las fotos del sobre y las miró con atención. Se sintió halagado y sonrió al ver los retratos de Sam. Quedó sorprendido por la profesionalidad de India y por las imágenes obtenidas con el teleobjetivo y de manera casi espontánea. Ciertamente no había perdido sus cualidades mientras se ocupaba de sus hijos en Westport.

—Eres extraordinaria —musitó—. Son fotos realmente hermosas.

Paul iba a devolvérselas pero India le dijo que las conservara. Sólo se había quedado una foto en la que estaba con Sam y otra en la que aparecía solo.

—No es justo que sigas desperdiciando tu talento —declaró el magnate.

—Debes pensar que estoy loca al oír mis tonterías.

—Nada de eso. Creo que confías en mí y estás en lo cierto. India, jamás diré nada que pueda traicionarte. Supongo que lo sabes.

—Me ha costado contarte todo esto, pero tengo la sensación de que podemos hablar... Respeto tu valoración de las cosas.

—Yo también he cometido errores. —La última vez no se había equivocado y sabía que su matrimonio con Serena era estable—. Ahora soy feliz. Serena es una mujer extraordinaria y la respeto precisamente porque conmigo no tiene demasiados miramientos. Me parece que es lo que tendrías que hacer. Habla con tu marido y dile lo que quieres. Tal vez le ayude escucharte con atención.

—Lo dudo. Lo intenté antes de las vacaciones y le restó importancia. Se comporta como si hace diecisiete años yo hubiera empezado a trabajar para él. Establecimos un pacto y ahora tengo que estar a la altura de las circunstancias. Lo más terrible es que ya no sé si me quiere —reconoció y miró a Paul con lágrimas en los ojos.

—Probablemente te quiere pero es tan insensato que no lo reconoce. Por doloroso que sea, si no te ama es fundamental que lo sepas. Eres muy joven y hermosa para desperdiciar tu vida y tus posibilidades con un hombre que no te ama. Intuyo que lo sabes y por eso eres tan desgraciada. —India asintió con la cabeza y él le cogió la mano y la apretó—. India, es una verdadera lástima. Aunque apenas te conozco estoy seguro de que no mereces lo que te está ocurriendo.

—¿Qué puedo hacer? ¿Debería dejarlo? No ceso de preguntármelo. —Era lo que había hecho la víspera cuando imaginó que Doug no volvería y que se quedaba sola con los niños—. ¿Cómo me las ingeniaré? No podré trabajar la jornada completa y cuidar de mis hijos.

—Espero que no tengas que trabajar la jornada completa, sino cuando te apetezca y en los reportajes que te interesen. Creo que después de veinte años tu marido te debe algo y tiene que mantenerte —dijo Paul algo enfurecido.

—Aún no me he puesto a pensar en esos términos. Tal vez debería darme por satisfecha con lo que tengo y seguir adelante.

—¿Por qué?

India se sintió confundida.

—¿Por qué no?

—Porque renunciar a la persona que eres, a lo que haces y necesitas es lo mismo que matar tus sueños. Si los abandonas, tarde o temprano te marchitarás. Te garantizo que sucederá. Te encogerás como una uva pasa, te amargarás, te volverás antipática y desagradable y se te revolverán las entrañas. Mira alrededor, seguro que conoces gente así. Verás a seres amargados, enfadados y desdichados a quienes la vida les ha jugado una mala pasada, por lo que detestan a todo el mundo. —Con creciente sensación de pánico India se preguntó si él percibía esas características en ella. El magnate lo advirtió y sonrió para tranquilizarla—. No me refería a ti. Claro que si lo permites puede llegar a ocurrirte. A cualquiera puede sucederle. Empecé a comportarme de este modo durante mi primer matrimonio. Me comporté como un cerdo con todos porque me sentía desgraciado, sabía que mi esposa me odiaba, acabé por detestarla y fui demasiado cobarde para decírselo o para romper. Gracias a Dios ella puso fin al matrimonio, porque de lo contrario nos habríamos destruido. Afortunadamente Serena y yo nos llevamos bien y me gusta lo que hace. Me desagrada que no me acompañe a navegar, pero no me detesta a mí, sino al barco. Ésa es la diferencia. —Paul no sólo era inteligente y sensible, sino muy perspicaz, algo de lo que India ya se había percatado—. Te suplico que actúes. Averigua qué quieres y no tengas miedo de buscarlo. El mundo está lleno de seres aterrados e infelices. No queremos más desgraciados. Eres demasiado preciosa y encantadora para ser infeliz. No lo permitiré.

Ella se preguntó cómo se lo impediría. ¿Qué haría? Aunque había conocido a Paul el día anterior, ya le había contado su vida y los problemas que estaban afectando a su matrimonio. Era la experiencia más peculiar de su vida, pero confiaba totalmente en él y le encantaba que hablasen. Supo con certeza que no se equivocaba al confiar en Paul.

—No sé cómo salir de donde he pasado tantos años. ¿Qué harías tú?

—Ante todo llama a tu representante y dile que quieres volver a trabajar. El resto vendrá solo. Si estás dispuesta, todo llegará a su debido tiempo. No hace falta que lo fuerces.

Le bastaba escuchar a Paul para sentirse libre e irreflexivamente se inclinó y lo besó en la mejilla, como habría hecho con un amigo de toda la vida o con un hermano.

—Gracias. Me parece que eres la respuesta a mis plegarias. Hace un mes que me siento perdida y no sabía cómo salir del atolladero.

—India, no estás perdida. Por suerte empiezas a encontrarte. Concédete tiempo y paciencia. No es fácil dar con el camino de regreso después de tantos años, pero tienes la fortuna de que tu talento sigue intacto.

La pregunta que más la atormentaba era si todavía contaba con su marido.

En ese momento, Sam se acercó corriendo. Estaban a punto de llegar a New Seabury y el niño quería saber si atracarían en el club náutico.

—Echaremos el ancla y entraremos con el bote —respondió Paul.

El pequeño se mostró muy ilusionado.

—¿Después de comer regresaremos al velero y nos daremos un baño?

—Por supuesto. Si quieres también saldremos con el bote.

Sam asintió con la cabeza y sonrió de oreja a oreja. Todo le parecía perfecto. India estaba contenta de haber conocido a Paul y consideraba que Serena era muy afortunada. Aquel hombre era un ser humano extraordinario y experimentó la sensación de que con ella se había portado como un gran amigo. Parecía que se conocieran de toda la vida.

Dos marineros bajaron el bote y uno se quedó para trasladarlos hasta el club náutico. Paul lo abordó, cogió de la mano a India para ayudarla y Sam siguió los pasos de su madre.

Mientras comían hablaron de diversos temas. Se centraron sobre todo en la navegación y Sam abrió desmesuradamente los ojos cuando Paul contó algunas de sus aventuras y se refirió al huracán que había atravesado en el Caribe y al ciclón que se le había cruzado en el océano Índico.

Después de la comida regresaron al velero. Sam se dio un baño y después navegó con Paul en el bote mientras India hacía fotos de ambos y el barco. Lo pasó muy bien. Paul y Sam la saludaban de vez en cuando agitando los brazos y por fin regresaron. Paul cogió la tabla de windsurf e India le hizo más fotos. No era un deporte fácil y quedó impresionada por la habilidad y la fuerza con que se deslizaba sobre el agua.

Durante el regreso a Harwich el viento amainó y decidieron dar marcha a los motores. Sam se llevó un chasco. De todos modos, estaba muy cansado y se quedó dormido en la cabina de mando. Paul e India lo miraron y sonrieron.

—Puedes estar satisfecha con tu hijo. Me encantaría conocer a los otros —comentó Paul y la miró con afecto.

—Un día de éstos los conocerás —repuso ella mientras el camarero jefe les servía una copa de vino blanco.

Paul la había invitado a cenar a bordo.

—Tal vez convirtamos a tus hijos en buenos navegantes.

—Es posible, aunque de momento lo único que les interesa es estar con sus amigos.

—Recuerdo que cuando Sean tenía su edad estuvo a punto de volverme loco.

Intercambiaron una sonrisa mientras Sam se acurrucaba junto a su madre. El pequeño siguió durmiendo cuando India le acarició la cabeza mientras con la otra mano sostenía la copa de vino.

A Paul le encantaba verla con su hijo. Hacía mucho tiempo que no trataba a una persona tan cariñosa. Desde hacía años los niños no formaban parte de su vida y las salidas de esa tarde y del día anterior con Sam eran lo que habría querido compartir con Sean, pero su hijo jamás había mostrado el menor interés por los veleros.

—¿Pasarás todo el verano en Harwich? —preguntó Paul.

India asintió con la cabeza y repuso:

—Doug estará con nosotros tres semanas de agosto. Luego regresaremos a Westport. Supongo que tendremos que hablar largo y tendido. —Paul abrigó la esperanza de que tomase decisiones positivas, ya que ella se lo merecía—. Y tú, ¿dónde estarás?

—Supongo que en Europa. Solemos pasar agosto en el sur de Francia y en septiembre participo en una regata en Italia.

El magnate llevaba una vida que a India le pareció, ante todo, divertida. Al cabo de un rato le preguntó si Serena lo acompañaría.

—Si encuentra una excusa válida no vendrá —dijo él y rió.

Llegó la hora de cenar e India despertó a Sam. Estaba amodorrado, pero sonrió radiante de felicidad. Había soñado que surcaban los mares en el *Sea Star* y al ver a Paul su mirada se iluminó y se lo contó.

—Un bonito sueño. Yo también sueño con el velero, sobre todo cuando hace mucho que no navego, lo que no ocurre con mucha frecuencia.

Por la tarde le había contado a India que pasaba largas temporadas en el velero y se ocupaba de sus negocios por teléfono y fax.

El cocinero había preparado *vichyssoise* fría, pasta primavera y ensalada. Para Sam cocinó patatas fritas y una hamburguesa con queso al punto que India le indicó. De postre tomaron sorbete de melocotón y deliciosas galletas que se deshacían en la boca.

Fue una cena elegante y ligera, durante la cual charlaron como en la comida. Después de cenar, el capitán entró lentamente el velero en el club náutico. Costaba creer que la jornada había terminado. Habían compartido trece horas con Paul y les habría gustado quedarse una eternidad.

—¿Quieres venir a casa a tomar una copa? —lo invitó India mientras los tres permanecían en cubierta, apenados por tener que separarse.

—Será mejor que me quede aquí. Tengo trabajo y tus hijos querrán hablar contigo porque no te han visto en todo el día. Seguramente piensan que te has fugado y no volverás. —Eran casi las nueve de la noche—. Sam, espero que volvamos a vernos muy pronto. Te echaré de menos.

—Yo también.

Madre e hijo tenían la sensación de haber pasado unas largas vacaciones más que un día en el velero. Y todo, gracias a la calidad humana de Paul. La jornada había sido única e India agradeció los consejos que Paul le había dado. La había ayudado mucho, hacía varias semanas que no estaba tan tranquila y así se lo expresó.

—No tengas miedo de lo que debes hacer —dijo él—. Simplemente, hazlo.

—Eso espero. Te enviaré las fotos.

Paul la besó en la mejilla y estrechó la mano de Sam. Ambos desembarcaron agotados, contentos y con la certeza de que tenían un nuevo amigo.

India ignoraba si volverían a verse, pero estaba segura de que, pasara lo que pasase, jamás lo olvidaría. Tenía la intuición de que, hasta cierto punto, Paul había cambiado para siempre su vida. Le había proporcionado el don del valor. Y el valor conlleva la libertad.

7

A lo largo de los dos días siguientes India estuvo ocupada con sus hijos y reveló las fotos tomadas en el *Sea Star*. Las llevó al club náutico, pero Paul estaba fuera con sus amigos y no lo vio. Se sorprendió cuando éste la telefoneó. Dick Parker le había dado su número.

—¿Cómo te va?

Paul tenía una voz grave y resonante que a India le resultaba reconfortante. Habían charlado tanto que se sentía cómoda, como si se tratara de un amigo de toda la vida, y se alegró al oírlo.

—Bien, pero no paro. Llevo a mis hijos a jugar a tenis y vamos a la playa. Lo de siempre. No hago nada del otro mundo.

—Las fotos me gustaron mucho y te las agradezco. —India había incluido un precioso primer plano de Sam que Paul había contemplado sonriente. Había echado de menos al niño durante cada minuto del día siguiente—. ¿Cómo está mi amigo Sam?

Ambos sonrieron.

—Habla constantemente de ti. De su boca sólo salen comentarios sobre las aventuras vividas en el *Sea Star*.

—Sus hermanos deben de estar hartos.

—No. Creen que se lo inventa.

—Deberías traerlos para que conozcan el velero.

Intentaron concertar un encuentro pero se dieron cuenta de que no había tiempo. Al día siguiente Paul se trasladaba a Boston para recoger a Serena. Ya habían hecho planes para celebrar el Cuatro de Julio y al día siguiente partirían en el *Sea Star* rumbo a Nueva York. Por motivos inexplicables India se sintió apenada, aunque reconoció que era absurdo. Paul tenía su vida, dirigía un imperio, su mundo lo aguardaba, su esposa era una escritora internacionalmente reconocida y una estrella con luz propia. En su existencia no había espacio para un ama de casa casada y con hijos. ¿Qué haría? ¿Acaso conduciría durante horas para comer con ella? ¿Sería como los amigos con los que Gail se citaba en Greenwich? Al pensarlo se estremeció. Paul no tenía nada que ver con esa clase de gente.

—¿Cuándo te vas a Francia? —preguntó ella con melancolía.

—Dentro de una semana. Enviaré el velero. La travesía dura dieciocho días. Solemos ir al Hotel du Cap a principios de agosto. Para Serena equivale a un viaje plagado de dificultades por un país exótico.

Ambos rieron. No tenía nada que ver con los lugares en que ambos habían estado en el pasado y lo cierto es que Cap d'Antibes era un rincón encantador. A India le habría gustado mucho visitar la costa mediterránea.

—Te llamaré antes de que nos vayamos —dijo Paul—. Me gustaría que vinieras al velero y conocieses a Serena. Podríamos organizar un desayuno.

El magnate no explicó que Serena se levantaba a mediodía y no se retiraba hasta las tres o cuatro de la madrugada, pues solía quedarse trabajando. Aseguraba que escribía mejor después de medianoche.

—Me encantaría —musitó India.

Resultaría fabuloso ver de nuevo a Paul y conocer a su esposa. Era la primera vez que sentía algo por un hombre desde que veinte años atrás conociera a Doug en el Cuerpo de Paz. Pero en esta ocasión sus sentimientos sólo eran amistosos.

—Cuida de Sam y de ti —pidió Paul con voz ronca. Tenía la sensación de que debía proteger a esa mujer y su hijo, pero no sabía por qué. Tal vez era mejor que Serena estuviese a punto de llegar. Esa misma mañana había telefoneado desde Los Ángeles para comunicárselo—. Te llamaré.

Se despidieron y, durante unos segundos, India permaneció muda con la vista fija en el teléfono. Le costaba pensar que Paul se encontraba tan cerca, en su mundo, cómodamente instalado en el *Sea Star*. Estaba a una vida de distancia de la suya. Aunque sus almas se comprendían, sus vidas no tenían nada en común, no había fronteras compartidas. Conocer a Paul había sido una especie de accidente, una mera casualidad del destino. De todos modos, tanto por Sam como por sí misma se alegró de que hubiese ocurrido.

Por la noche se acostó y se puso a recordar las horas compartidas con Paul, las charlas sobre su vida y las opiniones del magnate acerca de lo que ella debía hacer. Se preguntó si tendría valor para ponerlo en práctica. Plantearle a Doug su deseo de volver a trabajar provocaría un huracán en su matrimonio.

Por la mañana, acompañada por su perro, dio un largo paseo por la playa, que le sirvió para recapacitar. Al parecer, lo más simple consistía en retomar la vida que durante catorce años había llevado. Ignoraba si sería capaz de hacerlo. Equivalía a retroceder, algo imposible por mucha voluntad que pusiese. Sabía que Doug no reconocía sus sacrificios y no le apetecía retornar al pasado. Si Doug no admitía sus esfuerzos, ¿qué sentido tenía continuar?

El día siguiente era Cuatro de Julio. Los niños durmieron hasta mediodía y, como siempre, por la tarde acudieron a casa de los Parker. La barbacoa ya estaba encendida y los vecinos charlaban animadamente. Había barriles de cerveza y una mesa larga con la comida preparada por el servicio de catering. Nada estaba quemado y el aspecto de los platos era apetecible.

Los cuatro hijos de India estaban presentes. Ella charlaba con una vieja amiga cuando de repente vio entrar a Paul —que vestía tejano blanco y camisa azul— en compañía de una mujer alta, atractiva, de larga melena oscura y figura espectacular. Lucía enormes aros de oro y, cuando rió, India pensó que jamás había visto a una mujer tan hermosa. Serena. Era tan fascinante, con aplomo y atractiva como la había imaginado. Bastaba mirarla para quedar hipnotizado. Vestía minifalda blanca, top del mismo color, sandalias blancas de tacón y llevaba un collar de oro. Parecía salida de una revista de moda de París. Rezumaba una elegancia sensual. Cuando se acercó, India vio que en la mano izquierda lucía un enorme diamante. Serena se detuvo y comentó algo con Paul. El magnate rió, feliz de estar con su esposa. Era una mujer imposible de ignorar o pasar inadvertida en medio de la multitud. Daba la sensación de que todos se giraban para mirarla y algunos invitados la conocían. India vio que besaba a Jenny y Dick y aceptaba una copa de vino blanco sin reparar en la persona que se la ofrecía. Parecía una mujer totalmente acostumbrada a una vida de lujos y servicios.

Como si percibiese la mirada de India, Serena se volvió lentamente y la vio. Paul se inclinó y le comentó algo al oído. Serena asintió con la cabeza y se acercaron. India se preguntó qué le había dicho Paul a su esposa, hasta qué punto había revelado sus intimidades... Seguramente le había dicho que conocía a esa pobre desgraciada de Westport que hacía catorce años había renunciado a su profesión para consagrarse a la familia. Con toda probabilidad le había pedido que fuese amable. Bastaba mirar a Serena Smith para saber que jamás cometería la insensatez de renunciar a su identidad o a su profesión ni se dejaría tratar por su marido como «una compañía fiable que cuida de mis hijos». Serena era atractiva, guapísima, sofisticada, tenía unas piernas impresionantes y una figura envidiable. India se sintió como el patito feo. Se quedó sin aliento cuando Paul se detuvo a su lado, sonrió y le puso la mano en el hombro. Tuvo la sensación de que una corriente eléctrica recorría su interior.

—India, te presento a mi esposa, Serena Smith... Cariño, ella es la magnífica fotógrafa de la que te hablé, la que ha realizado las excelentes fotos que te mostré. También es la madre del joven navegante.

Al menos le había explicado a Serena quién era. India se sintió muy poca cosa junto a la escritora. La esposa de Paul lucía una sonrisa perfecta y aparentaba quince años menos que Jenny, de la que había sido compañera de habitación en la época universitaria. Claro que Jenny no se maquillaba desde los dieciocho años y Serena se acicalaba como las modelos.

—Deseaba conocerte —dijo India en un modo que no quería parecer indiferente ni hablar como una gimoteante seguidora—. Hace años leía todos tus libros, pero ahora estoy tan ocupada con los niños que no tengo tiempo.

—Lo imagino. Paul me ha dicho que tienes muchos hijos. Es fácil de comprender. El chiquillo de las fotos es un encanto y, por lo que me han dicho, todo un marino. —Serena puso los ojos en blanco—. Haz lo que esté en tus manos y no se lo permitas. Prohíbele que vuelva a poner los pies en un barco. Se trata de una enfermedad que corroe el cerebro. En cuanto se apodera de ti no hay nada que hacer.

India rió, lo que la llevó a sentirse desleal con Paul. Lo habían pasado francamente bien en el *Sea Star*.

—Los barcos no son mi especialidad —reconoció Serena—. Supongo que Paul te lo ha contado.

India no supo si confirmarlo pero Paul se dirigió al barril de cerveza presidido por Dick.

—Hay que reconocer que el velero es imponente —declaró India con elegancia—. A mi hijo pequeño le encantó.

—Resulta divertido como máximo durante diez minutos.

Serena observó con expresión extraña a India. La fotógrafa temió ruborizarse. ¿Y si Serena deducía lo bien que le caía su marido y todo lo que le había contado sobre su vida? Seguro que le sentaría fatal. Era difícil evaluar lo que un marido contaba a la esposa o a la inversa. Doug y ella apenas tenían secretos; en su caso sólo callaba las infidelidades de Gail por lealtad a su amiga.

—Me gustaría pedirte un favor —dijo Serena.

India imaginó que le pediría que no se acercase a su marido y se sintió culpable. Paul era muy apuesto, ella había compartido un día entero con él y le había confiado que era desgraciada con su esposo. Podía tratarse de una situación muy incómoda, sobre todo si la había comentado con Serena. Se sintió ridícula y temió las palabras de la escritora:

—Mañana nos vamos, pero necesito urgentemente una foto para la cubierta de mi nuevo libro y todavía no he podido posar. ¿Existe alguna posibilidad de que mañana por la mañana nos veamos y me hagas algunas fotos? A primera hora parezco un fantasma y tendrás que hacer unos cuantos retoques. Necesitarás un soplete. En serio, he visto tu trabajo y es de primera. No tengo buenas fotos de Paul y tú has conseguido varias cuando ni siquiera estaba atento. Suele poner caras ridículas y parece a punto de asesinar a alguien. ¿Te gustaría retratarme? Ya sé que no es tu especialidad. Según Paul te dedicas a fotografiar conflictos, revoluciones, cadáveres y esas cosas.

India sonrió aliviada. A Serena no le había molestado que pasara el día en el velero y tomase fotos de su marido. Se sintió tan relajada que habría besado a la escritora. Era posible que, después de todo, Paul no hubiese revelado todos sus secretos. Al menos era lo que esperaba. Pero también pudiera ser que Serena la compadeciera tanto que ni siquiera le importara.

—En realidad, hace diecisiete años que no cubro zonas en conflicto. Sólo fotografío el equipo de fútbol de Sam y a los recién nacidos de mis amigas. Me encanta. Me halaga que me lo pidas. No soy muy buena retratista. Fui reportera gráfica y ahora simplemente soy madre.

—Yo no he sido ni una ni otra cosa y ambas me impresionan. Si quieres venir a las nueve, haré un esfuerzo para levantarme e intentaré no mancharme la blusa con café antes de que llegues. Me pondré algo sencillo, por ejemplo, blusa blanca y tejano. Estoy hasta la coronilla de fotos rebuscadas, quiero algo natural.

—Tu propuesta me halaga. Espero que alguna de mis fotos te resulte útil.

India tenía la certeza de que haría un buen trabajo. Serena era muy guapa, poseía una magnífica silueta y una piel perfecta, por lo que costaba imaginar que tuviese dificultades para fotografiarla. Incluso supuso que no harían falta muchos retoques. Estaba deseosa de poner manos a la obra y la alegraba la posibilidad de volver al *Sea Star*. Podría ver de nuevo a Paul aunque estuviera con Serena. Al fin y al cabo era su esposa y formaba parte de su vida.

Las mujeres charlaron un rato sobre la película que Serena supervisaba, su última novela y el viaje que pocas semanas más adelante emprendería al sur de Francia. Incluso tuvieron tiempo de referirse a los hijos de India.

—Francamente, no sé cómo te las apañas —reconoció Serena admirada—. Siempre imaginé que sería incapaz de compatibilizar los hijos y la escritura y que habría sido una pésima madre. Ya lo pensaba cuando tenía veinte años. Jamás he deseado tener hijos. Cuando se casó conmigo a Paul le habría gustado volver a ser padre, pero yo tenía treinta y nueve años y no estaba por la labor. Me veía incapaz de asumir esa responsabilidad, las exigencias constantes que plantea y la confusión que crea.

—Tengo que reconocer que a mí me encanta ser madre —admitió India modestamente y pensó en sus vástagos.

Dos de sus hijos jugaban al voleibol a pocos metros de allí. India respetó la franqueza de la novelista y se percató de que eran radicalmente distintas. Cada una era todo lo que la otra no era. India era directa, sencilla y no hacía ostentación de nada. Serena era compleja, maquinadora y, a su manera, agresiva. India se sorprendió de que le cayese bien, pues de alguna manera había creído que le cogería antipatía. Fue consciente de los motivos por los que Paul la amaba. Serena tenía tanta fuerza que estar a su lado era como cabalgar a lomos de un purasangre. No resultaba de trato fácil y no le molestaba que la considerasen complicada, más bien le gustaba. Sólo compartían una profunda femineidad que expresaban de maneras muy distintas.

Los matices de la personalidad de India resultaban más sutiles, lo cual había despertado la curiosidad de Paul. Serena ocultaba muy pocos misterios pues era pura fuerza, poder y control. India se mostraba tierna y amable y era mucho más compasiva y humana. Paul quedó muy sorprendido con estas cualidades durante las horas de charla en el velero.

Al cabo de un rato el magnate se acercó, las observó y admiró sus contrastes. Era como contemplar dos extremos femeninos y, de haberse atrevido, habría reconocido que ambas lo fascinaban de maneras distintas y por motivos diferentes.

Paul se sintió aliviado cuando Sam se acercó e India le presentó a Serena. El niño le tendió educadamente la mano y al hablar con ella se sintió incómodo, pues notaba que Serena no sabía tratar con niños. Le hablaba como si fuera un hombre bajito y Sam no entendió sus bromas.

—Es un niño delicioso —comentó Serena cuando Sam regresó con sus amigos—. Supongo que estás muy orgullosa de él.

—Lo estoy.

—India, si alguna vez desaparece ya sabes dónde encontrarlo. Paul se lo llevará a Brasil en el velero.

—A Sam le gustaría.

—Ésa es la pega. A la edad de Paul resulta patético. Los hombres son muy infantiles, ¿no te parece? Son como críos. En el mejor de los casos, cuando crecen se convierten en adolescentes y reaccionan como tales cuando no se salen con la suya.

India la oyó y no pensó en Doug, sino en Paul. No tenía nada de adolescente, lo había considerado muy maduro y sensato y le agradecía de corazón los consejos que le había dado.

Charlaron un rato más y concertaron la sesión fotográfica para la mañana siguiente. Serena habló unos minutos con Jenny y se marchó con su marido. India fue a ver a sus hijos, que se divertían mucho.

Regresaron tarde a casa, todos contentos y cansados. India contó a Sam que por la mañana iría al velero y le preguntó si le apetecía acompañarla.

—¿Veré a Paul? —preguntó soñoliento.

India asintió y Sam aceptó acompañarla. Planteó lo mismo a los otros, que respondieron que preferían dormir. El *Sea Star* era la pasión de Sam y lo dejaban en sus manos.

Lamentó que sus tres hijos mayores no conocieran el barco porque sabía que en cuanto lo viesen les encantaría.

India despertó a Sam a primera hora y le sirvió cereales y tostadas para que no pedalease hasta el club náutico con el estómago vacío. Paul los esperaba y los invitó a tomar crepes. Serena estaba en el comedor y bebía café. Cuando entraron levantó la cabeza. Pese a lo que había dicho el día anterior, India consideró que tenía un aspecto inmejorable incluso a la hora del desayuno. Vestía blusa blanca almidonada, tejano perfectamente planchado y náuticas con suela de goma. Llevaba la cabellera larga y lacia recogida con una goma. Se había maquillado lo suficiente para resaltar sus facciones.

—¿Ya estás preparada? —preguntó la escritora en cuanto la vio.

—Sí, jefa.

India sonrió, Sam se sentó ante el plato de crepes y Paul se instaló a su lado.

—Haré compañía a Sam —propuso el magnate. No era un sacrificio y bastaba mirarlo para saber lo bien que el niño le caía—. Saldremos a navegar en el bote o haremos cualquier otra cosa.

—¡Uff! —resopló Serena.

La escritora se dirigió a cubierta e India la siguió. La mañana pasó volando.

India tiró seis carretes y estaba convencida de que algunas fotos eran muy buenas. Serena era una modelo dócil.

Ésta conversó animadamente y le contó anécdotas de Hollywood y locuras cometidas por escritores famosos. India se divertía con sus chanzas. Cuando terminó la sesión fotográfica Serena la invitó a comer. Los Ward habían postergado para la mañana siguiente la travesía a Nueva York.

Tomaron bocadillos en cubierta porque a la escritora le desagradaba el comedor, que encontraba pretencioso y claustrofóbico. A India le encantaba, aunque también la satisfacía comer al aire libre. Casi habían terminado cuando Paul y Sam regresaron del paseo en bote.

—¿Queda algo para nosotros? —preguntó Paul cuando se reunieron en cubierta—. ¡Estamos hambrientos!

—Sólo las migas —bromeó Serena.

Uno de los camareros anotó el pedido de Paul: bocadillos extragrandes, patatas fritas y encurtidos, añadió, al recordar que a Sam le encantaban.

El magnate comentó que lo habían pasado bien y Sam lo confirmó con una sonrisa de oreja a oreja. No contó a su madre que habían volcado y que Paul se apresuró a enderezar el bote.

En cuanto acabaron de comer India dijo que era hora de volver. Deseaba revelar las fotos de Serena.

—Dentro de unos días te enviaré las pruebas —prometió a Serena y se puso de pie. Con modestia añadió—: Espero que me digas qué te parecen.

—Seguro que me encantan. Si logras que quede la mitad de guapa que Paul las utilizaré para empapelar el apartamento. Hay que reconocer que soy más bonita que él.

Serena rió e India la imitó. Era todo un personaje y era fácil comprobar las razones por las que Paul la adoraba. Ciertamente no era una mujer aburrida. Tenía mucha chispa y le encantaba contar anécdotas jugosas de los famosos. Estaba al tanto de quién había dicho qué o qué le había hecho a quién. Escucharla equivalía a leer la prensa del corazón. Además, Serena no sólo era hermosa, sino indescriptiblemente atractiva. A India le caía muy bien.

India le agradeció la oportunidad de hacerle fotos y a Paul que hubiese cuidado de Sam.

—Sam cuidó de mí —aseguró él sonriente. Se agachó para darle un abrazo de oso, que el chiquillo devolvió con entusiasmo—. Te echaré de menos —dijo el magnate, pero no estaba tan triste como Sam, que jamás olvidaría los ratos pasados en el *Sea Star*—. Si tu madre está de acuerdo, un día de éstos harás una travesía conmigo. ¿Te gustaría?

—¿Es una broma? —El niño no cabía en sí de alegría—. ¡Cuenta conmigo!

—Trato hecho.

Paul se incorporó y abrazó a India.

Mientras madre e hijo descendían por la pasarela hacia el muelle el magnate tuvo la sensación de que se separaba de amigos de toda la vida. La tripulación al completo despidió a Sam agitando los brazos. Se había ganado el cariño de todos.

Durante el regreso India se sumió en sus pensamientos y se cayó de la bicicleta, algo que solía ocurrirle cuando no estaba atenta.

—Mamá, ¿qué te pasa?

Sam la ayudó a incorporarse. Su madre era una patosa. Ella sonrió al pensar en su torpeza y se sintió ridícula al ver la expresión de su hijo. Las horas que habían pasado en el velero, compartiendo la magia de esos momentos, los había aproximado todavía más.

—El año que viene tendré que comprar una bicicleta de tres ruedas, como las que usan los abuelitos —comentó y se sacudió la ropa.

—No es mala idea —sonrió Sam.

Guardaron silencio mientras pedaleaban rumbo a casa. Ambos pensaban en el velero y en las personas que habían conocido.

Paul los había impresionado aunque, después de conocer a Serena, India lo encontraba distinto. Al verlos juntos había recuperado la perspectiva, se había percatado de su compromiso matrimonial y de las cosas que consideraba importantes.

En cuanto llegó a casa India se dirigió al cuarto oscuro. Reveló las fotos y quedó muy entusiasmada con los resultados. Los retratos de Serena eran fabulosos. Estaba espectacular y tuvo la certeza de que a la escritora le encantarían. Incluso había una deliciosa foto de Serena con Paul cuando éste regresó de la travesía en el bote. Él estaba apoyado en el respaldo del sillón que ocupaba Serena y se los veía muy elegantes con el palo mayor y el océano de fondo. Formaban una pareja muy atractiva. Estaba deseosa de enviarlas y conocer la opinión de los Ward.

A la mañana siguiente India llamó al servicio de mensajería y envió las fotos a Nueva York. Serena telefoneó en cuanto las recibió.

—¡Eres genial! —exclamó una voz ronca que en principio India no reconoció—. Ojalá me pareciese a la mujer de las fotos.

India la reconoció y sonrió.

—En directo eres más guapa. ¿Te gustan de verdad?

India estaba emocionada. Se sentía orgullosa de las fotos y reconocía que Serena había sido una buena modelo.

—¡Son adorables!

—¿Te gusta la foto en la que sales con Paul?

—No la he visto.

Serena parecía desconcertada e India se llevó un chasco.

—Vaya. Supongo que me olvidé de incluirla. Probablemente está en el cuarto oscuro. Te la enviaré porque es especial.

—Como tú. Esta mañana hablé con la editorial, te pagarán por publicar las fotos y figurarás en los créditos.

—Olvídalo —dijo India—. Son un regalo. Sam se divirtió tanto que es lo mínimo que puedo hacer para daros las gracias.

—Déjate de tonterías. Se trata de un encargo. ¿Qué diría tu representante?

—Ojos que no ven corazón que no siente. Le diré que las hice por amistad. No quiero que me pagues nada por ellas.

—Si eres tan desprendida con tu trabajo nunca afianzarás tu carrera. La sesión te llevó una mañana y luego revelaste las fotos. Como mujer de negocios te arruinarías. Debería convertirme en tu representante. Las fotos son tan buenas que no sé cuál elegir. —Serena se moría de ganas de mostrárselas a Paul, que estaba en el despacho—. Ya te llamaré para decírtelo. India, me encantaría publicar todas las fotos. Te lo agradezco de corazón. Me gustaría pagarte por el trabajo.

—La próxima vez —replicó India, segura de que habría una próxima vez.

Había decidido buscar la foto de Serena y Paul, pero se olvidó porque apareció Aimee, que se había clavado una espina y venía para que se la quitara.

Los días siguientes transcurrieron muy deprisa y Doug llegó para pasar el fin de semana con su familia. Hacía casi dos semanas que no se veían. Doug se alegró de encontrarse con sus hijos pese al agotamiento del largo viaje. Como de costumbre, se dio un baño en el mar antes de cenar. Esa noche toda la familia se reunió alrededor de la mesa y, en cuanto pudieron, los chicos salieron a buscar a sus amigos. Les gustaba jugar de noche al pillapilla en la playa, contarse historias de terror y reunirse en una casa u otra.

Cape Cod era ideal para los niños y Doug sonrió cuando los vio franquear la puerta a la carrera. Se alegraba de estar en la casa de la playa.

Una vez a solas con India, se repantigaron en la sala y de pronto ella se sintió incómoda. No había dejado de pensar febrilmente en el problema que tenían. Además, en el ínterin había conocido a Paul Ward, pasado varias horas en el *Sea Star* con Sam y realizado la sesión fotográfica con Serena. Tenía muchas cosas que contarle, pero percibió que no le apetecía. No estaba deseosa de compartirlo con su esposo. Experimentaba la necesidad de guardar algo para sí.

—¿Qué has hecho? —preguntó él como si se hubiera encontrado con una vieja amiga a la que no veía desde el verano anterior.

Doug no la había saludado con cariño ni complicidad e India se percató de que siempre había sido igual. Lo que ocurría es que ahora reparaba en cualquier detalle que hasta entonces no había notado. Se preguntó en qué momento habían cambiado las cosas entre ellos.

—Nada del otro mundo, lo habitual. —Como habían hablado por teléfono, India ya le había dado el parte de lo más importante—. Los niños lo están pasando bien.

—Tengo ganas de que llegue agosto para venir —dijo Doug—. En Westport hace un calor infernal y en Nueva York todavía es peor.

—¿Qué tal los nuevos clientes? —preguntó ella y tuvo la sensación de que hablaba con alguien a quien apenas conocía.

—Exigen mucho tiempo. Me he tenido que quedar en el despacho hasta las nueve o diez de la noche. Como no estáis en casa no necesito coger corriendo el tren de las seis y me resulta más fácil terminar el trabajo.

India asintió con la cabeza y pensó que aquella conversación era deprimente. Después de dos semanas separados tendrían que haber hablado de algo más que los clientes y la ola de calor. Desde su llegada Doug no le había dicho que la echaba de menos o la quería. India ni siquiera recordaba cuándo le había expresado por última vez algo parecido. Se preguntó por qué no le había llamado la atención que no se lo dijese más a menudo. Se planteó si los encuentros de Paul y Serena eran tan aburridos y supuso que no. Serena no lo habría tolerado ni un segundo. Todo en ella denotaba pasión. Pero en su relación con Doug no había nada apasionado. En realidad, hacía casi veinte años que no lo había. La idea la deprimió aún más.

Aguardaron el regreso de los chicos, hablaron de esto y aquello y Doug encendió la televisión. Cuando apareció Jessica apagaron las luces y se dirigieron al dormitorio. India se duchó, pues supuso que su marido querría hacer el amor. Se puso el camisón que a Doug le gustaba pero cuando entró en el dormitorio comprobó que estaba dormido. Roncaba suavemente con la cara hundida en la almohada. Lo contempló. Volvió a sentirse sola y supo que era el broche que correspondía a la velada que habían pasado. Demostraba a las claras el sentido de su convivencia.

India se acostó en silencio, sin molestar a Doug, y tardó mucho en dormirse. Sollozó quedamente a la luz de la luna y deseó estar en cualquier otra parte.

8

Doug e India pasaron el día en la playa. Sus hijos y sus amigos aparecieron y desaparecieron. Por la noche, Doug los llevó a cenar a un restaurante especializado en carnes al que iban todos los años. Disfrutaron mucho de la salida.

Cuando regresaron Doug e India hicieron finalmente el amor. A ella hasta el acto sexual le resultó distinto: serio y metódico, como si a Doug le diera lo mismo que ella disfrutase. Su marido sólo quería acabar de una vez y cuando se giró para decirle que le quería, India descubrió que estaba dormido. No fue precisamente un fin de semana estelar.

En cuanto los niños salieron por la mañana Doug miró a su esposa con expresión de sorpresa.

—India, ¿tienes algún problema? —preguntó con mordacidad mientras ella le servía otra taza de café—. Te comportas de una manera extraña.

Doug no añadió que por teléfono también la había notado rara.

India lo miró y no supo qué responder.

—No lo sé. He reflexionado mucho, pero no creo que sea el momento adecuado para hablar del tema.

Ya había tomado la decisión de no plantear la cuestión del trabajo hasta que Doug se instalase en Cape Cod. No quería arrojarle una bomba justo antes de que regresara en coche a Westport. Sabía que necesitarían tiempo para aclarar las cosas.

—¿Qué te preocupa? ¿Pasa algo con los chicos? ¿Tienes problemas con Jess?

Durante el invierno Jessica había discutido muchas veces con su madre; a Doug le costaba creer que en la vida hubiera algo más que los hijos.

—No, Jess está muy bien. Es una gran ayuda. Todos me ayudan. No tiene nada que ver con los niños, se trata de mí. Últimamente no he dejado de pensar.

—Suéltalo de una vez —declaró Doug con impaciencia y la observó atentamente—. Sabes que detesto que hagas esto. ¿A qué viene este misterio? ¿Tienes una aventura con Dick Parker?

Sólo se trataba de una broma. Doug era incapaz de concebir que su esposa lo engañase. Además, tenía razón, no se le ocurriría hacer algo así. Confiaba plenamente en ella. India pensó que su marido jamás se enteraría de lo atractivo que le resultaba Paul Ward y tampoco hacía falta que se lo contara. Se trataba de una cuestión sin importancia y sin repercusión alguna en sus vidas.

—He pensado mucho en mi vida y en lo que quiero hacer.

—¿A qué demonios te refieres? ¿Pretendes escalar el Everest o cruzar el polo Norte en un trineo tirado por perros?

Doug habló como si resultase inconcebible que India pudiera hacer algo valioso o emocionante. Tenía razón, ya que en los últimos catorce años sólo se había dedicado casi exclusivamente a criar a sus hijos. Se había convertido exactamente en lo que él pretendía: una compañía fiable que cuidaba de los niños.

Ella decidió poner fin al juego del gato y el ratón.

—La noche que estuvimos en Ma Petite Amie me desautorizaste en todo lo que dije. Jamás me he considerado una compañía y alguien fiable que cuida de los niños. Las ilusiones que tenía con respecto a nosotros eran más románticas.

Aunque le dolió reconocerlo, aquél había sido el detonante, sumado a que Doug se negaba de plano a considerar siquiera que trabajase y a comprender sus sentimientos. A pesar de todo le costó mucho expresarse.

—India, ya está bien. Eres demasiado sensible. Ya sabes a qué me refería. Intentaba decir que no quedan muchos elementos románticos después de diecisiete, quince o incluso diez años de matrimonio.

—¿Por qué? —Ella lo miró a los ojos y tuvo la sensación de que por primera vez lo veía con toda claridad—. ¿Por qué no hay elementos románticos al cabo de diecisiete años de matrimonio? ¿Requiere demasiados esfuerzos?

—Son cosas de críos y lo sabes. Después de un tiempo desaparecen. No puede ser de otra manera. El trabajo y mantener a la familia te agotan, lo mismo que coger todas las tardes el tren de las seis para volver a casa. Llegas cansado y no quieres hablar con nadie, ni siquiera con tu esposa. Dime qué tiene de romántico.

—No mucho. Doug, no hablo de estar agotado, sino de sentimientos. Me refiero a amar a alguien y conseguir que se sienta amado. Ni siquiera sé si todavía me quieres.

Mientras hablaba se le llenaron los ojos de lágrimas y Doug se mostró incómodo y bastante sobresaltado.

—Sabes que sí. Has dicho una tontería. ¿Qué esperas de mí? ¿Pretendes que todas las noches te traiga un ramo de flores?

Las palabras de su esposa lo habían irritado.

—Claro que no, pero me encantaría que ocurriera una vez al año. Ya no recuerdo la última vez que me trajiste flores.

—Fue el año pasado para celebrar nuestro aniversario. Me presenté con un ramo de rosas.

—Tienes razón. Ni siquiera me llevaste a cenar, dijiste que ya saldríamos este año.

—Hace una semana te llevé a Ma Petite Amie, y allí empezaron tus quejas. Si el resultado es éste, salir no me parece tan buena idea.

—He reflexionado sobre mi vida y me pregunto a cambio de qué abandoné mi profesión. Sé que lo hice por mis hijos. Lo que ya no tengo tan claro es si la abandoné por un hombre que me quiere y aprecia lo que hago.

Planteaba una duda legítima e India esperaba una respuesta sincera.

—Conque esas tenemos ¿eh? ¿Quieres volver a trabajar? Ya te he dicho que es imposible. ¿Quién se ocupará de los niños? Económicamente no tiene sentido. Tendríamos que contratar a una mujer que ni siquiera los cuidaría bien y que nos saldría más cara que tu salario. India, si mal no recuerdo el trabajo te permitió obtener algunos galardones y reconocimientos, pero casi no ganaste dinero. ¿De qué carrera hablas? ¿Te refieres a la trayectoria de una joven recién salida del Cuerpo de Paz, una joven sin responsabilidades ni necesidad de encontrar trabajo remunerado? Ahora tienes un trabajo real, que consiste en cuidar de nuestros hijos, y si crees que tienes que volver a recorrer el mundo más vale que prestes atención a lo que haces. Cuando regresaste a Nueva York hicimos un pacto. Decidimos casarnos y que trabajarías hasta tener hijos. Después te ocuparías de ellos. Quedó muy claro, no pusiste pegas y ahora, catorce años después, pretendes desdecirte. ¿Sabes una cosa? No puedes volverte atrás.

Parecía que Doug iba a marcharse furioso, pero India no estaba dispuesta a permitírselo. Echaba chispas por los ojos. Doug no tenía derecho a comportarse de ese modo. En ningún momento había reconocido que la quería y había desviado hábilmente el tema.

—¿Crees que puedes decirme lo que debo y no debo hacer? Mi decisión también cuenta. He cumplido el pacto tanto como he podido. Escúchame bien, he sido justa y te he dado más de lo que pedías. Pero ya no soy feliz. Tengo la sospecha de que he renunciado a demasiadas cosas y a ti eso te importa un bledo. En tu opinión mi trabajo es un pasatiempo sin importancia. Al menos es lo que dices y lo que demuestras. Si hubiera continuado probablemente a esta altura habría ganado el Pulitzer. Doug, no es una tontería, sino algo muy importante a lo que renuncié para cuidar de nuestros hijos.

—Si era lo que realmente querías tendrías que haberte quedado donde estabas, en Zimbabue, Kenia o donde fuese, en vez de regresar para casarte conmigo y tener cuatro hijos.

—Si me dejaras podría hacerlo todo.

—Jamás lo permitiré. Será mejor que lo asumas porque no estoy dispuesto a volver a discutir este asunto. India, con o sin el maldito Pulitzer, tu carrera se acabó. ¿Me has entendido?

—No creo que sea mi carrera lo que ha terminado, sino otra cosa —declaró con valentía.

Las lágrimas resbalaban por las mejillas de India, pero intentaba contener los sollozos. Doug no cedió un milímetro. No lo consideraba necesario. Tenía su carrera, su vida, su familia y una esposa que se ocupaba de sus hijos, todo tal como siempre lo había deseado. ¿Y qué tenía India?

—¿Me estás amenazando? —inquirió Doug cada vez más furibundo—. India, no sé quién te ha metido semejantes ideas en la cabeza, tal vez el imbécil de Raúl, la casquivana de Gail o puede que hasta Jenny... Da igual quien te haya convencido, será mejor que le digas que lo olvide. En lo que a mí respecta nuestro matrimonio se basa en que cumplas tu parte del pacto. Y eso no es negociable.

—Doug, no soy un negocio. No soy un acuerdo al que llegas con un cliente. Soy un ser humano y tienes que saber que no me satisfaces emocionalmente y que me volveré loca si mi vida sólo consiste en acompañar cada mañana a la escuela a Sam, Aimee y Jason. La vida consiste en algo más que pudrirme en Westport, morirme de aburrimiento y esperarte con la cena en la mesa.

India sollozó, pero Doug no se inmutó, sólo incrementó su cólera.

—Hasta ahora no te habías aburrido. ¿Qué diablos te ha pasado?

—He madurado y los niños ya no dependen tanto de mí. Tú tienes tu vida y yo necesito la mía, la necesito más que nunca. Me siento sola y hastiada. Tengo la sensación de que pierdo el tiempo. Quiero hacer algo inteligente, algo distinto que dedicarme a los demás. Necesito otra cosa. Durante catorce años dejé de lado mis necesidades y me hace falta algo para seguir avanzando. ¿Pido demasiado?

—No te entiendo. Es una locura.

—No, no es una locura, pero lo será si no me haces caso —añadió a la desesperada.

—India, te hago caso, pero lo que oigo no me gusta. Creo que te has equivocado.

Casi nunca discutían, pero en ese momento India estaba muy agitada y la furia dominaba a Doug. No estaba dispuesto a ceder ni un ápice e India lo sabía. No había salida.

—¿Por qué no permites que haga un par de reportajes de encargo? Es probable que salga bien. Dame esa oportunidad.

—¿Para qué? Ya sé lo que pasará. Recuerdo perfectamente lo que sucedía antes de casarnos. Vivías en la copa de un árbol, hablabas por teléfonos de campaña y te dedicabas a esquivar francotiradores. Por favor, ¿realmente quieres volver a las andadas? ¿No crees que tus hijos merecen tener una madre? ¿Eres tan egoísta?

—No creo ser ni la mitad de egoísta que tú. ¿Podrán estar contentos de su madre si no tengo autoestima y me siento abatida a causa del aburrimiento y la soledad?

—India, si esto es lo que quieres búscate otro marido.

—¿Lo dices en serio?

Ella lo miró con desconcierto y se preguntó si Doug sería capaz de llegar a esos extremos. Probablemente lo haría. Pero la pregunta y la expresión de su esposa lo calmaron un poco.

—No estoy seguro. Es posible. Tengo que pensarlo. Si realmente es lo que quieres y si estás tan decidida a conseguirlo tendremos que replantearnos nuestro matrimonio.

—Me cuesta creer que estés dispuesto a sacrificar nuestra vida en común simplemente porque te niegas a llegar a un acuerdo y, para variar, a pensar un poco en lo que siento. Hace demasiado tiempo que hago las cosas a tu manera. Tal vez haya llegado la hora de probar la mía.

—Ni siquiera piensas en tus hijos.

—Claro que sí. Hace muchísimo tiempo que pienso en ellos y ahora me toca ocuparme de mí.

India jamás había dicho algo semejante. Era evidente que, dada la situación, Doug no reconocería que la quería. Ciertamente, al escucharla casi tuvo la certeza de que no la amaba, le resultaba imposible. Desde su perspectiva, India incumplía el pacto que habían hecho, ponía a los hijos en la picota y hacía peligrar su matrimonio. Y él no quería nada de eso.

India estaba tan desesperada que hizo un último intento:

—Doug, mi profesión no es simplemente un trabajo, sino una manifestación artística. Forma parte de mí. Es la manera en que expreso lo que hay en mi mente, mi corazón y mi alma. Por eso siempre llevo la cámara. La necesito para que su luz me ilumine. Percibo con el corazón lo que tú ves con los ojos. Hace muchos años que renuncié a ello pero ahora necesito recuperarlo. He descubierto que añoro demasiado esa parte de mi ser. Tal vez la necesito para ser quien soy. No lo tengo muy claro. Apenas lo entiendo, solamente sé que para mí es importante.

India se percató de que para Doug no lo era. Así estaban las cosas para su marido. No entendía lo que decía ni le interesaba saberlo.

—Tendrías que haberlo pensado bien hace diecisiete años, antes de casarte conmigo. Entonces podías elegir. Supuse que habías tomado la decisión adecuada y tú también. Si has cambiado de opinión tendremos que afrontarlo.

—Lo único que tenemos que afrontar es que necesito algo más en mi vida. Me falta el aire, espacio para respirar, una forma de expresión para volver a ser yo misma... la sensación de que también cuento en el mundo, no solamente para ti. Y lo más importante, necesito saber que me quieres.

—No estoy dispuesto a quererte si me cargas con estas tonterías. En lo que a mí se refiere, no se trata de otra cosa. Sólo es un montón de tonterías. Pareces una cría consentida que nos falla a los niños y a mí.

—Lamento que no comprendas lo que digo —reconoció ella y sollozó quedamente.

Doug salió de la cocina. No estiró la mano para acariciarla, no la abrazó ni le dijo que la quería. En ese momento no la amaba.

Estaba demasiado enfadado para escucharla. Se dirigió al dormitorio y preparó la maleta.

—¿Qué haces? —preguntó India al verlo.

—Vuelvo a Westport. No me esperes el próximo fin de semana. Sólo me faltaría conducir seis horas para oírte desvariar de nuevo sobre tu profesión. Será mejor que nos tomemos un respiro.

Ella estuvo de acuerdo, pero al ver la maleta se sintió abandonada.

—¿Por qué estás tan convencido de saber lo que es bueno para nosotros, para nuestros hijos y para mí? ¿Por qué eres el que siempre fija las reglas?

—Porque así son las cosas. Siempre han sido así. Si no te gusta, déjame.

—Por cómo lo dices parece muy simple.

La situación no era nada simple e India lo sabía.

—Es posible. Quizá sea así de simple.

Doug se irguió y, maleta en mano, la miró. India se sorprendió de la rapidez con que se deshacía su matrimonio después de diecisiete años de convivencia y de cuatro hijos. Evidentemente, las cosas se hacían a la manera de Doug o no había opción. La situación era pavorosamente injusta. Doug ni siquiera estaba dispuesto a transigir o a decirle que la quería. En realidad, no la amaba lo suficiente para interesarse por lo que ella sentía o necesitaba. Todo giraba a su alrededor y en torno al pacto que habían hecho. Para Doug ya no había nada más que añadir y no pensaba modificar los términos del acuerdo.

—Despídeme de los niños. Nos veremos dentro de dos semanas. Espero que para entonces hayas recobrado el sentido común.

Doug seguía en sus trece. Aunque lo hubiera intentado, India ya no sabía si habría podido cambiar algo. En las últimas semanas había comprendido demasiado bien sus carencias y sus necesidades.

—¿Por qué eres tan inflexible? A veces hay que introducir cambios en la vida y adaptarse a ideas y situaciones novedosas.

—No necesitamos ideas novedosas y nuestros hijos tampoco. Sólo necesitan que su madre haga lo que toda madre debe hacer por sus hijos. Y eso es todo lo que yo necesito de ti.

—¿Por qué no contratas un ama de llaves? Si no está a la altura de tus exigencias o incumple el pacto que establezcas con ella podrás despedirla.

—Tendré que contratarla si decides seguir los pasos de tu padre.

—No soy tan corta de entendederas. No te pido que me dejes ir a zonas en conflicto. Sólo pretendo realizar un par de reportajes interesantes.

—Pues yo no te pido nada —apostilló Doug con tono gélido—. Simplemente espero que a finales del verano, cuando regresemos a Westport, hayas vuelto a tus cabales y decidas olvidarte de estos disparates. Más te vale que estés preparada para ocuparte de los niños y cumplir con tus obligaciones.

Hasta entonces India no se había dado cuenta de lo insensible que era Doug y de la indiferencia que manifestaba ante sus sentimientos. Todo iba bien mientras respetase las reglas del juego, pero Doug consideraba inaceptables las ideas y las necesidades distintas o cualquier aspecto novedoso. Lo dejó muy claro, más claro que nunca, e India detestó cuanto oyó. Era más grave que el aburrimiento: lo encontró violento.

Doug se dirigió a la puerta, se volvió y le dio un ultimátum:

—Hablo en serio. Recupérate o te arrepentirás.

Aunque ya estaba arrepentida, no abrió la boca mientras él franqueaba la puerta y desde la ventana de la cocina lo vio alejarse al volante del coche. Le costaba creer en lo que ocurría, en las cosas que Doug había dicho y en las que había callado.

Aún lloraba cuando Sam apareció en la cocina.

—¿Dónde está papá? —preguntó con curiosidad y supuso que su padre paseaba por la playa con *Crockett*.

—Se ha ido —repuso India y se enjugó las lágrimas pues no quería que su hijo la viera llorar.

—No se ha despedido —comentó Sam sorprendido.

—Tenía una reunión urgente.

—Bueno. Me voy a casa de John.

—Vuelve a la hora de cenar. —Y sonrió. Aún tenía los ojos llorosos, pero el pequeño no se apercibió de ello. Sólo reparó en su sonrisa y no indagó—. Sam, te quiero.

—Sí, claro... Mamá, ya lo sé. Yo también te quiero.

Al salir Sam dio un portazo. Su madre lo vio cruzar la calle rumbo a la casa de su amigo. El niño no tenía ni la más remota idea de lo que acababa de ocurrir. India supuso que sus vidas estaban a punto de cambiar para siempre.

Podría haber llamado a Doug al móvil, podría haberle dicho que había cambiado de opinión, podría haber hecho muchas cosas, pero era consciente de que ya no había vuelta atrás. Era imposible retroceder, sólo podía avanzar.

9

Durante las dos semanas siguientes Doug sólo telefoneó un par de veces. Cuando hablaron la tensión cortaba el aire. No aludieron al encontronazo que habían tenido. India reflexionó a fondo sobre su matrimonio y estuvo a punto de llamar a Raúl y pedirle que la colocara en el primer puesto de la lista de reportajes locales, pero al final decidió esperar a que acabase el verano. Necesitaba evaluar las posibilidades, los riesgos y el impacto que esa decisión causaría en sus hijos. Tenía que volver a hablar con Doug. Era necesario resolver algunas cuestiones candentes. No deseaba apresurarse. Le urgía volver al trabajo, pero había mucho en juego y prefería tener claro a lo que se enfrentaba.

Durante el fin de semana que Doug volvió, ni siquiera intentó hacer el amor y apenas le dirigió la palabra. Se comportó como si India hubiese cometido una transgresión imperdonable.

El domingo, después de su partida, Jason —que era el que más congeniaba con su padre— la miró inquisitivo y mientras la ayudaba a poner la mesa preguntó sin ambages:

—¿Estás enfadada con papá?

—No. ¿Por qué lo preguntas?

No quería comentar con los chicos la conversación que habían sostenido. De nada serviría que se enterasen de las tensiones existentes. Era inútil perturbarlos. Ya había sido muy duro compartir el fin de semana con Doug prácticamente sin dirigirse la palabra.

—Porque no le has hablado en todo el fin de semana.

—Estoy cansada y tu padre tiene que atar muchos cabos sueltos antes de empezar sus vacaciones.

El fin de semana siguiente Doug retornaría y se quedaría tres semanas. A India ya no le apetecía verle. Tal vez les haría bien, al menos deseaba que así fuera. Seguía sin creer que Doug estuviera dispuesto a arriesgar su matrimonio sólo porque ella quería realizar algunos reportajes. Al parecer no valía la pena. De todos modos, India no pensaba prometerle que no los haría. Le parecía una situación injusta; mejor dicho, todo le parecía injusto.

La respuesta satisfizo a Jason, que se fue a la playa con los amigos. Volvió a cenar con dos compañeros.

Aquella noche la cena transcurrió en silencio. Aunque no supiesen de qué se trataba, todos percibieron que había un problema. A veces los niños son muy instintivos y perciben sin saber qué ocurre realmente.

India se había acostado a leer cuando sonó el teléfono. Pensó que tal vez Doug llamaba para pedir disculpas por el espantoso fin de semana que acababan de pasar. Al menos no había habido amenazas, ultimátums ni estallidos, solamente silencio y depresión.

Cogió el auricular convencida de que era Doug y se sorprendió al oír la voz de Paul Ward, que sonó tan nítida como si estuviera en el dormitorio.

—¿Dónde estás? —preguntó India y se alegró de escucharlo.

No sabía por qué la llamaba, a menos que hubiera decidido regresar a Cape Cod y, tal como había prometido, invitar a Sam. El niño estaba dispuesto a recordarle eternamente esa promesa.

—En el velero. Son las cuatro de la madrugada y nos aproximamos a Gibraltar. Decidí realizar la travesía a Europa en el *Sea Star*.

A India le pareció muy valiente aunque sabía que su amigo había hecho esa travesía a menudo y le encantaba. Lo había comentado con Sam mientras comían en el club náutico de New Seabury.

—¡Qué emocionante! —India sonrió. Paul parecía feliz de cruzar el charco en el velero—. ¿Me equivoco al decir que Serena no te acompaña?

El magnate rió. Ella ya conocía la respuesta.

—No, no te equivocas. Está en Londres, en una reunión con sus editores británicos. Viajó en el Concorde. ¿Cómo estás? ¿Qué me cuentas?

—Estoy bien. —Pensó en decirle la verdad y contarle la pelea que había tenido con Doug y el ultimátum que le había planteado, pero supo que Paul se sentiría afectado por ello—. ¿Cómo va todo por ahí?

—De maravilla. Reina la paz. El tiempo ha sido bueno y la travesía ha discurrido sin dificultades.

—Tendrás que contárselo a Sam.

India volvió a preguntarse a qué se debía la llamada de Paul a las cuatro de la madrugada. Tal vez no tenía nada que hacer y le apetecía charlar.

—Estuve pensando en ti. Quería saber cómo estabas y cómo va tu plan de volver al trabajo. ¿Has hablado con tu marido?

—Sí, hace dos semanas. —Suspiró—. Desde entonces no me dirige la palabra. Estuvo aquí, hemos pasado un fin de semana muy frío y no me refiero precisamente a la temperatura. —Le encantaba charlar con Paul. No sabía muy bien por qué pero era como hablar con un viejo amigo. Gail seguía en Europa y no tenía a nadie más en quien confiar—. Más o menos me dijo que si vuelvo a trabajar me dejará. Mejor dicho, apuntó en esa dirección. Considera que no es negociable —explicó con desaliento.

—India, ¿tú qué piensas? ¿Qué opinas?

—Me siento bastante mal. A Doug no le importa mi opinión. Paul, no sé... me parece que habla en serio. Es una decisión trascendental y quizá no vale la pena.

—¿Qué ocurrirá si cedes? ¿Cómo te sentirás?

Paul habló como si la situación le importara, hecho que conmovió a India.

—Si doy marcha atrás me sentiré interiormente muerta —replicó—. Pero la ruptura de mi matrimonio es un precio muy alto a cambio de un poco de autoestima y un mínimo de independencia personal.

—India, eres tú la que debes tomar esa decisión. Nadie más puede hacerlo. Ya conoces mi opinión.

—Sé cómo reaccionaría Serena —repuso ella y sonrió pesarosa—. Ojalá tuviera sus agallas.

—A tu manera las tienes, pero no lo sabes.

India sabía que, en el fondo, no era tan valiente. Serena no habría aguantado más de cinco minutos a Doug, ya ni se habría casado con él. Pero ella lo había hecho y debía asumir las consecuencias. La idea de permitir que la amenazase la deprimió. En los últimos tiempos no obtenía nada de Doug, no le proporcionaba ternura, comprensión, apoyo ni afecto. Se percató de que hacía mucho tiempo que era así. Se habían implicado en la rutina de criar a los hijos y, de repente, para ella ya no era suficiente.

—¿Cómo está mi amigo Sam? —preguntó Paul.

Ambos sonrieron al pensar en el niño.

—En este momento duerme a pierna suelta. Se ha divertido con los amigos, y sólo les habla del *Sea Star*.

—Me gustaría que estuviera a mi lado... y tú también —comentó con tono peculiar y ella sintió que la recorría la misma corriente eléctrica que experimentaba cada vez que hablaba con él. Paul desprendía algo muy atractivo y poderoso. India no supo con claridad qué le decía y por qué la llamaba. Paul no planteó insinuaciones directas y estaba segura de que no lo haría, aunque también percibió que la apreciaba—. Te encantaría esta travesía. Es realmente apacible. —Era una de sus actividades favoritas. Leía, dormía y montaba guardia cuando le apetecía, como acababa de hacer. Por eso había telefoneado a una hora tan inadecuada. Mientras contemplaba el mar no había hecho más que pensar en India y al final decidió llamarla—. Dentro de unos días navegaremos hasta el sur de Francia. Antes tengo que arreglar unos asuntos en París. Serena cogerá el avión y nos reuniremos allí. París es la ciudad de sus sueños, y también de los míos —reconoció.

—Hace siglos que no voy a París —comentó India soñadora y recordó su última visita. Era muy joven y se había hospedado en un albergue de juventud. Estaba segura de que Paul prefería el Ritz, el Plaza Athénée o el Crillon—. ¿En qué hotel te hospedas?

—En el Ritz. A Serena le encanta. A veces me quedo en el Crillon, pero ella prefiere el Ritz. Si quieres que te sea sincero, no los distingo muy bien. Mi esposa domina el francés a la perfección y yo me siento ridículo cuando intento hablar con los taxistas. India, ¿sabes francés?

—Lo justo para que me entiendan y pedir de comer, pero soy incapaz de sostener una conversación inteligente. Lo aprendí cuando estuve un mes y medio en Marruecos, pero mis amigos se burlaban de mi acento. Sé lo suficiente para hablar con los taxistas y en el club de prensa.

—Serena estudió un año en la Sorbona y su dominio del francés es magistral.

Serena era un personaje imposible de igualar. Al nacer habían roto el molde. India comprendió que se amaban con locura.

—Antes de que me olvide, ¿cuándo regresas a Westport? —se interesó Paul.

—A finales de agosto. —No tenían mucho de qué hablar, pero a India le gustaba oír su voz y saber dónde estaba a las cuatro de la madrugada—. Los niños volverán a la escuela y tendré que organizarlos. —Paul rió. Esperaba que la vida le sonriese y que India tuviera valor y consiguiese lo que quería—. ¿Cuánto tiempo pasarás en Europa?

—Hasta el Día del Trabajo, es decir, hasta el primer lunes de septiembre. Serena debe regresar antes a Los Ángeles. No creo que le moleste. Se inventa compromisos para no pasar mucho tiempo en el mismo sitio. Es muy independiente y enseguida se pone nerviosa, sobre todo en el velero.

—En ese caso detestaría estar aquí. Lo único que hago es tumbarme todo el día en la playa y por la tarde vuelvo a casa a preparar la cena.

—Para mí es una buena vida y estoy seguro de que a tus hijos les encanta.

—Así es. De todos modos, te aseguro que a bordo del *Sea Star* la vida es más divertida. En mi opinión se trata de la existencia perfecta.

—Y lo es, pero sólo para ciertas personas. Tienes que amar este estilo de vida, te tienen que gustar las embarcaciones, la navegación y el mar. Lo llevas en la sangre o no lo llevas. En la mayoría de los casos no se trata de un gusto adquirido. Esta vida te atrapa desde la más tierna infancia, como en mi caso. Tenía más o menos la edad de Sam cuando me di cuenta de lo mucho que me apasionaba.

—No sabía que podía ser tan hermoso hasta que navegamos en tu velero. No podía tener mejor comienzo. Sospecho que me has malcriado para siempre, por no hablar de Sam, que ya no se conformará con una embarcación más pequeña.

—Claro que sí. Es un navegante nato, como yo. Incluso le encantó el bote. Ésa es la prueba de fuego y la aprobó con matrícula de honor.

—Pues yo prefiero los barcos grandes.

—Me parece una buena decisión. Veré un montón de embarcaciones preciosas, sobre todo algunos modelos clásicos. Algún día compraré otro barco y probablemente Serena me pedirá el divorcio. Con una embarcación hay más que suficiente y dos son excesivas. Temo que me faltará valor para decírselo.

Paul dejó escapar una carcajada.

—Probablemente es lo que espera de ti.

India sonrió. Si cerraba los ojos lo imaginaba en la cubierta del *Sea Star*, acompañado de Sam, o hablando con ella en la caseta del timón mientras su hijo parloteaba con el capitán. Habían vivido una inolvidable jornada de navegación con Paul Ward.

Paul le habló de las competiciones en que participaría en Cerdeña y de las personas que vería, incluido el Aga Kan.

—Paul, me parece vergonzoso que te muevas en círculos tan modestos —bromeó—. No tiene nada que ver con Westport.

—Lo mismo podemos decir de Botsuana y tienes que volver a esa tierra —la presionó Paul pues sabía que necesitaba estímulos y alicientes.

Probablemente ella los necesitaba más que nunca debido a las amenazas de su marido. Su comportamiento era realmente imperdonable. A Paul le desagradaba que su amiga desperdiciase su talento y por ello no le costaba entender por qué Doug se sentía en peligro. No estaba dispuesto a que India tuviera una vida más interesante que la suya, ya que entonces resultaría mediocre y carente de sentido. El magnate se preguntó si Doug estaba celoso de su esposa o la envidiaba.

—A veces me pregunto si volveré a esos países —comentó ella con pesar—. Ni siquiera he logrado convencer a Doug de viajar a Europa.

—Me encantaría que estuvieras con nosotros. Te apasionaría. Por cierto, he visto las pruebas de la cubierta del libro de Serena y la foto que le hiciste queda fantástica.

—Me alegro. Fue un trabajo muy divertido —y sonrió al recordar aquella mañana.

Charlaron unos minutos más y ella pensó que Paul estaba cansado, ya que en su franja horaria era muy tarde.

—Tengo que cortar. Nos queda un rato de navegación. Nos aproximamos cada vez más y el sol no tardará en salir. —India se imaginó en compañía de Paul en el velero acercándose a Gibraltar. Era una fantasía exquisitamente exótica y muy romántica—. Supongo que te irás a la cama. —A Paul le agradaba pensar que India llevaba una vida tranquila en Cape Cod. La consideraba una existencia muy pacífica y se alegró de haber conocido a la fotógrafa—. No te olvides del *Sea Star*. Espero que no pase mucho tiempo hasta que llegue el momento en que Sam y tú volváis a navegar conmigo.

—Creo que no existe nada más agradable.

—Pues yo sí creo que existe —repuso Paul y un repentino silencio se adueñó de la línea telefónica.

India no supo qué responder. Se alegraba de haber conocido a

Paul y estimaba su amistad tanto como para no ponerla en peligro o decir desatinos de los que luego se arrepintiese. Él no hizo más comentarios. Ambos sabían que estaban atados de pies y manos.

India agradeció la llamada y poco después se despidieron. Hizo exactamente lo que Paul había sugerido: se acostó y lo imaginó navegando en el *Sea Star* rumbo a Gibraltar. Supuso que el velero estaba iluminado tal como lo vio la primera noche a través de la ventana de su casa, como si fuera una isla mágica poblada de sueños y seres felices. Lo imaginó en el puente, a solas y a oscuras poco antes del alba. Pero esa noche no soñó con Paul ni con su maravillosa existencia a bordo del *Sea Star*. Sufrió pesadillas en las que Doug le gritaba. Ésa era su realidad y tenía que resolverla o aprender a convivir con ella. En su caso el *Sea Star* no era más que una fantasía, una estrella lejana en un firmamento que no le pertenecía.

10

La tensión aún se mantenía cuando Doug llegó a Harwich para iniciar sus vacaciones. El tema del trabajo de India no volvió a plantearse ni repitieron la discusión que habían mantenido, pero en el ambiente perduraba una nube brumosa. Por momentos India tenía la sensación de que la niebla le impedía ver y de que vivía con un desconocido. Los niños también captaron la tensión pero no dijeron nada. Les habría aterrado reconocer el malestar palpable aunque implícito y no resuelto entre sus padres. Era como un olor pútrido que persistía y no se podía ignorar.

India sólo habló con Doug del tema durante los últimos días que pasaron en Harwich.

—¿Qué haremos cuando volvamos a casa? —inquirió con cautela.

Los niños no estaban presentes, pues aprovechaban hasta el último minuto para reunirse con sus amigos. El final de las vacaciones aumentaba su frenesí. Solían organizar una barbacoa, pero ese año decidieron no hacerla. Era muy significativo, aunque India no cuestionó la decisión de Doug cuando éste explicó que no tenía ganas. A ella tampoco le apetecía. Estaba harta de fingir que todo iba bien. Por primera vez en diecisiete años tenían problemas. Las encarnizadas semillas plantadas en junio habían prendido y se habían convertido en un árbol cuyas ramas comenzaban a asfixiarlos. India no sabía si talarlo o dejar que se secase solo. La solución a los problemas todavía era un misterio.

—¿A qué te refieres?

Doug fingió que no se enteraba, pero era difícil ignorar la atmósfera hostil que los envolvía. India deseaba resolver la situación antes de regresar a Westport porque envenenaba la vida cotidiana. Ya había sido bastante negativo sacrificar el verano y había que poner límites antes de que fuese demasiado tarde.

—¿No crees que hemos pasado un verano espantoso? —le preguntó y lo miró desde el otro lado de la mesa de la cocina.

—Ambos hemos estado ocupados. No es el primer año que ocurre —replicó con una flagrante mentira.

Jamás habían vivido un año tan malo e India esperaba que no volviera a repetirse.

—Tú has estado ocupado y los dos nos hemos alterado demasiado. Me gustaría saber dónde pisamos. No podemos continuar así. Aclaremos lo que pasa o nos volveremos locos.

Era terrible no dirigirse la palabra ni tocarse; cada uno estaba atrapado en su islote y no había barco ni puente que les permitiera salvar las distancias. India jamás se había sentido tan sola y abandonada. Le parecía haber traicionado a Doug al expresar sus crecientes necesidades, al presionarlo para que le permitiese volver a trabajar y al pedirle más de lo que él le proporcionaba.

—Creo que debería preguntarte dónde pisas. De eso se trata, ¿no? Me presionas porque quieres volver a trabajar. ¿Es lo que pretendes hacer cuando regresemos a Westport?

India ya no estaba tan segura. El precio era muy alto, tal vez excesivo. Doug le había dicho que no era un asunto negociable y le creía. No estaba preparada para romper el pacto que habían establecido, y quizá nunca lo estaría.

—Sólo pretendo que en la agencia sepan que estoy dispuesta a realizar un reportaje de vez en cuando, a ser posible cerca de casa. No pretendo aceptar un encargo que requiera mucho tiempo, pero quiero dejar entreabierta una rendija.

—Esa rendija acabará por inundar nuestras vidas y nos ahogaremos. No hace falta que te lo diga. India, lo sabes perfectamente y creo que es en lo único que piensas.

—Estás muy equivocado. Rechacé el trabajo en Corea. No quiero destruir nuestra vida en común, sólo intento salvar la mía.

India ya se había dado cuenta de que las diferencias eran irreconciliables. Aunque su marido le permitiera aceptar algún encargo ocasional, seguía sin resolver la cuestión referente a lo que sentía por ella y de lo aburrida y monótona que consideraba la convivencia. Sabía que para Doug ella no era precisamente la mujer amada. Era su ayudante, un ser útil, la niñera de sus hijos. No había pasión, excitación ni romance en sus sentimientos hacia ella. Trabajara o no, India ya no podía engañarse y pensar que su matrimonio marchaba sobre ruedas.

—Te he dicho claramente que no estoy dispuesto a que trabajes. Mi opinión no ha cambiado. Lo que hagas es cosa tuya. Si quieres correr ese riesgo, adelante.

—Doug, planteas un desafío aterrador —reconoció ella con lágrimas en los ojos—. Es como si me retaras a saltar del tejado sin saber si abajo hay red.

—¿Cuál es la diferencia? Al parecer, no te importa que haya red, ¿verdad? Con tal de hacer lo que te apetece estás dispuesta a sacrificar a nuestros hijos, nuestra vida y el pacto que hicimos. Si es lo que quieres, arriésgate.

—No soy tan insensata. Date cuenta de que tú también te arriesgas. Piensa que si lo que siento no te preocupa, tarde o temprano la situación se cobrará su precio. —Pensó en las últimas semanas y en el mes anterior y apostilló quedamente—: En realidad, ya se lo ha cobrado.

—Por lo visto, hagamos lo que hagamos no tenemos salida. —Doug estaba anonadado. Sólo manifestaba cólera y no expresaba la menor compasión por su mujer. Al menos ella presentía que era así—. India, haz lo que quieras. Parece que, de todos modos, te saldrás con la tuya.

—No necesariamente. No quiero ser irresponsable. Tampoco pretendo hacer la revolución —declaró apenada.

—Pues ya la has hecho. De eso se trata. Te lo diré claramente por última vez: no puedes tener todo lo que quieres. No puedes tenerme a mí, a nuestra familia y tu profesión. Tarde o temprano tendrás que elegir.

La elección que Doug reclamaba le costaría el precio de su integridad; el asunto tomaba un cariz preocupante.

—Lo has dejado muy claro. Si no vuelvo a trabajar, ¿qué sucederá? ¿Pensarás que soy maravillosa, fabulosa y generosa, me adorarás y lo agradecerás el resto de la vida?

India habló con amargura y de pronto recordó los comentarios de Paul sobre lo que significaba dar demasiado y las consecuencias, a largo plazo. No quería vivir resentida y triste y sentirse engañada hasta el fin de sus días.

—No sé de qué hablas —replicó Doug, colérico—. Creo que te has vuelto loca y me gustaría saber quién te llenó la cabeza de esas tonterías. Sigo pensando que fue Gail.

Se debía a muchas cosas, a diversas personas, a tantos sueños que por fin había recuperado y a los que durante muchos años había renunciado. Tenía que ver con los comentarios que Gail había hecho en junio, con lo que Doug no había expresado, con las charlas con Paul y con haber conocido a Serena. A todo esto había que sumar sus reflexiones de los tres últimos meses y la frialdad de su marido. No la tocaba desde julio. Sabía que era el castigo al que la sometía por su actitud y no pudo dejar de preguntarse cuánto duraría.

—Te comportas como si esperaras un premio por ser esposa y madre. India, es tu trabajo. Yo no espero un galardón por cumplir con mis obligaciones. No conceden el Pulitzer o el Nobel por llevar una vida normal. Es lo que pactaste. Si esperas un premio o que te bese los pies cada vez que vas a buscar a los chicos al colegio estás muy equivocada. India, no sé qué bicho te ha picado, pero si pretendes ser profesional o una fotógrafa que se dedica a dar vueltas por el mundo tendrás que pagar un precio.

—Doug, siento que ya lo estoy pagando por habértelo planteado. Hace dos meses que me castigas.

Doug guardó silencio e India vio frialdad e ira en su mirada. Finalmente él replicó:

—Creo que eres injusta, y que con tus palabras nos traicionas. Jamás dijiste que en el futuro querrías volver a trabajar. Nunca lo mencionaste.

Por su modo de reaccionar desde el momento en que ella había planteado sus prioridades era evidente que se sentía muy traicionado.

—No lo sabía —reconoció francamente—. Jamás imaginé que me apetecería volver al trabajo y, si a eso vamos, no es lo que pretendo. Sólo deseo realizar un reportaje de vez en cuando.

Ambos conocían perfectamente esa cantinela.

—¿Cuál es la diferencia? Para mí es lo mismo. —Doug se incorporó y la contempló con rígida desaprobación. India tuvo la sensación de que su marido le tenía una profunda inquina—. Ya hemos hablado suficiente. Tienes que tomar una decisión.

Ella asintió con la cabeza y lo miró mientras abandonaba la cocina. Pasó largo rato a solas. Desde la ventana veía jugar a sus hijos en la playa y se preguntó si para ellos la ruptura sería tan terrible como auguraba Doug. ¿Representaría una conmoción tan grande, un golpe tan duro, una traición? No acababa de creer que fuese así. Muchas mujeres trabajaban, viajaban y cuidaban de sus hijos sin que éstos terminaran en la cárcel o enganchados a la droga. Era Doug quien la quería siempre en casa haciendo el trabajo para el que la había contratado y sin ofrecerle amor o comprensión. Era Doug quien la obligaba a tomar una decisión. ¿Qué opciones tenía? ¿Le debía obediencia absoluta, como los esclavos de las galeras, sin poder ser más que su ama de casa y de compañía? ¿Se debía algo más a sí misma? Supo qué habría contestado Paul.

Mientras reflexionaba por enésima vez se percató de que no tenía alternativa. Doug no cedería ni aceptaría sus necesidades. A decir verdad, no podía hacer otra cosa salvo que estuviese dispuesta a renunciar a su marido. De momento todavía era un precio demasiado elevado a cambio de saborear la libertad.

No intercambió una sola palabra con Doug cuando entró en el dormitorio para preparar el equipaje. No le comunicó que había tomado una decisión. Simplemente había tirado la toalla. Sus sueños exigían un precio demasiado elevado y lo sabía.

Durante la cena estuvo cariacontecida y triste, lo cual era impropio de ella. Pidió a sus hijos que al día siguiente preparasen las maletas y lo arregló todo para cerrar la casa hasta el verano siguiente. No se despidió de los Parker ni de sus otros amigos. Sólo hizo lo que se esperaba de ella, lo que Doug llamaba «su trabajo» y al día siguiente subió al coche con su familia.

Durante el trayecto pararon en un McDonald's. India pidió comida para los niños y para Doug, alimentó al perro y no probó bocado.

Cuando llegaron a Westport y descargaron el equipaje India entró sola en la casa. Jessica le preguntó a su padre:

—¿Qué le pasa a mamá? ¿Está enferma?

Todos habían percibido la tensión, pero Jessica fue la única que se atrevió a mencionarlo.

—Creo que está cansada —respondió Doug sin inmutarse—. Adecentar la casa de la playa para el año próximo agota a cualquiera.

Jessica asintió con la cabeza pues deseaba creer a su padre, pero todos los veranos su madre hacía lo mismo y nunca había tenido ese aspecto. Estaba pálida y afligida; en más de una ocasión había percibido lágrimas en sus ojos y durante todo el viaje a Westport sus padres no se habían dirigido la palabra.

Esa misma noche India habló con Doug. Estaban a punto de acostarse cuando lo miró, hizo un esfuerzo por contener las lágrimas y dijo:

—No estoy dispuesta a borrar mi nombre de la lista de colaboradores de la agencia, pero si me llaman no aceptaré encargos.

—¿Qué sentido tiene? ¿Por qué no haces las cosas correctamente? ¿Para qué quieres que te llamen si has decidido rechazar los encargos?

—Porque lo prefiero así. Al final dejarán de llamar. Cuando llaman me siento bien porque compruebo que todavía valgo.

Doug la observó detenidamente y se encogió de hombros. No sólo quería su corazón, sino su hígado y sus riñones. No le bastaba con que hubiese cedido, también quería remacharla pese a que sabía que había triunfado. Necesitaba cerciorarse de que no volvería a plantear el tema. Quería corroborar que India era de su propiedad y, aún más importante, pretendía que ella lo supiese.

No se lo agradeció, no la alabó, no le dijo que había hecho algo grandioso para la humanidad o para él. Se dirigió al cuarto de baño y cerró la puerta para ducharse. India ya se había acostado cuando media hora después Doug regresó al dormitorio.

Apagó las luces, se acostó, y permaneció inmóvil y en silencio. Al final se volvió hacia ella y le acarició la espalda.

—¿Estás despierta? —susurró.

—Sí.

En lo más profundo de su alma India deseaba que él le dijera que la amaba, que lamentaba lo mal que lo habían pasado, que la mimaría y la haría feliz el resto de su vida. La rodeó en silencio con el brazo y le acarició los pechos. India sintió que su cuerpo se envaraba. Habría querido abofetearlo por su actitud, por lo que se había callado y por lo poco que le importaban sus sentimientos, pero no dijo nada y le dio la espalda en la oscuridad.

Doug intentó acariciarla. Ella no reaccionó ni se volvió hacia él, como solía hacer. Al cabo de un rato Doug desistió.

Continuaron acostados en la penumbra, separados por un abismo, en un mar de pena, sufrimiento y desilusión. Doug la había vencido. India había perdido parte de su integridad y lo único que le quedaban eran las obligaciones domésticas. Podía cocinar, lavar y fregar para Doug, llevar en coche a sus hijos y cerciorarse de que no les faltaba nada. Podía preguntarle cómo iban las cosas en el despacho y abrigar la esperanza de que no estuviese demasiado cansado para responder. Podía darle lo que, para bien o para mal, le había prometido hacía muchos años. En lo que a ella se refería, la derrota era total, y todas sus ilusiones se habían perdido en el pasado.

11

Gail telefoneó varias veces a India desde el regreso de las vacaciones, pero no habían conseguido hablar. Le dejaba alegres mensajes en el contestador, pero cuando India telefoneaba ella no estaba en casa. Habían hablado sólo dos veces desde su regreso de Europa. Gail intuía que su amiga estaba en crisis, pero siempre que se lo preguntaba India respondía que todo iba bien.

Gail comentó que el viaje por Europa había sido más divertido de lo que cabía esperar. Jeff se había mostrado muy animado y, por milagroso que pareciera, durante los largos trayectos en coche los chicos no se habían peleado. Había sido el mejor viaje de su vida.

Las amigas no pudieron verse hasta el comienzo del curso escolar. Se encontraron en el aparcamiento, después de que Sam y los gemelos de Gail entraran en la escuela. En cuanto avistó a India, supo que durante el verano le había sucedido algo terrible.

—¿Qué te pasa?

India no había tenido tiempo de recogerse el pelo. Había hecho dos trayectos en coche y ya estaba agotada, despeinada y desarreglada.

—No he tenido tiempo de peinarme —explicó, sonrió y se mesó la rubia cabellera—. ¿Tan mal aspecto tengo?

—Sí —respondió Gail con franqueza y la examinó con preocupación—. Pero no tiene que ver con tu pelo. Has adelgazado mucho.

—¿Y qué tiene de malo?

—Nada, salvo que pareces un cadáver.

India se sentía como muerta, pero no había querido inquietar a Gail.

—¿Qué ha pasado? ¿Estuviste enferma? —insistió ésta.

—Más o menos —repuso India vagamente.

Intentó eludir la mirada de Gail y no lo consiguió. Cuando su amiga se proponía averiguar algo era toda una sabuesa.

—¡Bendita seas! ¿Estás embarazada? —dijo Gail, pero no parecía preñada, sino triste e interiormente arrasada. Su problema era más grave que sufrir náuseas matinales—. ¿Tomamos un cappuccino?

—Sí, claro —aceptó India sin demasiado entusiasmo.

Tenía que organizar muchas cosas, hacer la colada y telefonear a varias madres para confirmar el reparto de los traslados en coche; el tiempo se le echaba encima.

—Nos vemos dentro de cinco minutos en el Caffe Latte.

Se dirigieron a sus coches. Cuando India llegó Gail ya había pedido para las dos. Sabía perfectamente que su amiga pedía el cappuccino con un chorrito de leche desnatada y dos terrones de azúcar. Poco después ocuparon una mesa apartada y pidieron dos raciones de bizcocho bañado con chocolate.

—Cuando te llamé a Harwich no comentaste nada. ¿Qué diablos te ha ocurrido este verano?

Gail nunca la había visto tan desgraciada ni carente de vida y rogó que no estuviese enferma. A su edad, ya entraban a formar parte de grupos de riesgo de padecer cáncer de mama. India bebió un sorbo de cappuccino y guardó silencio.

—¿Sé trata de Doug y de ti? —inquirió Gail con una chispa de inquietud.

—Tal vez. En realidad se trata de mí. No estoy muy segura... La bola de nieve comenzó a rodar en junio y se ha convertido en una avalancha.

—¿Qué bola de nieve? —Gail no sabía a qué se refería—. ¿Has tenido una aventura en Cape Cod?

Tenía la certeza de que era una pregunta absurda, pero merecía la pena plantearla. Nunca se sabe. A veces las mosquitas muertas como India daban la sorpresa. En el caso de que hubiera tenido una aventura, las cosas no habían ido bien.

—Antes de que terminase el curso tuvimos una charla y planteé la opción de volver a trabajar —explicó India con pesar—. Me refiero a la época en que rechacé el encargo en Corea. No lo sé muy bien... tal vez fue por eso... Francamente, ignoro qué lo desencadenó. Llegué a la conclusión de que me gustaría realizar un reportaje de vez en cuando, nada del otro mundo, una noticia como la que cubrí en Harlem.

—Fue un reportaje importante. Merecías un premio. Fue muy significativo.

—En resumen, pensé que podría cubrir noticias en Nueva York... como máximo dentro de Estados Unidos, siempre y cuando no requirieran demasiado tiempo o viajar muy lejos. Supuse que encontraría a alguien que cuidaría de los niños mientras yo trabajara.

—¡Fantástico! —exclamó Gail entusiasmada, aunque era evidente que la cosa no acababa ahí—. ¿Y qué ocurrió?

—Doug rugió de cólera. En resumidas cuentas, amenazó con dejarme si lo hacía. Prácticamente no nos hemos dirigido la palabra en todo el verano ni hemos convivido como marido y mujer —reconoció sombría, y Gail comprendió la esencia de lo que decía.

—Por lo que cuentas, se comporta como un troglodita —dijo Gail sin miramientos.

—Más o menos. Lo planteó con toda claridad. Básicamente me ha prohibido aceptar trabajos. Me acusó de traicionarlo, de incumplir el pacto que hicimos cuando nos casamos, de querer destruir nuestra familia. Y añadió que no lo permitiría. Puedo elegir entre realizar un reportaje y que Doug me abandone o mantener la boca cerrada, seguir haciendo lo que he hecho durante catorce años y continuar casada. Así de simple.

—¿Y cuál es tu recompensa? ¿Qué obtienes si sacrificas tu talento para aplacar su orgullo? Creo que se siente amenazado y atemorizado. ¿Qué te ofrece para dulcificar el pacto?

—Nada. Y hay algo más... —A India se le llenaron los ojos de lágrimas y apoyó la taza en el plato—. En junio fuimos a cenar y mantuvimos una charla delirante. Se refirió a mí como si fuera mano de obra que alquiló hace años. Espera que cuide de sus hijos y siga en casa. —Las lágrimas resbalaron lentamente por sus mejillas cuando añadió—: Sinceramente, a estas alturas ni siquiera estoy segura de que me quiera.

Los sollozos le impidieron continuar.

—Claro que te quiere. —Gail la miró conmovida y là compadeció—. Tal vez no quiere dar el brazo a torcer o no sabe cómo demostrarlo. No es tan distinto de Jeff. Mi marido cree que formo parte del mobiliario, pero si me perdiera probablemente se moriría.

—Yo no sé lo que siente Doug. Se expresó como si yo fuera un objeto de su propiedad, no como la mujer a la que ama. Dudo que me quiera. Además, estoy tan furiosa con él que, aunque me ame, ya no me importa. Me siento muy mal... Tengo la sensación de que este verano mi vida se ha desmoronado. —Gail la observó y se preguntó qué más había ocurrido. Sospechaba que la historia no acababa ahí, pese a que lo que había oído era suficiente para alterar a cualquiera. India se sentía ignorada e infravalorada por su marido—. Le he dicho que no aceptaré más reportajes, ni siquiera como el de Harlem. Mantendré mi nombre en la lista de la agencia pero rechazaré sus propuestas. De lo contrario Doug me dejará. La discusión ha durado dos meses y el verano ha sido una tortura. Si defiendo mis ideas echaré a perder nuestra relación, y no estoy dispuesta a destruirlo todo.

—¿Y por eso renuncias a lo que quieres? —Gail se sulfuró pese a que comprendía bien la situación—. ¿Qué dijo Doug? ¿Te lo agradeció? ¿Te ha entendido?

—No. Tengo la sensación de que era lo que esperaba. La noche que se lo expliqué intentó hacerme el amor después de casi dos meses sin tocarnos. Estuve a punto de abofetearlo. No ha vuelto a acercarse desde entonces. Ya no sé qué camino tomar... ¿Qué puedo hacer? De pronto todo lo que hacía ha dejado de ser correcto. Siento que este verano he perdido parte de mi integridad y no sé cómo recuperarla. Me parece que le he entregado mi corazón y mis entrañas.

Gail la miró, muy preocupada. Lo ocurrido hacía que India se sintiese descorazonada y no supo cómo apoyarla. En su opinión, por esa razón las mujeres buscaban aventuras fuera del matrimonio, engañaban a sus maridos, iban tras alguien que les hiciese sentirse amadas, mimadas e importantes. Tal vez con más claridad que su amigo, Gail supo que Doug se había arriesgado muchísimo al adoptar esa postura. Quizá pensaba que había ganado, pero Gail no estaba tan segura pues India parecía terriblemente dolida.

—¿Qué hiciste además de llorar y pelear con Doug? ¿Te has divertido? ¿Has paseado con tus hijos? ¿Has hecho nuevas amistades?

Gail intentó distraerla pues de momento no supo hallar mejor solución. India se animó al oír la última pregunta.

—He conocido a Serena Smith.

Se enjugó las lágrimas y se sonó la nariz con una servilleta de papel.

India ofrecía un aspecto penoso, lo que confirmaba las sospechas de Gail: Doug Taylor era un troglodita.

—¿Te refieres a la escritora? —Gail se mostró interesada, ya que había leído todas sus novelas—. ¿Cómo la has conocido?

—Fue compañera de habitación de una amiga en la universidad y su marido fue a Harwich en velero. Sam y yo salimos a navegar con él. Ha enseñado a mi hijo los secretos de la navegación. Lo conocimos antes de la llegada de Serena. Le hice fotos para la cubierta de un libro y quedó muy satisfecha.

Al mencionar a Serena recordó que había llevado a Westport la foto del matrimonio y todavía no la había enviado a la novelista.

—¿Con quién está casada? —inquirió Gail mientras se terminaba el cappuccino.

—Con Paul Ward. Creo que es un financiero internacional —replicó con aire pensativo.

Gail abrió desmesuradamente los ojos.

—¿Te refieres al famoso Paul Ward, al mago de Wall Street?

—Creo que sí. Es muy simpático. Serena ha tenido mucha suerte.

—Y guapísimo. El año pasado apareció en la portada de *Time* a raíz de un importante acuerdo que firmó. Seguro que nada en millones de dólares.

—Poseen un velero fabuloso, pero ella lo detesta.

Sonrió al recordar las explicaciones sobre la aversión de Serena al *Sea Star* y los comentarios jocosos de Paul.

—Vayamos por partes. —Gail entornó los ojos y miró a su amiga con creciente interés y recelo—. ¿Estás diciendo que saliste a navegar con él antes de que llegara su esposa?

—Serena estaba en Los Ángeles, enfrascada en la producción de una película.

Gail no tenía pelos en la lengua y hacía mucho que conocía a India. Así pues, preguntó:

—Te has enamorado de él ¿verdad? ¿Forma parte de lo ocurrido?

Gail era más lista de lo que India suponía.

—No digas disparates.

—Déjate de tonterías. Es tan apuesto como Gary Cooper o Clark Gable. La revista *Time* lo describió como un hombre «indecentemente guapo e ilegalmente atractivo». Lo recuerdo muy bien. ¿Sam y tú salisteis a navegar con él? ¿Qué pasó después?

—Nos hicimos amigos. Hablamos mucho. Es muy comprensivo con los demás y está locamente enamorado de Serena.

—Me alegro por ella. ¿Qué pasó contigo? ¿Se te insinuó en el velero?

—Por supuesto que no.

La pregunta le resultó ofensiva. Sabía que Paul jamás cometería semejante impertinencia. Tampoco se lo habría permitido. Al fin y al cabo, se respetaban.

—¿Te ha llamado?

—Pues... en realidad, no.

La mirada de India desmentía sus palabras y Gail lo adivinó en el acto. Su amiga se protegía como si compartiera un secreto con Paul.

—Venga. ¿Te ha llamado o no te ha llamado? ¿Quieres decir que ha llamado y el teléfono comunicaba? ¿Te ha llamado? —insistió Gail.

India sabía que, pese a su curiosidad, Gail deseaba lo mejor para ella.

—Sí, me telefoneó una vez desde Gibraltar. Navegaba en el velero rumbo a Europa.

—Debe de ser un velero inmenso.

Gail estaba impresionada y a India se le escapó la risa.

—Es bastante grande y muy bonito. A Sam le encantó.

—¿Y a ti? ¿También te encantó?

—Sí. Y Paul me cayó muy bien. Es muy interesante y le caigo bien. Pero está casado, como yo. Lo que ocurre es que mi vida se derrumba y no tiene nada que ver con él.

—Ya. Supongo que en un momento tan difícil podría aliviarte las penas. ¿Quiere volver a verte?

—Claro que no. Además, está en Europa.

—¿Cómo lo sabes?

El financiero fascinaba a Gail, que se sorprendió de que su amiga conociera personalidades tan ilustres.

—Dijo que se quedaría en Europa hasta después del Día del Trabajo.

—¿Con Serena?

—Tengo entendido que ella vuelve antes.

—¿Paul te ha pedido que te reúnas con él?

—Para de una vez. Te aseguro que entre nosotros no hay nada. Sólo ha dicho que le gustaría que alguna vez visitara el velero con mis hijos. Es un amigo y nada más. Déjate de tonterías. No pienso liarme con nadie. Por mi marido acabo de renunciar definitivamente a mi profesión. Si quisiera deshacer mi matrimonio aceptaría un reportaje fotográfico. No me hace falta una aventura para complicar más la situación.

—Podría venirte bien —aseguró Gail pensativa.

Pero sabía que India no era la clase de mujer capaz de disfrutar de un lío amoroso. Era demasiado recta y cabal para enredarse en los juegos a que se dedicaba Gail, y ella la apreciaba precisamente por estas características. La respetaba, lamentaba verla tan triste y no sabía cómo ayudarla. En su opinión Doug era un cabrón tonto e insensible, pero si India quería seguir casada nadie podía evitarlo. No le quedaba más remedio que acatar las reglas de Doug.

—Tal vez vuelva a llamarte —añadió Gail.

India se encogió de hombros, pues sabía que Paul no era la solución a sus problemas.

—Lo dudo. Sería inútil. Nos entendemos a la perfección, pero es imposible profundizar esta amistad. Nuestras vidas son muy complejas y su esposa me cae muy bien. Tal vez le haga más fotos.

India había aceptado plenamente la situación.

—¿Doug te lo permitirá?

Ésos eran los límites de su vida y, le gustase o no, tenía que aceptarlos, como las paredes de una celda.

—Supongo que sí. No lo he consultado, pero dudo que se oponga. No entraña riesgos y sólo tendré que ir una tarde a la ciudad. Lo haría por Serena aunque no me incluyeran en los créditos.

—¡Qué desperdicio! —exclamó Gail—. Eres una de las mejores fotógrafas del país y probablemente del mundo y lo echas todo por la borda.

Gail se enardeció todavía más, pues la depresión de su amiga era patente.

—Por lo visto es el pacto que establecí con Doug cuando nos casamos, aunque entonces no lo expresó con tanta claridad. Yo acepté dejar de trabajar, pero creo que nunca dije que quemaría las naves.

—En ese caso no las quemes. No borres tu nombre de la agencia. Puede que Doug afloje cuando se harte de golpearse el pecho como los monos. Su actitud tiene que ver con el orgullo, el dominio y otras actitudes desagradables que hacen que los hombres se sientan importantes. Es posible que dentro de uno o dos años cambie de opinión.

—Lo dudo.

India lo tenía muy claro: debía limitarse a colocar un pie delante del otro y hacer lo que Doug esperaba.

La fotógrafa hizo ademán de irse pues tenía muchas tareas pendientes. Ni siquiera había hecho la cama antes de desayunar. En los últimos tiempos tenía la sensación de que llevaba plomo en los zapatos y todo se retrasaba una eternidad. El mero hecho de vestirse la agotaba y no se peinaba ni maquillaba. Sentía que su vida estaba acabada y que todo era inútil.

Caminaron lentamente hasta los coches. Gail la abrazó y le dijo:

—India, no descartes totalmente tu relación con Paul Ward. Algunos hombres se convierten en buenos amigos y, aunque no puedo explicarlo, sospecho que hay más de lo que reconoces... o de lo que estás dispuesta a decir. Cuando hablas de él, tu rostro adopta una expresión peculiar. —La mirada de su amiga se animó y alegró la cara—. Sea lo que sea, no renuncies. Lo necesitas.

—Lo sé —murmuró India—. Creo que Paul me compadece.

—No lo creo. No puede decirse que, en general, seas una figura patética. Eres guapa, inteligente, divertida y graciosa. Probablemente lo atraes y es uno de esos escasos ejemplares que se mantiene fiel a su esposa. Por deprimente que resulte hay que tener en cuenta esta posibilidad.

Gail sonrió con complicidad e India soltó una risita:

—Eres incorregible. ¿Qué hay de ti? ¿Has encontrado nuevas víctimas con las que comer o recorrer moteles?

Las amigas no tenían secretos o, mejor dicho, no los habían tenido hasta entonces. India no estaba dispuesta a reconocer que encontraba muy atractivo a Paul. Le pareció mejor salvaguardar el secreto. Además, probablemente todo era fruto de su imaginación. Claro que la llamada desde Gibraltar sí había sido real. Tal vez Paul estaba aburrido o se sentía solo después de cruzar el Atlántico. Podría haber telefoneado a Serena, pero en cambio quiso hablar con ella. India le había dado vueltas y más vueltas al asunto, qué razón podía tener para llamarla y al final había llegado a la conclusión de que carecía de relevancia.

—Dan Lewison tiene novia —informó Gail—. Harold y Rosalie se casan en enero, en cuanto el divorcio sea definitivo. De momento no hay novedades.

—¡Qué aburrido! Creo que debería darte el número de Paul —bromeó India y rieron.

—Me encantaría. Chica, tómatelo con calma y alegra el ánimo. Esta noche, cuando Doug llegue, patéale las pantorrillas. Te vendrá bien. Además, se lo merece.

India estuvo de acuerdo. Se despidió con un ademán mientras subía al coche. Se sentía mucho mejor después de ver a Gail y contarle sus penas. No era mucho lo que podía hacer para dar un giro a su vida, pero hablar con su amiga la había ayudado.

Recogió a los niños y, como de costumbre, llevó a Jason y a Aimee a clase de tenis. Sam fue a visitar a un amigo y regresó a la hora de cenar. Jessica estaba entusiasmada por iniciar el segundo año de instituto. Dos chicos del último curso la habían mirado y uno le había dirigido la palabra. Afortunadamente Doug se quedó en Nueva York por una cena de trabajo; India no estaba de humor para vérselas con él. Dormía cuando su marido regresó en el último tren y se acostó a su lado.

Doug ya se había levantado y estaba en la ducha cuando India despertó. Se puso el tejano y una camiseta y, sin cepillarse el pelo, bajó corriendo, abrió la puerta al perro y se dispuso a preparar el desayuno.

Dejó el *Wall Street Journal* y el *New York Times* en el sitio de Doug y preparó café. Mientras llenaba de cereales los cuencos de sus hijos echó un vistazo a los periódicos y vio a Serena en la portada. Se sorprendió al comprobar que era la foto que le había hecho en verano; además, el *Times* la publicaba con el *copyright* a su nombre y se quedó paralizada, dejando caer los cereales sobre la mesa.

Mientras leía los titulares tuvo la sensación de que se ahogaba. La noche anterior había ocurrido un accidente aéreo en un vuelo de Londres a Nueva York y el FBI sospechaba que la causa era una bomba colocada por terroristas, aunque de momento nadie se había responsabilizado del atentado. Serena viajaba en ese avión. No había supervivientes.

—¡Dios mío! —exclamó suavemente mientras se sentaba y sostenía el periódico con mano temblorosa.

El artículo refería que el avión había despegado después de una ligera demora debida a un problema mecánico y había estallado al cabo de dos horas de abandonar Heathrow. Transportaba a 376 pasajeros, incluidos una congresista de Iowa, un parlamentario británico, un conocido periodista de la ABC que regresaba de un programa especial que una semana antes había realizado en Jerusalén, y Serena Smith, escritora de éxito y productora cinematográfica de fama mundial. Mientras contemplaba la foto, India pensaba en los comentarios de Serena durante la sesión. Habían transcurrido casi dos meses y supo sin el menor atisbo de duda que Paul tenía que estar destrozado.

No sabía qué hacer, se preguntaba si era mejor escribir o telefonear y de qué modo podía contactar con él. Imaginaba la desdicha que sentiría Paul. Serena había sido una mujer difícil, no le gustaba navegar, pero era extraordinaria y sin duda sabía, como el resto del mundo, que Paul estaba loco por ella. El artículo añadía que tenía cincuenta años y que la sobrevivían su marido Paul Ward y su hermana, que vivía en Atlanta. India seguía con el periódico en la mano cuando Sam bajó a desayunar.

—Hola, mamá. ¿Qué pasa?

La mesa estaba cubierta de cereales y dio la impresión de que India había visto un fantasma. Se había quedado pálida como el papel.

—Yo... bueno, acabo de leer una mala noticia. —Al final decidió explicarle lo que pasaba—. Te acuerdas de Paul, el dueño del *Sea Star*, ¿verdad? Bueno, su esposa ha fallecido en un accidente aéreo.

—¡Caramba! —Sam se quedó impresionado—. Supongo que Paul estará muy triste. A ella no le gustaba navegar.

La aversión de Serena por el mar era muy importante para el pequeño e indicaba claramente que tenía algún defecto. De todos modos, lo lamentaba por Paul. Mientras hablaban aparecieron los otros chicos y Doug.

—¿A qué se debe tanto alboroto? —inquirió Doug.

El nerviosismo, debido sobre todo al aspecto de India, embargó a los niños. Bastaba mirar a su madre para saber que había ocurrido una tragedia.

—La esposa de mi amigo Paul murió a causa de la explosión de una bomba —comunicó Sam dramáticamente.

—Es bastante insólito —murmuró Doug y se sirvió café—. ¿Cuál es el apellido de Paul?

—Ward, Paul Ward —respondió India—. Es el dueño del velero que visitamos este verano. Estaba casado con Serena Smith, la escritora.

Él se acordó enseguida y enarcó las cejas.

—¿Qué ocurrió? —preguntó Doug estupefacto.

—Viajaba en el avión que anoche estalló dos horas después de despegar de Heathrow.

Doug meneó la cabeza y abrió el *Wall Street Journal*. No entendía la desazón de su esposa. Desayunó y diez minutos después se fue sin decir nada. Los niños aún hablaban del accidente cuando los recogieron para ir al colegio. India se alegró de no tener que llevarlos.

En cuanto se quedó sola se sentó, clavó la vista en el periódico y se acordó de Paul. Sólo podía pensar en él y en lo afectado que debía de estar. No se atrevió a llamarlo. Sonó el teléfono y al responder oyó la voz de Gail:

—¿Has leído el periódico?

—Acabo de verlo y no puedo creerlo.

—Nunca se sabe lo que puede ocurrir, ¿verdad? Supongo que nadie sufrió. Dicen que estalló repentinamente.

Otro avión que volaba a mayor altura había sido testigo de la explosión.

—Supongo que Paul está desconsolado. La adoraba.

Pero Gail ya pensaba que cuando Paul se recuperara del golpe sería libre y la situación plantearía un dilema interesante a India.

—¿Lo llamarás?

—Creo que no debo entrometerme.

De repente India recordó la foto que les había hecho y decidió enviársela a Paul. Era un precioso retrato de la pareja y tal vez querría tenerlo.

—Por lo menos podrías asistir al funeral. Estoy segura de que dentro de unos días ofrecerán un responso por su alma. Tal vez Paul quiera verte —añadió Gail solidaria y pragmáticamente.

—Es posible.

Hablaron unos minutos y colgaron. India fue a buscar la foto, oculta entre el montón de papeles que tenía intención de guardar en el cuarto oscuro. A pesar de lo prometido no la había enviado a Serena. La contempló largo rato y se concentró en los ojos de Paul y luego en los de Serena. La actitud corporal de ambos era muy significativa. Paul estaba apoyado en el respaldo del sillón que Serena ocupaba en el *Sea Star* y, muy sonriente, ella reposaba la cabeza en el torso de su esposo. Costaba creer que hubiera muerto. Sin duda para Paul era algo imposible de asimilar. En cuanto pensó en él, se dijo que probablemente seguía en Europa, a bordo del *Sea Star*, o había cogido un avión a Estados Unidos cuando le comunicaron la noticia. Llegó a la conclusión de que no era aconsejable telefonear.

Se sentó a la mesa de la cocina, entre los platos del desayuno, y escribió una breve carta de sentida condolencia. Incluyó la foto en el sobre y luego cogió el coche para ir a correos.

Durante la tarde India tuvo la sensación de que flotaba. Le costaba aceptar la tragedia y aún seguía conmocionada cuando fue a recoger a los niños.

Logró preparar la cena y todavía no se había peinado cuando Doug volvió del trabajo.

—¿Qué te pasa? Tienes un aspecto horrible, como si te hubieran secuestrado.

—Estoy muy afectada por lo sucedido —replicó francamente pues necesitaba compartir la pena con su marido—. Lo que le ha ocurrido a Serena Smith me ha conmocionado profundamente.

—Pero si apenas la conocías. Sólo la viste una o dos veces, ¿no?

A Doug el tema lo traía sin cuidado y la actitud de su esposa lo desconcertaba.

—Hicimos una sesión fotográfica para la cubierta de su último libro. Es la foto que hoy publica el *New York Times*.

—No me habías dicho nada —apostilló Doug y apretó los labios con contrariedad.

—Seguramente se me olvidó. Paul estaba loco por ella y sin duda estará destrozado —explicó India afligida.

—Suele ocurrir —comentó Doug sin entusiasmo y se puso a charlar con Jason.

A ella se le cayó el alma a los pies. Ya no existía comprensión entre ellos. No quedaba nada salvo el persistente resentimiento del verano, semejante al olor acre después de un incendio. Llegó a la conclusión de que, desde entonces, todo había ardido.

En cuanto los niños se acostaron India encendió el televisor de su dormitorio para conocer más datos sobre el atentado. Había mucha cobertura sobre el avión estrellado y un comentario breve acerca de Serena. En el telediario entrevistaron a varios expertos y al portavoz del FBI. Cuando repitió que Serena viajaba en el avión, el presentador informó de que el viernes se celebraría el funeral en la iglesia neoyorquina de San Ignacio. India continuó largo rato sentada, con la vista fija en el televisor, mientras daban las noticias deportivas y el tiempo, pensando en el consejo de Gail de que asistiera al oficio.

—¿No piensas acostarte? —preguntó Doug.

India no se había duchado ni peinado, actividades que no tenían la menor importancia comparadas con la trascendencia del accidente. Su mente sólo estaba concentrada en lo que le había ocurrido a Serena.

—Dentro de un rato —replicó distraída.

Entró en el baño, cerró la puerta y se sentó en la tapa del váter. Pensaba en Paul, en su esposa, en la convivencia truncada, en la vida que había estallado en mil pedazos sobre las aguas del Atlántico. Desde el fondo de su ser la asaltaban ideas sobre su marido y de que ya no deseaba acostarse con él. Incluso le desagradaba la idea de que compartieran la cama. La situación no podía continuar indefinidamente. No sabía qué hacer, aunque era más fácil llorar por Paul y por Serena que por Doug, por sí misma y por el fin de su matrimonio.

Estuvo una eternidad en la ducha y se lavó la cabeza con la esperanza de que al salir Doug estuviese dormido, pero estaba sentado en la cama y leía una revista. Su marido le dirigió una mirada llena de frialdad.

—India, ¿cuánto van a durar estos jueguecitos?

Su modo de hablar no lo volvía atractivo ni seductor. Ella lo consideraba un carcelero, lo que no fomentaba en modo alguno una activa vida sexual.

—¿A qué juegos te refieres?

—Ya sabes de qué hablo. Si te quedas en la ducha un segundo más te hubieras escurrido por el desagüe. He captado el mensaje.

—Fuiste tú quien durante el verano lanzó el mensaje. —De repente se sintió enojada, arrinconada, cansada, deprimida. ¿Qué les había ocurrido en los últimos tres meses? Su matrimonio se había convertido en una pesadilla—. Dejaste muy claro tu finalidad para conmigo hasta que te dije que no aceptaría más trabajos. Entonces decidiste que podías volver a tocarme. No es una actitud precisamente erótica. Te has salido con la tuya y crees que soy de tu propiedad. De acuerdo, lo soy, pero tendrías que ser más sutil.

India jamás le había dicho algo semejante y él se volvió como si lo hubiera abofeteado.

—Me ha servido de gran ayuda saber tu opinión.

—Lo dejaste muy claro. Decidiste que podíamos volver a tener relaciones en cuanto conseguiste lo que pretendías. Ni siquiera te tomaste la molestia de agradecérmelo, reconocer que hice concesiones o tan sólo decir que me quieres.

A esas alturas India sólo necesitaba saber que Doug la quería y estaba dispuesto a cuidarla.

—No dejas de repetir lo que ya sé —puntualizó irritado—. Y estás equivocada si crees que esa clase de declaración fomenta un ambiente íntimo.

—Pues lo siento mucho —espetó ella con la mirada encendida. Estaba harta de todo, especialmente de la actitud de Doug hacia la vida sexual. Después de ignorarla dos meses había dado el pistoletazo de salida y le molestaba que ella no estuviese dispuesta. No hizo nada por reparar el daño que le había causado durante el verano—. Quizá tendrías que haber incluido en nuestro pacto que el sexo se practica cuando tú estás de humor y que lo que yo sienta da igual.

—De acuerdo, India, te he entendido. Olvídalo.

Doug apagó la luz y la dejó plantada en la oscuridad, rabiando de ira. Le dio la espalda y al cabo de dos minutos dormía a pierna suelta. La discusión no lo había afectado. India continuó despierta durante horas. Sabía que había pronunciado palabras hirientes, pero Doug se las merecía.

Por fin cerró los ojos e intentó pensar en Paul y transmitirle sentimientos de comprensión y amistad. Cuando se durmió soñó con Serena. La escritora intentaba decirle algo pero, por mucho que se esforzaba, India no la oía. A lo lejos veía llorar a Paul solo. Pese a los denodados esfuerzos que hizo, en el sueño India no consiguió llegar hasta él.

12

A lo largo de los días siguientes los periódicos dedicaron una amplia cobertura al accidente e India leyó todo lo que cayó en sus manos. Pasó horas en la cocina hojeando los artículos. No era mucho lo que se sabía. Sospechaban de distintos grupos árabes, pero ninguno reivindicó el atentado; pero eso no tenía la menor importancia para los familiares de las víctimas. Los periódicos no hacían el menor comentario sobre Paul. Sin duda estaba muy afectado y se había aislado del mundo. A India se le partió el corazón.

El jueves vio una nota en el periódico anunciando que el funeral de Serena se celebraría al día siguiente en la iglesia de San Ignacio. Permaneció largo rato con el diario en la mano.

Por la noche subió con Doug al dormitorio sin haber decidido si acudiría o no. Toda la semana la tensión entre ellos había ido ganando enteros. Tanto sus palabras como sus actos habían causado graves daños irreparables. India decidió que debía hablar con su marido. La palabra era lo único que les quedaba.

—Creo que mañana acudiré al funeral de Serena Smith en Nueva York —dijo y sostuvo en alto la percha con el traje negro que Doug le había regalado por Navidades.

—¿No estás exagerando? Apenas la conocías. ¿Tanto te afecta la muerte de una desconocida a la que el verano pasado viste sólo una vez?

Doug no la comprendía. Pero ignoraba el vínculo que había establecido con Paul y que Serena era uno de los eslabones. Ella no podía explicárselo.

—Me parece una muestra de respeto después de haber trabajado con ella.

Era la explicación más sencilla que se le ocurrió. Paul se había portado muy bien con Sam y se sentía en deuda con él. No había tenido noticias suyas desde el envío de la nota con la foto, pero tampoco las esperaba.

—Eres demasiado soñadora. —Doug la miró irritado—. El que fuera famosa no significa que la conocieses.

—Así es, pero me caía bien.

—A mí también me agradan muchas personas que conozco por la prensa, pero no asisto a su funeral. Deberías recapacitar.

—Mañana decidiré qué hago.

El día amaneció lluvioso, gris y con un viento que hacía volar los paraguas. El funeral resultaría aún más deprimente.

Doug no hizo el menor comentario antes de irse a trabajar. India se ocupó de los chicos y por la mañana hizo recados. Como tenía la tarde libre no le costó tomar una decisión. El funeral comenzaba a las tres de la tarde, de modo que a mediodía se duchó y se puso un traje que le sentaba de maravilla. Se recogió la melena rubia y se maquilló discretamente. Se puso medias negras y tacones. Antes de salir se miró en el espejo y entendió por qué solían decir que se parecía a Grace Kelly. Mientras se dirigía a la estación no pensaba en sí misma, sino en Paul y en la tristeza que le debía de embargar. La deprimía pensar en lo destrozado que estaría su amigo.

Aparcó en la estación, cogió el tren de la una y cuarto y una hora después llegó a Nueva York. La lluvia había arreciado y le costó encontrar taxi. Arribó a la calle Cincuenta y ocho con Park Avenue cinco minutos antes de que comenzase el funeral y constató que la iglesia ya estaba atestada. Vio hombres de traje oscuro y mujeres vestidas con ropa de marca. Después se enteró de que había asistido la comunidad literaria en pleno, aunque no reconoció a nadie.

También acudieron personajes de Hollywood y muchísimos amigos. Todos los bancos estaban ocupados y había personas de pie en las naves laterales. El oficio comenzó con una sonata de Bach.

Fue muy correcto, elegante y conmovedor. Después de que hablaran la agente literaria, el editor y una amiga hollywoodense de Serena, Paul Ward subió al altar e hizo un panegírico de su esposa que hizo saltar lágrimas en los ojos de los presentes. Fue solemne y rindió homenaje a sus muchos logros y a su gran éxito y luego aludió a Serena como mujer. Paul hizo llorar y reír a los asistentes, los llevó a reflexionar sobre la vida de su esposa y cuando terminó nadie tenía los ojos secos. India notó que le temblaban los hombros y le habría gustado tenderle la mano y consolarlo.

Paul fue el primero en abandonar la iglesia en cuanto acabó el funeral y nadie lo abordó cuando, lloroso, subió a la limusina. Segundos después un joven se reunió con él e India supuso que se trataba de su hijo. Eran muy parecidos. Como los deudos no saludaron a los presentes y la congoja era tan grande, casi todos los asistentes se dispersaron deprisa y se alejaron bajo la lluvia. India esperó a que se marchase la limusina de Paul y llamó un taxi. Durante el funeral no había apartado los ojos del magnate, pero estaba segura de que él no la había visto. Sólo había asistido para presentar sus respetos a la pareja y apoyar a Paul. Tal vez Doug tenía razón, podría haber hecho lo mismo desde su casa. Pero deseaba acudir y se alegró de haberlo hecho.

Telefoneó a Doug desde la estación. Le dijo que había asistido al funeral y le preguntó si quería que lo esperase para volver juntos. De lo contrario cogería el tren de las cuatro y media y regresaría a preparar la cena.

—Hoy llegaré tarde, no me esperes —replicó Doug con tono seco—. A las seis tomaré una copa con unos clientes. No estaré en casa antes de las nueve. No me guardes cena. Tomaré un bocadillo o cualquier otra cosa antes de llegar a casa. —Se mostraba distante y frío e India supuso que estaba molesto porque había asistido al funeral—. ¿Has visto a muchos famosos? —inquirió bruscamente.

India suspiró y lamentó que su marido no entendiese sus sentimientos.

—No asistí para ver gente conocida.

Había supuesto que se encontraría con los Parker, pero no los había visto entre el gentío, aunque era muy probable que estuviesen presentes.

—Pensé que habías ido para ver a las estrellas que la conocían.

El comentario fue muy desagradable e India se mordió la lengua para no replicarle.

—Quise presentar mis respetos a una mujer que admiro, eso es todo. Ya ha terminado. Tengo que colgar o perderé el tren. Nos veremos en casa.

—Hasta luego —dijo Doug y colgó.

En los últimos días su marido parecía carecer de emociones y era incapaz de conectar con ella. Se preguntó si siempre había sido igual y no se había percatado o si Doug había empeorado después de las disputas estivales. En cualquier caso, lo cierto es que India se sintió muy sola, pero no tanto como Paul. No podía olvidar su imagen mientras abandonaba el altar deshecho en lágrimas. Parecía totalmente destrozado y a India se le encogió el corazón.

Durante el regreso a Westport sólo pensó en Paul y en las charlas que habían sostenido en el *Sea Star*. Cuando llegó había dejado de llover. Los chicos estaban en casa y se alegraron de verla.

—Mamá, ¿dónde fuiste? —preguntó Sam en cuanto ella franqueó la puerta y se quitó el impermeable.

—Asistí al funeral de Serena Smith. Fue muy triste.

—¿Has visto a Paul? —preguntó el pequeño.

—Lo vi de lejos.

—¿Lloraba?

Sam compartía con los niños de su edad la macabra fascinación por la tragedia, la muerte y el drama.

—Sí, lloraba. Tenía muy mal aspecto.

—Puede que le escriba una carta —dijo Sam con tono solidario.

Su madre le sonrió y sus hermanos lo escucharon sin decir nada. No habían conocido a Serena y Paul sólo era amigo de Sam.

—Estoy segura de que te agradecerá el detalle.

—La escribiré después de cenar —informó Sam y se puso a ver la tele.

Media hora después India sirvió la cena. Volvieron a tomar hamburguesas con patatas fritas congeladas. Nadie se quejó y, como hablaron sin parar, compensaron el solitario silencio de India, que no lograba quitarse de la cabeza a Paul ni los recuerdos de Serena.

Todavía llevaba el traje negro cuando Doug llegó a las nueve y media y declaró, sorprendido:

—Estás muy guapa.

Últimamente India iba muy desastrada. Había estado tan deprimida que no se ocupaba de su aspecto. El traje que Doug le había regalado era muy elegante y resaltaba su figura.

—¿Cómo ha ido el funeral?

—Ha sido muy triste.

—No me sorprende. ¿Queda algo de cenar? No tuve tiempo de comer un bocadillo y tengo hambre.

Hacía horas que India había tirado las hamburguesas sobrantes y en la nevera sólo había unos trozos de pavo frío y pizza congelada. Por la mañana haría la compra semanal. Al final Doug aceptó un par de huevos fritos y por primera vez en meses le preguntó qué harían ese fin de semana.

—Nada. ¿Por qué lo preguntas?

India estaba sorprendida.

—Podríamos salir a cenar o hacer otra cosa.

La distancia entre ellos era cada vez más abismal y hasta Doug empezaba a preocuparse, pues ya no podía ignorarlo. Lo comprobó cuando India se negó a tener relaciones sexuales. No le había importado mientras la decisión dependía de él, pero la falta de interés de su esposa lo inquietó. Por eso pensó que salir a cenar era una buena idea.

Ella tuvo la sensación de que su propuesta sonaba a penosa obligación y simplemente repuso:

—Podemos dejarlo si no te apetece.

—Si no me apeteciera no lo habría dicho. ¿Quieres que vayamos a Ma Petite Amie?

Era el primer gesto de paz por su parte, pero India no estaba en condiciones de aceptarlo y aún recordaba con dolor la última vez que habían ido a ese restaurante.

—Francamente, no. ¿Por qué no vamos a una pizzería?

—¿Qué te parece si mañana cenamos una pizza y vamos al cine?

Merecía la pena intentarlo. Si decidía compartir el resto de su vida con él tendrían que hacer las paces. Tenía muy poco que ver con el amor al que aspiraba, pero no había nada más. Tuvo la sensación de que trababa amistad con un compañero de viaje del *Titanic*. Por muy bueno que fuera el servicio acabarían en el fondo del mar. Hacía tiempo que experimentaba esa sensación.

—Me parece una buena idea.

Lo único que podía perder era tiempo. Doug ya había destruido su corazón y su autoestima. Ir al cine con él no le haría daño, por lo que podía intentarlo.

Acostó a los niños, se desvistió y se fue a la cama. Esa noche Doug no se insinuó. Tendrían que tomárselo con calma y empezar por compartir algo sencillo, como una pizza y una película. Ya verían qué sucedía. Doug pensaba que con el tiempo y algo de atención India recobraría los cabales.

Al igual que desde hacía mucho tiempo, se durmieron sin desearse buenas noches. Ella casi se había acostumbrado a esa actitud y permaneció largo rato ensimismada mientras lo oía roncar. A falta de ternura, ese sonido era algo conocido, lo mismo que la soledad que la envolvía.

13

El día siguiente al funeral Doug llevó a Sam a jugar un partido de fútbol e India ayudó a Jessica a limpiar sus armarios. Había acumulado más trastos de los que su madre había visto en toda su vida.

India iba cargada con ropa que su hija ya no usaba y que estaba dispuesta a regalar cuando sonó el teléfono.

Como de costumbre supuso que llamaban a uno de sus hijos y ni se molestó en responder. Dejó la ropa en el suelo del garaje y regresó a la cocina. El teléfono seguía sonando. Al final respondió exasperada.

—Diga.

—Hola.

Esa voz masculina le resultó desconocida y de adulto, aunque había que reconocer que últimamente los que llamaban a Jessica parecían más hombres hechos y derechos que jóvenes.

—Perdón, ¿quién habla?

—Soy Paul Ward y quiero hablar con la señora Taylor.

A India le dio un vuelco el corazón y se apoyó en la mesa de la cocina.

—¡Paul! Soy yo. ¿Cómo estás?

India recordó su rostro bañado en lágrimas al abandonar el altar de la iglesia de San Ignacio.

—Bastante desorientado. Alguien me comentó que asististe al funeral. Lamento no haberte visto.

La tripulación del *Sea Star* había viajado en avión para acudir al oficio fúnebre y una de las camareras le había mencionado al magnate la presencia de India.

—Me hago cargo. Fue una ceremonia conmovedora. Paul, lo siento mucho... No sé qué decir...

A India le faltaban las palabras y se sentía muy sorprendida por la llamada de Paul.

—He recibido tu carta... y es maravillosa. Ah, y la foto. —India lo oyó sollozar—. Me ha encantado. —Intentó recobrar la calma e inquirió—: ¿Cómo estás?

Deseaba agradecerle la asistencia al funeral y la carta, pero las emociones lo abrumaron. Sabía que su amiga era muy amable y delicada y, por algún motivo, hablar con ella lo volvió muy vulnerable. Aún no había asimilado la tragedia y estaba desolado.

—Yo estoy bien —contestó India con escasa convicción.

—¿Qué quieres decir? ¿Volverás a trabajar?

—No. Dedicamos el verano a librar la Tercera Guerra Mundial. —Suspiró—. No puedo volver a mi profesión. Doug lo planteó con toda claridad. No es negociable. Supongo que no tiene tanta importancia.

—Sabes que es fundamental porque se relaciona con lo que necesitas —puntualizó él—. India, no abandones tus sueños... Si los abandonas te perderás. Sabes que es así.

Serena jamás habría renunciado a sus sueños. Costara lo que costase, siempre había sido fiel a sí misma y tanto Paul como ella lo tenían claro. Aunque Serena, por supuesto, no se había casado con Doug Taylor ni había establecido un pacto con él. A Paul jamás se le habría ocurrido plantear el ultimátum que Doug le había dado.

—Hace muchos años que renuncié a esos sueños —reconoció ella con voz queda—. Por lo visto, no tengo derecho a recuperarlos. Esta noche saldremos a cenar por primera vez en meses. Desde el verano nuestra vida es una pesadilla.

—Lo lamento. —Paul la compadeció. India estaba hecha un lío y lo sabía. Ambos lo sabían—. ¿Cómo está mi amigo Sam?

—Muy bien. Ha ido a jugar a fútbol. Ha dicho que te escribirá.

—Me encantaría recibir noticias suyas.

La voz de Paul no era la misma que la del hombre que había conocido a bordo del *Sea Star*. Lo notó cansado, triste y desilusionado. Acababan de arrebatarle lo que más quería y no sabía cómo se las arreglaría para vivir sin Serena.

—¿Qué planes tienes? ¿Qué harás?

—Me dedicaré a navegar. Estaré una temporada sin trabajar. En este momento no sirvo para nada. No sé adónde iré. El velero está en Italia y probablemente viajaré a Yugoslavia y Turquía. El rumbo me da igual, siempre y cuando esté lejos y sólo vea agua a mi alrededor.

En esa situación el mar era lo que Paul necesitaba para curar sus heridas.

—¿Puedo ayudarte de alguna manera?

A India le habría gustado ser útil, pues lo único que había podido ofrecerle era una foto.

Paul se apresuró a responder:

—Llámame de vez en cuando. Quiero tener noticias tuyas. —Se le quebró la voz—. India, me siento espantosamente solo. Hace cinco días que falta y me resulta casi insoportable. A veces me alteraba los nervios, pero era fantástica. Nadie podrá ocupar su lugar.

Lloró abiertamente e India lamentó no estar a su lado y abrazarlo.

—Tienes razón, no hay nadie como ella —coincidió—. De todos modos, a Serena no le gustaría que te derrumbaras, se pondría furiosa. Llora, grita, patea el suelo y navega en el *Sea Star*, pero al final tendrás que regresar y ser fuerte precisamente por ella. Es lo que querría que hicieras.

—Es verdad. —Reflexionó y sonrió en medio del llanto—. Me lo habría dicho de manera muy clara. —Ambos rieron. Paul había llorado intermitentemente durante cinco días y tenía la sensación de que derramaría lágrimas toda la vida, pero en ese momento se calmó—. Ya sé qué haré. Con el paso del tiempo me repondré si me prometes que no renunciarás a tus sueños. No debes abandonarlos.

—No puedo mantener mis sueños y mi matrimonio. Es así de simple. En este caso no hay conciliación posible. Se trata de todo o nada. Tal vez Doug ceda en el futuro, pero de momento no hay nada que hacer.

—Mantén la calma y no cierres todas las puertas. —De repente Paul preguntó con preocupación—: ¿Te has dado de baja en la agencia?

—No.

—Me alegro. No lo hagas. Él no tiene derecho a chantajearte para que renuncies a tu talento.

—Paul, puede hacer lo que le dé la gana. Soy de su propiedad... o al menos eso cree.

—No lo eres y lo sabes. No se lo permitas. Eres la única persona que puedes dar pie a que crea que te posee.

—Es lo que hice hace diecisiete años. En su opinión establecimos un pacto y espera que cumpla mi parte.

—Prefiero callar lo que opino de sus teorías... y sus actitudes —apostilló Paul con más energía, con la misma actitud del hombre que ella había conocido el verano anterior. Aunque no conocía a Doug, Paul consideraba que maltrataba a India. Era evidente que su esposa no era feliz a su lado—. India, estos días he pensado mucho en ti y en todo lo que hablamos en verano. Solemos creer que nuestra situación está resuelta de por vida. Estamos endiabladamente seguros de que lo sabemos y lo tenemos todo, pero de repente se hace añicos y nos quedamos con las manos vacías. Es lo que siento. En ese avión se perdieron demasiadas vidas, niños, jóvenes, adultos que merecían vivir... que merecían vivir tanto como Serena. Me habría gustado morir con ella.

India no supo qué decir. No censuró la posición de Paul, pero lo cierto es que no había muerto y debía continuar su camino.

—No estabas destinado a morir. Sigues aquí y a ella no le gustaría que desperdiciaras tu vida.

—Lo sé, pero los terroristas la han echado a perder. Destrozaron mi vida y la de los demás.

—Te comprendo. —Le pareció inoportuno añadir que con el tiempo se sentiría mejor, pero algún día se recuperaría. La vida es así. Jamás olvidaría a Serena ni dejaría de amarla, pero con el tiempo aprendería a vivir sin ella porque no tenía otra alternativa—. Una temporada en el *Sea Star* te sentará bien.

India vio que Aimee atravesaba la cocina y salía y se preguntó cuánto tardarían Doug y Sam. De momento seguía estando sola.

—¿Prometes llamarme? —insistió Paul, que se sentía desesperadamente solo.

—Claro. Tengo tu número.

—Yo también te llamaré. A veces necesito hablar con alguien.

India deseaba ayudarlo y la conmovió que se hubiese puesto en contacto con ella.

—Este verano me ayudaste mucho. —Presa de la desesperación, India sintió que le debía disculpas o una explicación—. Lamento decepcionarte.

—India, no me has decepcionado. Lo que no quiero es que te falles a ti misma y luego lo lamentes. No lo harás, ya lo verás. Tarde o temprano te armarás de valor y harás lo que tienes que hacer.

Ella se preguntó qué tenía que hacer. ¿Plantar cara a su marido? Si actuaba así lo perdería, y no era lo que quería.

—Aún no he llegado a ese punto y tal vez nunca lo alcance —reconoció con sinceridad.

—Algún día llegarás. Guarda tus sueños en lugar seguro y no olvides dónde los has dejado.

Este comentario fue muy cariñoso e India se emocionó.

—Paul, me alegro de tu llamada.

—Yo también.

El magnate parecía hablar totalmente en serio.

—¿Cuándo te marchas?

Ella deseaba saber dónde estaba para imaginárselo y, si era necesario, ponerse en contacto con él.

—Esta noche. Vuelo a París, cambio de avión y me traslado a Niza, donde me espera el velero. —Los tripulantes habían viajado esa misma mañana y de Portofino a Niza la distancia era corta. Paul sabía que lo estarían esperando. Suspiró y miró a su alrededor. La estancia estaba llena de fotos de Serena y de tesoros coleccionados a lo largo de los años de matrimonio. Aquello le resultó insoportable—. Supongo que al final venderé el apartamento. No quiero quedarme aquí. Puede que lo vendan mientras no estoy y dejen el mobiliario en un guardamuebles.

—No tomes decisiones apresuradas —aconsejó India con sensatez—. Paul, necesitas tiempo. De momento no sabes qué hacer.

—Es verdad, no lo sé. Me gustaría echar a correr y retrasar el reloj.

—Podrás hacerlo en cuanto abordes el *Sea Star* —afirmó ella mientras Doug entraba en la cocina y se detenía a sus espaldas—. Cuídate e intenta ser fuerte —prosiguió cuando su marido salió a buscar algo—. Cuando te sientas débil, llámame. Aquí estaré.

—Lo sé. Lo mismo digo. India, siempre podrás contar conmigo. No lo olvides. No permitas que nadie te considere una posesión. Está muy equivocado. —Ambos supieron que se refería a Doug—. Eres dueña de ti misma, ¿me has entendido?

—Sí.

—Cuídate.

India percibió que Paul volvía a llorar y una profunda congoja la invadió de nuevo.

—Paul, cuídate mucho. No estás tan solo como crees. Recuerda lo que digo. A su manera, Serena está a tu lado... incluso en este instante.

El magnate rió en medio del llanto.

—Probablemente es la única manera en que navegaría conmigo en el *Sea Star*, aunque resulta muy doloroso. —Era agradable volver a oír su risa—. Hasta pronto, India.

—Gracias por llamar.

Colgaron. India suspiró, se incorporó y vio a Doug apoyado en el vano de la puerta y con el entrecejo fruncido.

—¿Con quién hablabas? —inquirió él.

—Con Paul Ward. Telefoneó para agradecer que le enviara una foto de su esposa.

—Está claro que el viudo inconsolable se recupera deprisa. ¿Cuánto hace que ha muerto? ¿Una semana o menos?

—Acabas de decir algo horrible. —Las sospechas de Doug la afectaron profundamente—. Paul lloraba por teléfono.

—Seguro que sí. Es el truco más antiguo que conozco. Basta quejarse un poco, lograr que lo compadezcas y ya está. India, has mordido el anzuelo. Te comportabas como si hablases con tu novio.

—¡Eres repugnante! Paul es un hombre educado e íntegro. Está destrozado por la muerte de su esposa. Se siente muy afligido y solo y este verano nos hicimos amigos.

—Ya lo creo. Apuesto lo que quieras a que, como yo, su esposa tampoco estaba presente. Por lo que recuerdo, la primera vez que me hablaste de él hiciste hincapié en la ausencia de su esposa. ¿Dónde se había metido si tanto lo quería?

Doug la atacaba con recelos y resentimientos.

—Estaba trabajando —repuso India con serenidad—. Por si no lo sabes, algunas mujeres trabajan.

—¿Es ella la que te llenó la cabeza de tonterías? ¿Paul forma parte del plan?

Hacía denodados esfuerzos por descalificar al magnate.

India se enojó con él. Sintiera lo que sintiese por Paul, no pensaba comentarlo con su marido. No sabía exactamente cuáles eran sus sentimientos, pero el afecto que compartían había tomado el rumbo de la amistad y nada indicaba que pudiera llegar más lejos.

—Eres tonta si no te das cuenta de lo que pretende —añadió Doug—. Además, no quiero que vuelva a llamar a casa. Parecía que hablabas con tu amante.

—No tengo ningún amante —precisó ella gélidamente y ya no pudo contener su ira. Odiaba todo lo que Doug había dicho—. Si lo tuviera tal vez estaría más contenta. Pero Paul Ward no es mi amante. Amaba a su esposa, la respetaba y apreciaba su profesión, algo de lo que tú no tienes ni idea. Me temo que llorará su muerte durante mucho tiempo.

—¿Lo estarás esperando cuando se canse de llorar? ¿A eso te refieres? Tal vez te gustaría ser la amante de un hombre tan rico.

—Doug, me das asco —le espetó ella, y subió a la habitación de Jessica para terminar de ordenar los armarios.

No tenía ganas de ver a su marido y lo evitó toda la tarde.

Cuando salieron a cenar la situación continuaba tensa. India no tenía ganas de acompañarlo, pero pensó que si se quedaba crearía más problemas.

Si hubiera reflexionado, quizá se habría sentido halagada de que Doug estuviera celoso de Paul, pero sus comentarios habían sido tan ofensivos que se enfureció. Sus palabras le resultaron repugnantes. Paul Ward no era su amante y jamás lo sería. Sólo se trataba de un buen amigo.

La cena fue muy tensa, pese a las intenciones conciliatorias con que Doug había planteado la salida. Pero sus comentarios de la tarde la habían condenado al fracaso. Apenas se dirigieron la palabra y la película era tan deprimente que India no dejó de sollozar.

Se sintió todavía peor cuando regresaron y Doug pagó a la niñera. En lo que a India se refería, la velada había sido desastrosa y Doug tenía más o menos la misma opinión.

Cuando subieron al dormitorio él estaba cabizbajo. No tenían ganas de acostarse, por lo que se repantigaron en los sillones, encendieron el televisor y vieron una vieja película que les gustaba. Les agradó más que la del cine. Estuvieron levantados hasta tarde y a la una de la madrugada bajaron a la cocina a tomar un tentempié.

—Lamento lo que te dije —reconoció Doug súbitamente y la miró apenado. India se sorprendió—. Sé que no es tu amante.

—Me lo imagino —replicó con rigidez y al final se relajó un poco—. Yo también me arrepiento de lo que dije. Últimamente las cosas no han ido muy bien, ¿eh?

Todo había sido muy arduo: cada conversación, cada comentario, cada hora, cada contacto.

—A veces el matrimonio es así. Te he echado mucho de menos.

Esas palabras conmovieron a India.

—Yo también.

La fotógrafa sonrió, pues se había sentido muy sola sin el apoyo de su marido. En los últimos meses apenas le había dirigido la palabra y se había mostrado tan contrariado cuando ella comentó que le apetecía realizar algunos reportajes que tenía la sensación de que habían estado separados todo el verano.

Terminaron de comer y subieron. Los chicos dormían e India cerró discretamente la puerta del dormitorio. Se desvistieron y Doug apagó el televisor. Al acostarse, él se acercó, e India no le volvió la espalda ni lo rechazó. La abrazó delicadamente e hicieron el amor, aunque sin la pasión a la que ella aspiraba. Después de tanto tiempo Doug parecía torpe y en ningún momento le dijo que la amaba. Claro que ésa era la vida que compartían, el pacto que habían establecido y, para bien o para mal, se trataba de su marido. Era todo lo que tenía y debía darse por satisfecha por ello.

14

A lo largo de los dos meses siguientes India y Doug sobrevivieron como pudieron. Restañaron algunas heridas, pero la relación ya no era tan firme. Por suerte los niños la mantuvieron tan ocupada que no tuvo tiempo de pensar. A esas alturas sabía que nada cambiaría. Doug era como era y había expresado claramente sus pretensiones. A India le bastaba con seguir aceptándolas, pero se le hacía una montaña.

Coincidió con frecuencia con Gail en los partidos de fútbol, las reuniones de padres y las comidas de la escuela secundaria. Al igual que en el pasado, y como sin duda volvería a ocurrir, en octubre Gail le confió que salía con un hombre casado. Al menos, su amiga parecía feliz.

—¿Qué tal va todo? —preguntó Gail una tarde a última hora, mientras se helaban de frío en las gradas—. ¿Doug se ha calmado?

—Muchísimo. Tiene varios clientes nuevos y está muy ocupado. Desde el verano no hemos vuelto a hablar de cuestiones conflictivas.

La vida sexual tampoco era la misma de antes, aunque periódicamente intentaban reanimarla. Algunas facetas de la relación no habían sobrevivido a los embates del verano. India había terminado por aceptar lo que tenía, en lugar de luchar por lo que quería.

—¿Paul Ward te ha vuelto a llamar?

—No. Supongo que está en Europa.

Era la primera vez que mentía a Gail, pero era algo que no quería compartir; además, la información era potencialmente explosiva si caía en manos de Gail. Paul la había telefoneado en septiembre y, de momento, dos veces en octubre. Siempre llamaba a horas en las que sabía que ella estaba sola en casa, lo que para él representaba la hora de la cena. Jamás se propasaba y por su tono parecía sentirse desesperadamente solo. En una ocasión India tuvo la sensación de que estaba ebrio; pero todavía no se habían cumplido dos meses de la muerte de Serena y ella sabía mejor que nadie lo mal que lo estaba pasando. En su última llamada le había comentado que estaba surcando por aguas yugoslavas y, aunque no se divertía, aún no estaba en condiciones de emprender el regreso.

Paul no expresó deseos de verla ni mencionó cuándo regresaría. India se preguntó si por Navidades retornaría a Estados Unidos para ver a su hijo y sus nietos. Tal vez le resultaría demasiado doloroso. Sabía que por Navidad él y Serena solían esquiar en Suiza y había jurado que no volvería a pisar Saint Moritz. No quería regresar a los lugares en los que había estado con su mujer, recorrer los mismos caminos y recordar los sueños compartidos.

Con tono de broma India le comentó que así excluía muchos lugares y Paul dejó escapar una risilla. Tenía graves dificultades para adaptarse a su realidad. Siempre le preguntaba cómo estaba e India respondía con sinceridad. Había hecho las paces con su situación, pero no podía decirse que fuese feliz. Seguía negándose a sacudir los cimientos de su matrimonio. Dijo que se daba por satisfecha con fotografiar a sus hijos y Paul la regañó por ello; opinaba que debía ser más valiente. En realidad, no lo era. India no se parecía en nada a Serena, pero aunque así fuera, a Paul le encantaba hablar con ella por el gran consuelo que le proporcionaba.

Ella jamás le preguntaba qué tenía previsto hacer o si pensaba volver a trabajar; no planteaba preguntas ni lo presionaba. Con su voz dulce y su actitud serena estaba a su lado cada vez que Paul telefoneaba, ya que era lo que éste necesitaba. No había garantías de que volvieran a verse ni alusiones a una aventura. Él era muy circunspecto, pero a la vez cariñoso, amable e interesado en sus actividades. A diferencia de Doug, siempre que le explicaba sus sentimientos la entendía. En muchos aspectos India lo vivía como un regalo del cielo y dejó de contarle a Doug que la llamaba. No tenía ganas de rebatir la acusación de que Paul era o quería ser su amigo íntimo. Al fin y al cabo, India no era Gail. Era honesta en todos los aspectos y poseía una gran integridad; a los ojos de Paul, era más íntegra que su marido, que la sometía a un chantaje emocional para salirse con la suya.

Hacía dos semanas que no tenía noticias de Paul cuando una tarde sonó el teléfono en la cocina. Suponía que su amigo había regresado a Italia. Para él serían las seis de la tarde, hora en que solía llamar.

Contestó sonriente a la espera de oír la voz de Paul y se sorprendió al escuchar a Raúl López. Hacía seis meses que no sabía nada de él; concretamente, desde que había rechazado el encargo de Corea.

—India, ¿a qué te dedicas últimamente? ¿Ya te has hartado de tus hijos?

—Claro que no —replicó con firmeza y pensó que quizá había hecho una tontería al no darse de baja.

Raúl se pondría furioso cuando le dijera que no podía aceptar ningún trabajo. Doug estaba en lo cierto, tendría que haber abandonado la agencia.

—Esperaba otra respuesta. Quiero proponerte algo —añadió entusiasmado.

Acababan de pasarle el encargo y él enseguida pensó en India como la persona ideal para el reportaje.

—Raúl, creo que no hace falta que me digas nada más. A mi marido le molestó mucho lo de Corea.

—¿Qué dices de Corea? Si al final no lo hiciste. —Era cierto, pero la sola posibilidad de aceptar había desencadenado tres meses de discusiones y casi había desatado una revolución. Por maravillosa que fuese la propuesta, India no quería que volviese a suceder lo mismo—. Haz el favor de escucharme. Va a celebrarse una boda real en Inglaterra. Se trata de un acontecimiento digno y sin riesgos. Asistirán todas las testas coronadas de Europa. La revista que nos ha pasado el encargo exige alguien que sepa comportarse, no quiere que uno de plantilla haga una chapuza. Tal como me explicaron hace diez minutos, buscan una verdadera dama que sepa codearse con las personalidades del planeta. La boda se celebrará en Londres y, evidentemente, tu vida no correrá peligro. Mientras estés en Londres quiero que cubras otra noticia. Se trata de una red clandestina de prostitución en el West End que explota a niñas de diez a catorce años. Es una de las peores formas del abuso de menores. En este caso colaborarás con la policía. Lo que averigües se publicará en la prensa internacional a través de agencias, y podría salir un artículo fabuloso. En una semana cubrirás la boda y la red de menores.

—¡Mierda! —bufó ella, pues era una propuesta muy tentadora, en particular la red de prostitución de niñas de diez años. Era una infamia y le encantaría denunciarla—. Raúl, ¿por qué me llamas para ofrecerme estos trabajos? Destruirás mi matrimonio —suspiró.

—Te llamo porque te quiero y porque eres la mejor. Recuerda tu reportaje en Harlem.

—Fue muy distinto. Sólo queda a una hora en tren y tenía suficiente tiempo para regresar a casa a preparar la cena a mis hijos.

—Pagaré una cocinera mientras estés fuera y, si no queda más remedio, yo mismo les prepararé la cena. Te ruego que no lo rechaces. Esta vez tienes que aceptarlo.

Raúl estaba desesperado y ella lo percibió. Además, los temas le interesaban.

—¿Cuándo? —preguntó.

Si disponía de tiempo podría convencer a Doug, suplicarle o prometerle que si se lo permitía le lustraría los zapatos hasta el fin de sus días. Se moría de ganas de cubrir esas noticias y no quería rechazar el ofrecimiento.

—La boda se celebra dentro de tres semanas —respondió el representante.

India calculó mentalmente la fecha.

—¿Tres semanas? —repitió mientras calculaba, pero frunció el entrecejo cuando comprobó que el resultado era el mismo—. Es para Acción de Gracias.

—Más o menos —reconoció Raúl, al tiempo que rogaba para que India aceptase.

—¿Qué quieres decir? ¿Coincide o no con el Día de Acción de Gracias?

—De acuerdo, está bien. Coincide con el fin de semana de Acción de Gracias, pero debes estar en Londres el jueves. Antes de la boda hay dos grandes celebraciones a las que asistirán los jefes de Estado, incluidos nuestro presidente y la primera dama. Compartirás el pavo con ellos o, mejor aún, puedes llevártelo.

—Te odio. Lo que dices no me hace ninguna gracia. Doug me matará.

—Seré yo quien lo mate si no te permite cubrir esta noticia. India, tienes que hacer este reportaje. Hazme un favor: reflexiona y llámame mañana.

—¿Mañana? ¿Te has vuelto loco? ¿Sólo me concedes una noche para decirle a mi marido que no estaré en casa el Día de Acción de Gracias? ¿Qué pretendes de mí?

—Intento salvarte de una vida tediosa y de un marido que no aprecia tu valía. Por no hablar de un montón de críos que, por encantadores que sean, no merecen tener como cocinera y chófer particular a una de las fotógrafas con más talento que conozco. India, date esta oportunidad. Te necesito, y a ti te hace falta. Haz este reportaje.

—Veré qué puedo hacer —declaró sombría—. Te llamaré mañana... o pasado... si sigo viva.

—Eres un encanto. —Raúl estaba entusiasmado, pues India era la reportera perfecta para ambas noticias—. Gracias. Hablaremos mañana.

—Prométeme que te sentirás culpable cuando encuentren mi cadáver en el centro comercial de Westport.

—Dile a Doug que madure y se entere de con quién está casado. No puede mantenerte encerrada de por vida.

—No puede pero lo intenta. Ya hablaremos.

India permaneció de pie en medio de la cocina, temblando. La aterrorizaba hablar con Doug, pero estaba tan entusiasmada como su representante, sobre todo con la red de prostitución infantil. Y cubrir la boda sería divertido. Se moría de ganas por volver al trabajo. Pero ¿cómo se lo explicaría a Doug? Se sentó en un taburete, recapacitó y salió a hacer la compra.

Compró aquellos productos que más agradaban a su marido. Había decidido prepararle una cena inolvidable que incluía caviar. Prepararía los platos que mejor le salían y los preferidos de Doug, tomarían vino, después charlarían... y su marido la mataría.

Pero al menos decidió intentarlo.

Cuando llegó a casa y vio la cena preparada Doug se entusiasmó. Su mujer había comprado chateaubriand y lo había preparado con su salsa favorita de pimienta y mostaza, patatas al horno, judías verdes a la francesa, champiñones rellenos y, como entrante, salmón ahumado y caviar. Cuando se sentaron a la mesa Doug tuvo la sensación de que había ascendido al cielo.

—Mamá, ¿has abollado el coche? —bromeó Jason al tiempo que cubría la patata asada con nata agria.

—Claro que no —replicó India sorprendida—. ¿Por qué lo preguntas?

—Has preparado una cena fantástica. Supongo que has hecho algo que enfurecerá a papá, que lo enfurecerá realmente —precisó y miró el caviar.

—No digas tonterías.

Jason demostraba ser más inteligente que su padre, ajeno a todo y sin sospechar nada. Después de la cena se repantigó en su sillón preferido con aspecto satisfecho. De postre, India había servido *mousse* de chocolate con galletas. Su táctica no era nada sutil.

—¡Vaya cena! —exclamó Doug y sonrió cuando, después de recoger la cocina, su esposa se sentó a su lado en la sala. Los niños habían subido a terminar los deberes—. ¿Qué he hecho para merecer esto?

—Casarte conmigo —respondió ella y se acomodó más cerca de Doug.

India pidió a los dioses que, por una vez en su vida, fuesen compasivos con ella. Estaba dispuesta a suplicar a su marido. Se moría de ganas de ir a Londres aunque coincidiese con la fiesta de Acción de Gracias.

—Por lo visto he tenido suerte —comentó él y se frotó el vientre.

—Yo también —concordó ella cariñosamente. Era el diálogo más amable que sostenían desde el verano, pero en esta ocasión encubría segundas intenciones—. Doug...

Miró a su marido y en un santiamén éste se percató de la jugarreta. La mirada de India traslucía interés y Doug frunció el entrecejo.

—Vaya, vaya. —Doug rió porque la situación todavía lo divertía—. ¿Jason tiene razón? ¿Has abollado el coche?

—Mi carné de conducir sigue impoluto, y el coche está en perfecto estado. Si quieres, compruébalo.

—¿Te han detenido por robar en el supermercado?

—¡Qué cosas dices! —India decidió ser explícita. No le quedaba otra salida pues al día siguiente o, como máximo, el otro debía dar una respuesta a Raúl—. He recibido una llamada.

—¿De quién?

India se sintió como si, con catorce años, pidiera permiso a su padre para salir, aunque la situación que vivía le resultaba diez veces más difícil y aterradora. Quizá fuera cien veces peor. Sabía perfectamente cuál sería la respuesta de su marido.

—De Raúl —respondió francamente.

—No volvamos a las andadas.

Doug se incorporó y la miró furibundo.

—Escucha, es el trabajo más civilizado que me han ofrecido en la vida y necesitan una dama. —Ya había decidido que no mencionaría la red de prostitución del West End. Doug jamás permitiría que cubriera esa noticia, mientras que una boda real...—. Un miembro muy importante de la familia real británica va a contraer matrimonio y necesitan que alguien cubra la noticia. Asistirán al acontecimiento jefes de Estado, reyes de toda Europa, nuestro presidente y la primera dama...

—Y tú no irás —apostilló Doug con firmeza—. Cualquier fotógrafo puede hacer ese trabajo.

—Pues quieren que vaya yo. Doug, te lo ruego, me encantaría cubrir esa noticia.

—Pensaba que ya habíamos aclarado esta cuestión. ¿Cuántas veces tendremos que librar la misma batalla? Por eso te pedí que quitaras tu nombre de la lista de colaboradores de la agencia. Raúl insistirá y te seguirá llamando. Deja de torturarme... y de torturarte. Tienes hijos y responsabilidades que cumplir, no puedes salir corriendo y olvidarte de todo.

—Doug, sólo será una semana. Sólo pido una semana, nada más. Los chicos no se suicidarán si no estoy en casa el Día de Acción de Gracias.

El pánico dominó a India en cuanto pronunció esas palabras. Pensaba decirlo más tarde, pero ya estaba todo dicho, por lo menos todo lo que estaba dispuesta a explicar a su marido.

—No me lo puedo creer. ¿Me pides que te deje ir en el Día de Acción de Gracias? ¿Qué pretendes, que yo prepare el pavo?

—Lleva a los niños al restaurante. Prepararé la verdadera cena de Acción de Gracias antes de irme, el día antes. No notarán la diferencia.

—Tus hijos no, pero yo sí. Ya sabes cuál es nuestro pacto. Este verano lo discutimos hasta la saciedad.

—Lo sé, pero se trata de algo importante para mí.

—¿No es más importante estar casada y tener hijos? No pienso aguantar a una esposa que no esté en casa el Día de Acción de Gracias. Si haces el reportaje me da igual que te metas en una zona en conflicto.

—En la boda no correré peligro.

—A no ser que los terroristas coloquen una bomba, como en el avión de tu amiga. Presta atención a lo que acabo de decir. ¿Estás dispuesta a correr ese riesgo?

Doug estaba decidido a tocar todas las teclas con tal de que su esposa no aceptara el encargo.

—También puedo quedarme el resto de mi vida en casa, metida en la cama. Ya está bien, Doug, incluso los rusos podrían bombardear Westport si fueran capaces de montar sus artilugios bélicos.

—India, ¿por qué no te dejas de tonterías y maduras de una vez? Lo que dices es agua pasada o debería serlo.

—¡Pues no lo es! Forma parte de mí y siempre será así. Tienes que entenderlo.

—Yo no tengo que entender nada —replicó colérico y se puso de pie—. No pienso acceder, India. Si decides irte es asunto tuyo. De todos modos, si te largas no esperes seguir casada conmigo.

—Te agradezco que dejes tan claras las posibilidades —espetó ella, se incorporó y lo miró a los ojos—. ¿Sabes una cosa? Nunca más permitiré que me intimides o me chantajees. Soy la persona que soy, la misma con la que te casaste. Puedes establecer las reglas que te dé la gana, pero no me amenaces —advirtió con serenidad, sin saber de dónde salían aquellas palabras. De pronto supo exactamente qué haría y adónde iría—. Viajaré a Inglaterra para hacer el reportaje. Me quedaré una semana, volveré y cuidaré de nuestros hijos como siempre he hecho. Si a eso vamos, también seguiré cuidando de ti. ¿Quieres que te dé mi opinión? Sobreviviremos. No permitiré que vuelvas a decirme lo que tengo que hacer. No es justo ni lo aceptaré.

Doug la escuchó sin pronunciar palabra, luego le volvió la espalda, subió la escalera y cerró violentamente la puerta del dormitorio.

Por fin India se había armado de valor para defender lo que quería. Al ser la primera vez estaba aterrorizada pero, al mismo tiempo, se sentía muy bien. Era consciente de que hacía años que su marido la amenazaba. Fue su ultimátum lo que diecisiete años antes la llevó a abandonarlo todo para casarse con él. Doug entonces le dijo que si no volvía lo perdería. Como había perdido muy jovencita a su padre, India supuso que lo peor que podía ocurrirle era perder a Doug. Diecisiete años después comprendía que, en realidad, era peor perderse a sí misma, que era lo que había estado a punto de ocurrir. Supuso que después de tantos años no cumpliría su amenaza y, si así era, tendría que afrontarlo. De todos modos, abrigaba esperanzas de continuar con Doug.

Esperó un rato y se dirigió al dormitorio.

Doug estaba acostado y con la luz apagada, pero no lo oyó roncar.

—¿Estás despierto? —susurró India, pero no obtuvo respuesta. Intuyó que su marido no dormía y al acercarse comprobó que tenía razón. Se detuvo a oscuras al pie de la cama y notó que él se movía, aunque no dijo nada—. Doug, lamento lo ocurrido. Habría preferido que estuvieras de acuerdo. Te quiero muchísimo... pero tengo que hacerlo... Tengo que hacerlo por mí. Es difícil de explicar. —A decir verdad, no lo era; simplemente, a Doug le resultaba imposible comprenderlo. Pretendía dictar las normas con amenazas. Desde siempre, ésa había sido su forma de dominarla, a lo que había que sumar el terror a perderlo. Sin embargo, ella no podía continuar eternamente asustada—. Doug, te quiero —repitió.

Silencio por respuesta. Poco después se dirigió al cuarto de baño y se metió en la ducha. Estuvo una eternidad bajo el agua caliente, pero una sonrisa dibujaba sus labios. ¡Lo había conseguido!

15

Tal como había prometido, la víspera de su partida India preparó la cena de Acción de Gracias. La comida fue deliciosa y, de no ser porque él estuvo toda la noche con el entrecejo fruncido, semejaba una familia perfecta. Quedó claramente de manifiesto la opinión de Doug acerca del viaje de su esposa.

India explicó a los niños lo que haría y, una vez superada la sorpresa inicial, se mostraron encantados; las chicas estaban entusiasmadas, pues cubrir la noticia de la boda real les parecía de fábula. A los chicos les daba igual. Lo cierto es que ninguno reaccionó como esperaba Doug. No se sintieron abandonados, no se enfadaron ni pensaron que jamás regresaría, que era la sensación que invadió a India cuando durante seis meses enviaron a su padre a Vietnam y, con anterioridad, a lugares igualmente aterradores. Entendieron a la primera que su madre no corría peligro y sólo lamentaron que no pasase el Día de Acción de Gracias con ellos.

India emprendía viaje a Londres la mañana de Acción de Gracias y Doug y los niños cenarían con unos amigos de Greenwich, pues ni los padres de una ni del otro vivían. India comprendió que ésta era otra de las razones por las que dependía tanto de su marido y de su aprobación. No tenía a nadie más, salvo a sus hijos.

Los chicos devoraron cuanto sirvió y Jason afirmó que era la mejor cena de su vida. India se lo agradeció. Cuando terminaron pasaron a la sala a ver vídeos mientras India y Jessica recogían la cocina. Envió a su hija con sus hermanos cuando Doug entró en la cocina para hablar con ella. A cada minuto que pasaba se ponía de peor humor.

—¿No te avergüenzas de dejar huérfanos a tus hijos? —dijo con toda la intención de azuzar su sentimiento de culpabilidad.

—Doug, no se quedan huérfanos. Tienen una madre que de vez en cuando trabaja y, por lo visto, lo comprenden mucho mejor que tú.

—Ya veremos si dices lo mismo cuando empiecen con problemas escolares.

—Estoy segura de que no ocurrirá —opinó ella con firmeza.

Gail había accedido a sustituirla en los traslados en coche, la niñera habitual iría todos los días desde las tres de la tarde hasta después de la cena y Jessica se había comprometido a ayudar en la cocina. Todo estaba en orden y, además, dejaba seis hojas con instrucciones. El único problema era su marido. Reconocía que nunca en su vida había estado tan decidida a hacer algo. Había hablado con Paul esa misma semana y el magnate le había dicho que se sentía muy orgulloso. India había quedado en telefonear desde Londres. El *Sea Star* seguía en Turquía y Paul deseaba tener noticias suyas.

—Cuando regreses tendrás que vértelas conmigo.

Doug volvía a amenazarla, táctica en la que insistía desde hacía semanas. Al parecer no vacilaba ni se avergonzaba. Ella se negó a hacerle caso. No sabía muy bien qué había cambiado, pero ya no podía vivir encerrada en una caja, la misma que Doug le había construido hacía diecisiete años y que le impedía extender las alas. Sabía mejor que nadie que debía realizar ese reportaje costara lo que costase. Si no lo hacía pagaría un precio todavía más alto. Por fin lo había comprendido. Raúl dio saltos de alegría cuando lo llamó para confirmar que aceptaba. Le pagarían bien y pensaba dedicar ese dinero a una actividad lúdica con sus hijos, tal vez un viaje o esquiar en Navidades. Deseaba que Doug se sumara si le apetecía, pero ya se vería.

Como era fiesta permitió que los niños trasnochasen y por la mañana, antes de irse, entró en sus dormitorios. Los cuatro dormían, pero despertaron cuando los besó y cada uno le deseó buen viaje. Prometió que telefonearía. Les había dado el nombre del hotel donde se hospedaría y el número de teléfono. También lo había pegado con un imán a la puerta de la nevera. Todo estaba perfectamente organizado. India se sorprendió de lo fácil que era y de lo bien que discurrían las cosas. El único problema seguía siendo su marido.

Regresó a su dormitorio para despedirse de Doug, quien se limitó a mirarla furibundo. Estaba despierto desde que ella se había levantado, pero se hacía el dormido. Ambos se percataron de que había perdido parte de la capacidad de obligarla a hacer lo que quería. Ese cambio no le sentó nada bien.

—Te aseguro que llamaré siempre que pueda —afirmó ella como si se dirigiera a un niño.

Sentado en el centro de la cama, Doug parecía un crío mientras la observaba sin la menor intención de acortar distancias.

—No te molestes —replicó secamente—. No tengo nada que decirte hasta que vuelvas.

India tuvo la sensación de que hablaba en serio.

—¿Qué pasará entonces? ¿Me echarás a la calle? Vamos, Doug, sé bueno y deséame suerte. Hace años que no hago algo parecido... para mí es muy emocionante.

A él no le causaba la menor gracia y estaba muy enfadado. Por si fuera poco, quería que su mujer temiese las consecuencias de sus actos.

India estaba asustada, pero no tanto como para rechazar el encargo. Al final la había presionado demasiado.

—Doug, te quiero —murmuró antes de abandonar el dormitorio.

Y era cierto, pero se preguntó si él la amaba. Su marido no respondió e India bajó la escalera con la bolsa con el equipo fotográfico colgada del hombro. Era la misma bolsa que una vez había pertenecido a su padre. Cogió la maleta y se dirigió al autobús que la llevaría al aeropuerto.

Era un trayecto corto. Recogieron a varios pasajeros y por primera vez en muchos años India se sintió independiente. La sensación de libertad la exultó.

Después de despachar el equipaje deambuló por la terminal, compró varias revistas y llamó a Raúl por si tenía novedades. Él respondió que le enviaría un fax si obtenía más datos sobre el segundo artículo y que, de momento, todo iba bien.

Subió al avión y partió hacia Londres. Llegaría a las nueve de la noche; la recogerían en coche y la trasladarían al baile que la reina ofrecía a la pareja en un salón de la Real Academia Naval de Greenwich. Había comprado una falda larga de terciopelo, una blusa de la misma tela y un collar de perlas, y pensaba cambiarse en el coche que la recogería en el aeropuerto. Era un reportaje muy distinto a los que había realizado y estaba deseosa de poner manos a la obra.

Durante el vuelo leyó, durmió y comió frugalmente. Estuvo

un rato mirando por la ventanilla y pensó en sus hijos, que durante tantos años habían marcado las fronteras de su vida. Sabía que los añoraría, así como que lo pasarían bien durante los pocos días que ella estaría fuera. También pensó en Doug, en lo que había dicho, en el poder que siempre había ejercido sobre ella y en los motivos que lo habían llevado a esgrimirlo. Lo consideró totalmente injusto e innecesario; al reflexionar, más que enfadarse se apenó. Si la hubiese dejado partir sin recriminaciones la situación no habría sido tan dolorosa, pero Doug sólo pretendía controlarla y doblegarla a su voluntad. Estas reflexiones la llevaron a deprimirse.

Dormitaba cuando aterrizaron en Heathrow. A partir de ese momento comenzó el ajetreo y tomó conciencia de que por fin había extendido las alas y no hacía lo que quería porque era bueno para otros o era lo que se esperaba de ella sino, simplemente, porque le apetecía. La alegría la desbordó. Hacía años que no visitaba Londres y se moría de ganas de ver la ciudad. Viajar para realizar un par de reportajes, ¿no era el mejor modo de visitarla?

El chófer la esperaba al salir del control de equipajes y condujo tan rápido como pudo. India se cambió de vestido en el asiento trasero y, dadas las circunstancias, se acicaló lo mejor que pudo. Quizá no era el mejor modo, pero al mirarse en el espejo se dio cuenta de que superaría cualquier inspección. Además, no había ido para estar atractiva, sino a tomar fotos. Nadie se preocuparía por su aspecto.

Cuando se acercaron a la Real Academia Naval vio a los cadetes vestidos de gala, con mosquetes y fusiles antiguos, que se cuadraban cada vez que los invitados entraban o salían. El entorno era impresionante. Los edificios rodeaban el inmenso jardín cuadrado y la capilla con cúpula, erigida en 1779.

Tomó un par de fotos del exterior y entró. Al subir la escalera miró hacia arriba y vio las extraordinarias pinturas que decoraban el techo. Era un cruce entre Versalles y la Capilla Sixtina. Al menos cuatrocientas personas bailaban y se dedicó a hacer fotos desde el instante en que franqueó la puerta. No tardó en avistar al príncipe Carlos y las reinas de Holanda, Dinamarca y Noruega. Los reconoció, lo mismo que al presidente de Francia y a varios príncipes herederos. Al cabo de un rato avistó a la reina Isabel, rodeada de guardaespaldas y conversando afablemente con el primer ministro, el presidente estadounidense y la primera dama. Al entrar tuvo que mostrar el pase, pero después lo guardó y dedicó las cuatro horas siguientes a pasearse discretamente de grupo en grupo. La fiesta terminó a las dos de la madrugada y ella supo que lo había conseguido. Experimentó la misma y reconfortante sensación de hacía muchos años al saber que había cubierto una noticia, aunque en este caso el tema fuera radicalmente distinto.

La reina se había retirado hacía horas y los ilustres invitados se despidieron con elegancia, al tiempo que comentaban que la fiesta había sido inolvidable. Algunos visitaron la capilla. India agotó el último carrete, subió al coche y regresó a la ciudad.

Le habían reservado una habitación en el Claridge's —una de las gratificaciones añadidas a este tipo de trabajo— y cuando entró en el vestíbulo se dio cuenta de que estaba agotada. En Londres eran las dos y media, lo que para ella representaba las ocho y media de la noche, pero llevaba horas trabajando, viajando y realizando el reportaje. Se sentía como en los viejos tiempos, aunque entonces su ropa de trabajo no incluía faldas de terciopelo y zapatos de tacón. Entonces vestía botas de combate y ropa de camuflaje. De todos modos, sabía que siempre recordaría esa noche. La Real Academia Naval era uno de los sitios más espectaculares de Inglaterra y los asistentes al baile dirigían el curso de la historia mundial.

Deseaba desvestirse y acostarse. Se durmió un segundo después de apoyar la cabeza en la almohada y no se movió hasta que sonó el teléfono. No entendía que alguien llamase a esas horas de la madrugada. Al abrir los ojos vio que el sol entraba a raudales por las ventanas. Eran las diez de la mañana de un frío día de noviembre, y a mediodía tenía que estar no recordaba dónde. No había oído el despertador.

—¿Sí? —masculló soñolienta, se desperezó y miró alrededor.

La habitación que le habían asignado era pequeña, decorada con zaraza floreada de color azul claro.

—Suponía que estabas trabajando.

—Estoy trabajando. ¿Quién habla? —Supuso que era Raúl, pero no reconoció su voz. De pronto se percató de que era Paul, que telefoneaba desde el velero—. Vaya, no te reconocí. Aún estoy adormilada. Por suerte me has despertado.

—¿Cómo va todo?

India tuvo la sensación de que Paul se alegraba realmente de oírla.

—Es muy divertido. Anoche fue maravilloso. Asistieron todos los reyes, reinas y príncipes del planeta, y la Real Academia Naval es un regalo para los ojos.

—En cierta ocasión Serena y yo asistimos a una fiesta en honor de un hombre muy agradable, un escritor especializado en temas marinos, Patrick O'Brian. Sus novelas son una de mis debilidades. La Real Academia es francamente impresionante.

La fotógrafa pensó que a Paul no le quedaba un rincón del mundo por conocer. De todas maneras, él se mostró impresionado cuando le nombró a los asistentes al baile.

—Creo que he tomado varias fotos muy buenas.

—¿Te alegras de volver a trabajar?

Paul sonrió al imaginarla arropada en su habitación del Claridge's. Prácticamente la vio y como sabía lo que le había costado llegar hasta allí supo que se trataba de un gran triunfo personal. Se alegró de que lo hubiese conseguido.

—Es fantástico y me encanta. —Acto seguido le mencionó el otro artículo que le habían encomendado y Paul se preocupó, aunque supuso que sabía lo que hacía y que la policía la protegería—. Paul, ¿cómo estás? —Últimamente parecía más animado, pero ella supuso que en Acción de Gracias lo estaba pasando mal y eludía la cuestión quedándose en Turquía—. ¿Te gustaría venir a Londres a verme?

Sólo lo planteó como una posibilidad más, aunque estaba segura de que él no aceptaría ya que todavía se escondía a los ojos del mundo en el *Sea Star*.

—India, tengo muchas ganas de verte, pero supongo que estás demasiado ocupada para pasar un rato con un amigo.

Y en verdad, en cinco meses se habían convertido en grandes amigos. India había compartido con él sus temores y el gran chasco que se llevó con Doug, al tiempo que, desde la muerte de Serena, Paul había llorado más de una vez en su hombro. En poco tiempo, y en ocasiones desde la lejanía, habían compartido muchas cosas.

—Además, sospecho que me da miedo volver a la civilización —añadió Paul.

Ella sabía que aún le resultaba muy doloroso.

—No tienes por qué regresar enseguida.

Paul resolvía la mayoría de los asuntos por fax y teléfono y del resto se ocupaban sus socios. India opinaba que era mejor que continuase en el *Sea Star*, ya que el velero actuaba en su ánimo como una clínica de recuperación.

—¿Cómo reaccionaron los chicos cuando te despediste de ellos?

La mañana anterior Paul había pensado mucho en la situación de India.

—Muy bien, mejor que Doug. Celebramos Acción de Gracias con un día de anticipación y Doug apenas me dirigió la palabra. No creo que acepte de buena gana la realidad y seguro que sufriré las consecuencias.

—Pues prepárate para afrontarlas. Después de todo, ¿qué puede hacer?

—En primer lugar, me puede poner de patitas en la calle... Podría dejarme —apostilló India con seriedad y quedó muy claro que estaba preocupada.

—Sólo un insensato lo haría. —Ambos sabían que Doug era un tipo inaccesible y Paul lo veía más claramente que su amiga—. Me parece que arma jaleo para asustarte.

—Es posible. —De todas maneras, había realizado el viaje y estaba en Londres—. Será mejor que me arregle, o llegaré tarde a la próxima fiesta.

—¿Adónde vas? —inquirió el magnate.

—Tengo que confirmarlo, pero creo que al almuerzo que el príncipe Carlos ofrece en el palacio de Saint James.

—Lo pasarás bien. Llámame esta noche para contarme cómo ha ido.

—Sospecho que volveré muy tarde. Esta noche acudiré a la cena previa a la boda.

—Tienes entre manos un reportaje agotador —dijo con tono burlón, pero se sentía como el ángel custodio de India. La había visto superar el sufrimiento que había representado conseguir aquello, y deseaba compartir su victoria—. Me acostaré tarde. Llámame, ya que estamos casi en la misma franja horaria. Supongo que mañana pondremos rumbo a Sicilia. Pasaré una temporada en Italia y en Córcega. Me gustaría terminar mi periplo en Venecia.

—Señor Ward, lleva una existencia muy dura en esa cáscara de nuez que lo traslada a todas partes. Lo compadezco de corazón.

—Es lógico que me compadezcas —replicó Paul con más seriedad de la que pretendía.

Por las conversaciones anteriores India sabía que se sentía muy solo. Todavía añoraba a Serena, y la fotógrafa sospechaba que, con más frecuencia de lo que estaba dispuesto a reconocer, bebía o lloraba para conciliar el sueño. Sólo habían transcurrido tres meses desde el trágico accidente.

—Te llamaré —añadió India con tono alegre.

En cuanto colgaron se asomó a la ventana y contempló Brook Street. Todo le resultó conocido, familiar y muy inglés. Se sentía feliz de estar en Londres. Recordó que tenía que enviar postales a sus hijos. Lo había prometido. Si disponía de tiempo iría a Hamley's y compraría juguetes y juegos para Sam, Aimee y Jason. Buscaría para Jessica algo más apropiado para su edad. Si le quedaba tiempo, entre un reportaje y otro visitaría Harvey Nichols. Pero antes tenía que ponerse manos a la obra.

Aún pensaba en Paul cuando se sumergió en la espaciosa bañera. Le encantaba hablar con él y abrigaba la esperanza de verlo pronto. Por muy lejos que estuviera era un amigo sincero.

Dedicó la tarde a tomar fotos de los miembros de la familia real. Lo pasó de maravilla y se encontró con un fotógrafo que conocía. En el pasado habían cubierto una noticia en Kenia, y hacía casi veinte años que no se veían. Era un irlandés divertidísimo llamado John O'Malley, y después de la celebración la invitó a tomar una copa en un pub.

—¿Dónde diablos te habías metido? Supuse que al final te habían abatido mientras cubrías una de aquellas noticias delirantes —comentó John sonriente, muy contento de volver a verla.

—Pues no. Me casé, tengo cuatro hijos y llevo catorce años retirada.

—¿Por qué has vuelto? —preguntó sonriente.

John había terminado su trabajo y bebía whisky irlandés.

—Porque lo echaba de menos.

—Estás chiflada, ¿sabes? Siempre supe que lo estabas. Nada me gustaría más que retirarme junto a mi esposa y mis cuatro hijos. Este reportaje no es ni remotamente tan peligroso como los del pasado... a no ser que los miembros de la realeza nos ataquen. Por si no lo sabes podrían agredirnos. Podría desencadenarse una guerra si se pelean por los entremeses. Por no mencionar a esos impresentables del ira. A veces me avergüenza decir que soy irlandés.

Hablaron de la bomba que los terroristas habían colocado en septiembre e India comentó que la esposa de un amigo viajaba en ese avión.

—¡Fue algo terrible! —exclamó John O'Malley—. Detesto los atentados. Siempre pienso en los niños. Que maten a los militares o bombardeen una fábrica de armamento pero, por favor, que dejen en paz a los niños. Esos cabrones siempre se cargan a los niños. En cada maldito país con problemas asesinan a los niños. —Había pasado una temporada en Bosnia y odiaba cuanto había visto. Los serbios decapitaban a niños croatas mientras sus madres los sostenían en el regazo. Era lo más terrible que había visto desde sus tiempos en Ruanda—. Querida, no te preocupes. Al segundo whisky las salvajadas del hombre contra el hombre es uno de mis temas preferidos. Con el tercero me pongo romántico y más vale que tengas cuidado.

John O'Malley no había cambiado e India se alegraba de hablar con él. Le presentó a un periodista que se sentó a su mesa. Era australiano, y aunque no poseía la simpatía de John, comentó la fiesta con un agudo sentido del humor. El australiano añadió que en el pasado habían trabajado juntos en Pekín, pero India no recordaba sus facciones.

Cuando salieron del pub O'Malley había cogido una buena cogorza. India tenía que regresar al Claridge's y cambiarse para otra fiesta. Se alegró de que fuese la última antes de la boda. La celebraban en una casa en Saint James's Place, rodeados de lacayos con librea y resplandecientes arañas de luces.

A medianoche regresó al hotel y llamó a sus hijos. Estaban a punto de cenar. Habló con ellos y comprobó que estaban bien. Le contaron que el día anterior se habían divertido en Greenwich, que la echaban de menos y que el sábado su padre los llevaría a patinar. Luego quiso saludar a su marido, pero Doug pidió a los chicos que dijeran que estaba ocupado preparando la cena. No le habría costado nada coger el teléfono, como India hacía mientras cocinaba. Captó el mensaje: Doug había afirmado que no tenía nada más que decirle y, por lo visto, hablaba en serio.

Al colgar se sintió sola y decidió telefonear a Paul. Suponía que aún no se había acostado. Paul estaba despierto y le contó la fiesta con pelos y señales. Le agradaba charlar con él a la hora que fuese y contarle lo que hacía.

Hablaron largo rato. Paul conocía a los anfitriones. Al parecer había tratado a todos los asistentes y las descripciones de India le causaron gracia. Había sido un velada interesante, plena de aristócratas y de personas distinguidas. India comprendió claramente que no quisieran enviar a un reportero de plantilla y se sintió halagada de que la hubiesen elegido a ella.

—¿A qué hora es la boda? —preguntó Paul y bostezó, soñoliento.

Esa noche el mar se encontraba embravecido. De todos modos, no le molestaba, más bien le encantaba.

—A las cinco en punto.

—¿Qué harás hasta entonces?

—Dormir. —Sonrió. No había tenido un momento libre desde su llegada a Londres. Todo era como en los viejos tiempos, aunque en este caso con tacones de aguja y vestidos de fiesta—. A decir verdad, me gustaría hablar con la policía. Me han dejado un mensaje y el domingo empiezo con el otro reportaje.

—No pierdes ni un segundo, ¿eh? —Serena también era así, pero Paul no lo mencionó. Siempre tenía trabajo entre manos: un libro nuevo, un nuevo guión, una revisión, una corrección de galeradas. Paul echaba de menos su vitalidad, añoraba todo lo relacionado con su difunta esposa—. Llámame mañana y cuéntame los detalles de la boda.

Al magnate le atraía el trabajo de su amiga y la posibilidad de comunicarse a cualquier hora del día o de la noche, algo que cuando ella estaba en Westport no podía hacer.

—Te llamaré cuando vuelva al hotel.

—Mañana por la noche estaremos navegando. —Paul tenía debilidad por las travesías nocturnas e India lo sabía—. Estaré de guardia a partir de medianoche. —Ella supo que cogería el teléfono en la cabina de mando—. Me ha gustado mucho hablar contigo. Me recuerdas un mundo que me obstino en olvidar.

Paul no quería estar en tierra firme sin Serena, aunque las noticias que India le transmitía lo divertían.

—Volverás al mundo el día que te apetezca.

—Supongo que sí, pero no me imagino sin ella —reconoció apesarado—. Juntos vivimos tantas cosas divertidas que no me veo haciéndolas solo. Soy demasiado viejo para empezar de nuevo.

India era consciente de que no era tan viejo, aunque se sintiera así. Tenía la sensación de que la pérdida de Serena lo había envejecido.

—Hablas como yo. Si no soy demasiado vieja para volver a trabajar, tú tampoco lo eres para retornar al mundo en cuanto estés en condiciones.

Se llevaban catorce años, la diferencia de edad no suponía

ningún problema. Por momentos parecían hermanos y en algunas ocasiones India experimentaba la misma excitación que había percibido cuando se conocieron. Paul jamás aludía a esa cuestión. No quería ser infiel a Serena y todavía se sentía culpable por no haber muerto con ella. Nada justificaba que la hubiese sobrevivido. Su hijo era adulto y sus nietos tenían la vida asegurada. Sentía que nadie lo necesitaba y lo comentó con India.

—Yo sí —murmuró dulcemente la fotógrafa—. Te necesito.

—No, no es verdad. Ahora has aprendido a andar sola.

—Yo no estaría tan segura. Antes de irme Doug ni siquiera me dirigía la palabra. Ya veremos qué sucede cuando vuelva a Westport. Sabes perfectamente que deberé enfrentarme a una situación muy difícil.

—Tal vez. Será mejor que de momento no pienses en ese asunto. Tienes muchas cosas de las que ocuparte antes de emprender el regreso.

Ambos sabían que pocos días después tendría que afrontar la situación. El viernes regresaba a Estados Unidos pues quería pasar el fin de semana con sus hijos.

—Hablaremos mañana —dijo India.

Se despidieron y colgaron. Cada vez que se comunicaban se sentían extrañamente cómodos. India reflexionó y pensó que tenía la sensación de que conocía a Paul de toda la vida. Habían recorrido un largo camino y salvado obstáculos difíciles. Paul había sufrido más que ella, aunque su trayecto tampoco había sido un lecho de rosas.

Estaba acostada a oscuras y a punto de dormirse cuando sonó el teléfono. Supuso que eran sus hijos o Doug, por lo que se sorprendió al oír nuevamente a Paul.

—¿Dormías? —susurró él.

—No. Estaba tumbada y pensaba en ti.

—Yo también. India, llamo para decirte cuánto admiro lo que has hecho... y lo orgulloso que me siento de ti.

¡Paul había llamado para halagarla!

—Gracias. Significa mucho para mí.

Esas cosas eran tan importantes como Paul.

—Eres una persona maravillosa. —Y añadió con voz entrecortada por el llanto—: Sin ti no podría superar lo que estoy pasando.

—Yo tampoco —musitó ella—. En eso pensaba cuando sonó el teléfono.

—Un día de éstos nos encontraremos en alguna parte. Todavía no sé cuándo, pero te aseguro que volveré.

—No te preocupes. Limítate a hacer lo que consideres necesario.

—Buenas noches —se despidió Paul cálidamente.

En cuanto colgó India cerró los ojos y se quedó dormida con una sonrisa en los labios mientras pensaba en su amigo.

16

La boda se celebró al día siguiente y fue excelsa, pura pompa y ceremonial. Incluso antes de revelarlas India supo que había hecho unas fotos magníficas. La novia estaba fabulosa con un vestido de Dior. Era una mujer menuda y delicada y daba la sensación de que la cola del traje medía kilómetros. La suegra le había regalado una tiara exquisita. La celebración del enlace rozó la perfección. Se ofició en la catedral de San Pablo y contó con catorce damas de honor. Semejaba un cuento de hadas e India estaba impaciente por mostrar las fotos a sus hijos, pues así comprobarían a qué había ido a Londres.

La recepción se celebró en el palacio de Buckingham y la fotógrafa regresó temprano al hotel. Habló con sus hijos, que acababan de volver de patinar y bebían chocolate caliente en la cocina. Cuando preguntó por Doug respondieron que no estaba en casa, pero no les creyó. Era muy improbable que los hubiera dejado solos. De todos modos, decidió no insistir. Eran las diez y cuarto cuando colgó e inmediatamente telefoneó a Paul. El magnate estaba en el salón de su velero. Comentó que su guardia empezaba a medianoche.

—¿Cómo ha ido la boda? —preguntó.

—Ha sido increíble, como un cuento de hadas. Supongo que ha costado millones.

—Es muy probable. —Paul rió y ella tuvo la sensación de que su amigo estaba de excelente humor—. Serena y yo nos casamos en el ayuntamiento. Después comimos frankfurts picantes en la calle y dormimos en el Plaza. Fue heterodoxo y muy romántico. Serena estaba tan empecinada en no casarse conmigo que cuando acepté pensé que era mejor hacerlo sin esperar un segundo. Dedicó la noche de bodas a decirme lo que no haría por mí, a recalcar que jamás sería una esposa tradicional y a insistir en que no era de mi propiedad. Fue coherente con casi todo, aunque creo que a la larga se olvidó de hacerme cumplir lo que siempre prometí.

Paul aún se refería constantemente a Serena, pero a India eso no la molestaba.

—Hoy miraba a la novia y, como sé que los seres humanos podemos fastidiar nuestra vida, me preguntaba si saldrá bien o se llevarán un chasco. Después de tanto alboroto ha de ser muy incómodo que la pareja no funcione.

—No creo que el alboroto tenga demasiada importancia. A nosotros nos fue bien con los frankfurts y la noche de bodas en el Plaza.

—Probablemente mejor que a la mayoría —exclamó India apenada.

Las bodas desataban su nostalgia, sobre todo últimamente.

—A ti también te fue bien —comentó Paul en voz baja.

El magnate estaba relajado. Bebía una copa de vino y leía cuando India telefoneó. Le encantaba sentarse a leer durante horas.

—¿Cómo ha ido la travesía? —preguntó India, sonriente, pues sabía que cuanto más accidentada mayor era el disfrute de Paul.

—Sin sobresaltos. —De repente cambió de tema—. ¿Te has reunido con la policía para hablar del reportaje?

—Estuve hablando con ellos antes de la boda. La investigación ha dado resultados muy desagradables. Prostituyen a niñas de ocho años. Cuesta creer que haya gente tan desalmada.

—Es una historia estremecedora.

—Lo será.

Ese reportaje estaba más en su línea que el enlace real, aunque se había angustiado al ver las fotos de las pequeñas. Dos días después la policía había planeado una redada y la habían invitado a estar presente.

—¿Correrás peligro?

—Tal vez.

Por nada del mundo se lo habría dicho a su marido, ya que Doug ni siquiera estaba al tanto del reportaje.

—Espero que no te arriesgues —dijo Paul con cautela pues no quería meterse en el trabajo ni en la vida de su amiga.

De todas maneras, tampoco le gustaba que se metiese en problemas.

—La policía hará cuanto esté en su mano para proteger a las niñas. Los jefes de la red son muy duros. Según la policía, los padres vendieron como esclavas a algunas de ellas.

—¡Qué espanto!

India asintió como si Paul pudiera verla y luego hablaron de cuestiones menos sórdidas.

El magnate le resumió el libro que leía y lo que pensaba hacer cuando llegara a Sicilia. La visita a Venecia lo entusiasmaba porque nunca había llegado en velero a la ciudad de los canales.

—No se me ocurre algo más hermoso que estar en Venecia a bordo del *Sea Star* —comentó ella soñadora.

—Es una pena que Sam y tú no me acompañéis.

—A mi hijo le encantaría.

—Y a ti.

Conversaron un rato más, hasta que Paul dijo que tenía que ajustar las velas y verificar el radar. Añadió que la llamaría a la noche siguiente e intercambiaron opiniones sobre Annabelle's, Harry's Bar, Mark's Club y otros locales londinenses que eran los preferidos del magnate. Paul sabía que transcurriría mucho tiempo hasta que volviera a poner los pies en ellos.

A partir de la mañana siguiente el trabajo elegante tocaba a su fin. Vestiría informalmente, colaboraría codo con codo con la policía, se metería en habitaciones llenas de humo y bebería café de máquina.

Esa misma noche leyó parte del material que la policía le había entregado para tener más datos y saber quiénes dirigían la red de prostitución. Le parecían monstruos y se le revolvía el estómago cada vez que pensaba que utilizaban como esclavas y prostitutas a niñas de la edad de Aimee. Se trataba de un mundo que sus hijos jamás conocerían y que ni siquiera podían imaginar. Desde su perspectiva adulta le resultaba impensable, y lo mismo le ocurría a Paul.

A las doce del día siguiente se reunió con los policías y a las ocho de la noche aún seguía con ellos. En cuanto ultimaron los planes de la redada, dos inspectores la llevaron a cenar a un pub cercano y la charla fue muy instructiva. Le proporcionaron gran cantidad de información privilegiada.

Cuando regresó al Claridge's encontró un mensaje de sus hijos, que le enviaban recuerdos y le contaban que se iban al cine. Había otro de Paul, pero cuando llamó comunicaba.

Su amigo volvió a telefonear por la mañana, justo antes de que India saliera.

—Lamento no haber hablado anoche contigo. Había temporal y el viento rondaba los cincuenta nudos.

Por su tono India tuvo claro que a su amigo le había encantado tropezar con el mal tiempo.

Le transmitió la información que la policía le había proporcionado y añadió que la redada estaba prevista hacia las doce de la noche.

—Ten cuidado. Pensaré en ti.

—Me cuidaré.

India se dijo que su diálogo con Paul era muy curioso. Aunque jamás habían mencionado la palabra romance, en ocasiones el magnate la trataba como si fuese su marido. Dedujo que probablemente lo hacía por costumbre y porque echaba de menos a Serena. Nunca había dado pie a que pensase que ella le interesaba en ese aspecto, pero seguía telefoneando. Más que un vínculo entre amantes sus charlas parecían el encuentro de viejos amigos.

—No sé a qué hora terminará la redada, aunque supongo que será a las tantas de la madrugada.

—Espero que no sea así. —Paul era cada vez más consciente de los riesgos que su amiga corría. Los jefes de la red de prostitución no se quedarían cruzados de brazos y de pronto temió hubiese disparos e India resultase herida—. No corras el menor riesgo, por favor. Si es necesario olvídate de los premios e incluso del reportaje. No merece la pena. —Para India se trataba de algo muy importante, pero debía pensar en sus hijos, su situación no era la misma que en el pasado. Lo sabía y pensaba poner mucho cuidado en todo—. Llámame cuando termines. Necesito saber que estás a salvo. Entretanto me quedaré muy preocupado.

—No padezcas. Estaré acompañada por quince agentes y probablemente por un equipo de especialistas.

—Diles que te protejan.

—Lo haré.

Colgó, y fue a Hamley's a comprar cosas para los niños. En Harvey Nichols adquirió un precioso par de zapatos y un bonito sombrero para Jessica y, tal como había quedado, luego se reunió con la policía.

Durante un par de horas se limitó a escuchar a los agentes y a tomar notas y fotos. A medianoche comenzó la redada e India estaba tan preparada como ellos. Entró con el primer equipo, protegida por el chaleco antibalas que le habían proporcionado y con la cámara a punto. Lo que vio en aquella casa de Wilton Crescent, en el barrio del West End, fue desgarrador y patético: niñas de ocho, nueve y diez años encadenadas a las paredes y atadas a las camas, azotadas, maltratadas, drogadas y violadas por hombres de todas las edades y características. Con gran sorpresa, los policías detuvieron a un par de conocidos parlamentarios. Lo más importante fue que atraparon a todos los que dirigían la red. India hizo cientos de fotos de los cabecillas y las menores. La mayoría ni siquiera hablaba inglés. Procedían en su mayoría de Oriente Próximo y de otros sitios y sus padres las habían vendido.

Enviaron a las víctimas a refugios infantiles y hospitales para que les hicieran el reconocimiento médico, las curasen y las atendieran. Contaron más de treinta menores. A India se le partió el corazón, pero supo que tenía entre manos un reportaje fenomenal. Había trasladado personalmente a una menor, una niña de la edad de Sam, con quemaduras de cigarrillo y marcas de latigazos en todo el cuerpo. La pequeña gimió lastimeramente cuando la cogió en brazos y la llevó a la ambulancia. Un sesentón corpulento, gordo y desagradable acababa de tener relaciones con la pequeña. A India le habría gustado golpearlo con la cámara, pero la policía le aconsejó que se contuviera.

Fiel a su palabra, India telefoneó en cuanto llegó al hotel a las seis de la mañana. Paul había pasado la noche en vela, muy preocupado, y en cuanto oyó su voz preguntó angustiado:

—¿Estás bien?

—Físicamente estoy bien. Mentalmente no estoy tan segura. Paul, no sé si podré describirte lo que he visto esta noche. Te aseguro que jamás lo olvidaré.

—Y el mundo tampoco en cuanto vea tus fotos. Supongo que ha sido espantoso.

—Es incalificable.

India le refirió algunos detalles y con sólo escucharla a Paul se le revolvió el estómago. Lamentó que su amiga hubiese tenido que vivirlo. Supuso que en su juventud había visto cosas peores, aunque no existía nada tan angustiante como las criaturas a las que habían rescatado. India añadió que la red también incluía a algunos chiquillos.

—¿Podrás dormir? —le preguntó, más preocupado si cabe, aunque contento de que India no hubiese resultado herida.

—Lo dudo —respondió sinceramente—. Sólo me apetece caminar, darme un baño o hacer algo. Si me acuesto me volveré loca.

—Lo siento muchísimo.

—Alguien tenía que hacerlo y me alegro de que me haya tocado.

India le habló de la niña que había trasladado a la ambulancia y de las quemaduras de cigarrillo que cubrían su delgado cuerpecillo.

—Cuesta imaginar que un hombre sea capaz de hacer cosas así a menores. ¿Has acabado el reportaje?

Paul abrigaba la esperanza de que lo hubiese terminado, pero estaba equivocado. India tendría que regresar varias veces para completar y pulir la historia. Añadió que el jueves lo terminaría y que el viernes cogería el avión a Nueva York. Él había estado a punto de proponerle que volase a Sicilia y pasaran un par de días en el velero, pero comprendió que ella no podía. Además, no sabía si estaba en condiciones de verla. Casi tenía la certeza de que no era así. Pero se habrían visto si de esta forma la hubiera ayudado a olvidar esa historia truculenta, que era el polo opuesto de la boda real.

Estuvieron largo rato al teléfono y mientras charlaban amaneció en Londres. Paul tuvo la sensación de que India estaba a su lado y ella se alegró de charlar con él. Doug jamás habría comprendido sus sentimientos.

Al final Paul le aconsejó que tomase un baño caliente, intentara descansar y luego lo.llamase.

En cuanto colgaron el magnate deambuló por cubierta, contempló el mar y pensó en la fotógrafa. India era muy distinta a Serena y poseía algo innatamente tan poderoso, puro, fuerte y maravilloso que lo aterrorizaba. No sabía qué sucedería ni en qué se estaban metiendo, pero tampoco le apetecía reflexionar sobre la cuestión.

Paul sólo sabía que necesitaba hablar con ella... cada vez más a menudo. A esas alturas le parecía normal que se comunicaran todos los días.

India pensaba exactamente lo mismo mientras se relajaba en la bañera y se preguntaba adónde conduciría esa relación. ¿Qué haría cuando regresase a Westport? No podía llamar de forma constante a Paul. Doug lo vería reflejado en la factura del teléfono y le pediría explicaciones.

No sabía en qué acabaría aquello. Sin embargo, era consciente de que lo necesitaba. Era una especie de droga a la que, sin darse cuenta, se había enganchado. Ésa era la realidad: cada uno necesitaba al otro más de lo que eran capaces de reconocer. Poco a poco, con el paso del tiempo y desde muy lejos se aproximaban lentamente. Cerró los ojos y se preguntó qué sucedería a continuación. ¿Qué estaban haciendo? Abrió los ojos y se percató de que era otra pregunta sin respuesta.

A bordo del *Sea Star*, Paul pensó en India y se sintió muy aliviado de saber que estaba bien. Con actitud reflexiva, se metió las manos en los bolsillos y regresó lentamente a su camarote.

17

India siguió colaborando con la policía e incorporó detalles para el artículo. Tomó más fotos a los presuntos delincuentes e hizo varios retratos desgarradores de los menores. En total había treinta y nueve niños implicados, la mayoría de los cuales fueron ingresados en hospitales, refugios infantiles y orfanatos. Sólo una niña, secuestrada dos años antes, fue devuelta a sus padres. Los restantes habían sido abandonados, vendidos o regalados. Eran niños perdidos y a India le resultaba difícil creer que se recuperaran de las atrocidades sufridas.

Cada noche comentaba con Paul los horrores que había visto, lo que los llevaba a hablar de otras cuestiones, como sus valores, sus temores y sus infancias. Ambos habían perdido a sus progenitores y Paul era hijo único. Su padre había tenido un éxito relativo, en modo alguno comparable con el suyo. Los demonios interiores lo habían arrastrado al éxito y conducido a superar con creces a cuantos lo rodeaban. Cuando India se refirió a su padre y su trabajo, Paul comprendió que lo consideraba un héroe, y lo que sus constantes ausencias habían representado para ella. Nunca formaron una familia de verdad porque él casi siempre estaba viajando, razón por la cual la vida familiar había adquirido tanta importancia para la fotógrafa. Se percató de que ése era el poder que Doug ejercía en ella y el motivo por el cual ella no quería perderlo. Por esta razón hacía cuanto le decía, cumplía sus órdenes y satisfacía sus expectativas. No estaba dispuesta a que sus hijos vivieran sin padre. Aunque había trabajado, la madre de India nunca había atribuido importancia a su quehacer. El padre había sido la figura central de sus vidas y su muerte estuvo a punto de destruir la familia. India también reconoció que las tensiones provocadas por el estilo de vida y el trabajo de su padre pusieron en peligro su matrimonio. Su madre jamás lo consideró un héroe y casi siempre estaba enfadada con él. Sus prolongadas ausencias le habían causado mucha congoja. Por eso India vacilaba en seguir sus pasos y por eso había permitido que Doug le impusiera el abandono de una vida y una profesión tan significativas para ella. De la misma manera que su padre había sido incapaz de renunciar a la pasión por su trabajo y pese a que durante tanto tiempo había sublimado su profesión, ahora India la había recuperado y había comprobado lo mucho que le gustaba.

Mientras fotografiaba los rostros, las miradas y las vidas estragadas de los menores, se dio cuenta de que su trabajo marcaba la diferencia. A través de la cámara y de su propia perspectiva exponía a los ojos del mundo el dolor de esos niños e impedía que volviera a suceder algo tan espantoso con tanta facilidad, que la humanidad reparase en el sufrimiento de los pequeños. Era exactamente lo mismo que había hecho su padre y por eso había ganado aquel Pulitzer que tanto merecía.

Era su última noche en Londres. Había dado los últimos toques al reportaje y se marchaba por la mañana. A pesar de que no había visto a Paul tenía la sensación de que habían pasado juntos esa semana. Cada uno había descubierto en el otro características que nunca hubieran imaginado poseer y que apenas habían supuesto en el otro. El magnate se había mostrado sincero y le había revelado sus sueños, sus convicciones más íntimas y los años compartidos con Serena. El retrato que trazó de su difunta esposa permitió que India no sólo aprendiera mucho sobre ella, sino acerca de él y sus necesidades.

En muchos aspectos Serena había sido incólume, acompañándole en su enorme éxito y apoyándolo cuando las dudas lo asaltaban. Había sido la fuerza impulsora y solidaria. En cambio, ella casi nunca se había apoyado en su esposo, recelaba de necesitarlo y, pese a ser su mejor amiga, temía compartir demasiada intimidad con él o cualquier otra persona. Al magnate no parecía importarle. Habían sido compañeros, pese a que Serena jamás lo había arropado, como hacía India con cuantos la rodeaban. Era imposible encontrar dos mujeres tan distintas. En la amistad con la fotógrafa Paul había encontrado una fuente infinita de cariño, ternura y apoyo. Confiaba en la delicada mano que India le tendía. Parecía que la amabilidad de India era lo que lo mantenía a flote, de la misma manera que daba la sensación de que el apoyo omnipresente de Paul se había vuelto imprescindible para la supervivencia de la fotógrafa. Ambos se preguntaban adónde conduciría la relación.

La víspera de la partida Paul telefoneó a última hora de la noche y parecía sentirse más solitario de lo habitual.

—¿Me llamarás cuando regreses a tu casa? —quiso saber el magnate.

India nunca había telefoneado, era Paul quien siempre lo hacía, pero comprendió que resultaría incómodo llamarla regularmente a Westport.

—No creo que pueda —respondió con franqueza y lo pensó repantigada en la cama de su acogedora habitación—. Dudo mucho que Doug lo entienda. Creo que ni yo lo comprendo.

Sonrió y esperó a que Paul se lo aclarase. El magnate no podía hacerlo, seguía inmerso en los recuerdos de su esposa para saber qué esperaba de India... si es que esperaba algo. Lo que cada uno apreciaba del otro era el vínculo de la amistad. Además, India seguía casada.

—¿Puedo llamarte a menudo... como ahora?

Se habían habituado a charlar todos los días. India aguardaba impaciente sus largas conversaciones después de hablar con sus hijos. Cuando regresase a Westport todo sería distinto.

—Supongo que sí. Llama durante el día. —La diferencia horaria les vendría bien mientras Paul estuviera en Europa. India pensó en Doug y en lo que le debía y suspiró—. Debería sentirme culpable de hablar contigo. Me sentaría muy mal que Doug hiciese lo mismo... que hablara con otra mujer...

—Pero a ti no se te ocurriría tratarlo como él ha hecho contigo, ¿verdad?

Ambos sabían que India no lo había descuidado. Siempre se había mostrado cariñosa, solidaria, amable, sensata y comprensiva. Había cumplido satisfactoriamente su parte del acuerdo, el «pacto» al que Doug se refería sin cesar. Era Doug quien había fallado al negarse a satisfacer sus necesidades, comprender sus sentimientos y darle tan poco cariño y apoyo.

—Doug no es mala persona... Durante mucho tiempo fui feliz con él. Supongo que he madurado. A lo largo de muchos años estuvimos tan ocupados con los niños... mejor dicho, estuve tan ocupada que dejé de hacer caso de lo que Doug me daba o dejaba de darme. Ni se me ocurrió decir que necesitaba más de esto o de aquello o preguntarle si me quería. Tengo la sensación de que ahora es demasiado tarde. Está tan acostumbrado a darme lo mínimo que le resulta imposible entender que necesito más, que necesito que sea generoso conmigo. Cree que me he vuelto loca.

—No te confundas, no te has vuelto loca —la tranquilizó Paul—. ¿Crees que conseguirás lo que necesitas? ¿Volverás a obtener lo que deseas?

—No lo sé. —Se había planteado infinidad de veces las mismas preguntas—. No lo sé. Creo que Doug no me escucha.

—Si no te escucha es un insensato.

Paul sabía que era una mujer que merecía la pena cuidar y mimar.

—¿Tuviste esta clase de problemas con Serena?

En ocasiones Paul había hecho comentarios jocosos sobre su esposa, sobre lo exigente y complicada que era, pero no parecía importarle.

—En absoluto. Había muchas cosas que Serena no soportaba. Cuando me entrometía en sus asuntos me ponía los puntos sobre las íes. Serena manifestaba claramente sus necesidades, sus expectativas y sus límites. Supongo que eso facilitó la convivencia. Siempre supe cuál era mi posición. En mi primer matrimonio la fastidié. Supongo que me comporté como Doug, probablemente peor. Estaba tan ocupado creándome una posición y ganando dinero que permití que la pareja se fuera al garete sin siquiera enterarme. Sin darme cuenta pisoteé a mi esposa. Ya te he dicho que aún me odia y, francamente, no se lo reprocho. —Rió al recordarlo—. Creo que Serena me educó porque hasta entonces fui muy corto de vista.

Pero ahora ya no lo era. India sabía que Paul era un hombre muy sensible, extraordinariamente perspicaz y capaz de expresar sus sentimientos. Además, le contara lo que le contase, siempre la entendía.

—El problema es que soy incapaz de volver a hacerlo sin Serena —prosiguió él—. No se trata de algo genérico. Funcionó gracias a ella, porque era como era, con su capacidad y su magia. No creo que vuelva a amar. —Fue un comentario muy duro e India le creyó—. En mi vida no volverá a aparecer otra persona como Serena.

Durante la reclusión en el *Sea Star* Paul había decidido que tampoco buscaría otra mujer como su difunta esposa.

—Puede que ahora sea cierto, pero no sabes qué te deparará el futuro —comentó India con cautela mientras lo imaginaba tumbado en el camarote—. No eres tan mayor como para renunciar al amor. Es posible que con el tiempo cambies de opinión y conozcas a alguien que para ti sea importante.

India no se refería a sí misma, lo único que pretendía era animar a Paul. Resultaba imposible pensar que, con sólo cincuenta y siete años, esa faceta de su vida estuviera cumplida. Paul era aún joven, vital y bueno, pero de momento la soledad lo dominaba.

—Sé que es imposible —declaró con firmeza.

La fotógrafa siguió pensando que con el paso del tiempo cambiaría.

—No es necesario que lo decidas ahora.

Era muy prematuro para que Paul pensase en otra mujer. Sin embargo, la llamaba todos los días y se habían hecho muy amigos. En los ratos de charla siempre se colaba subrepticiamente el indicio de algo más; aunque defendían a capa y espada la neutralidad de la relación, lo cierto es que reaccionaban como hombre y mujer. Cada vez que pensaba en esta cuestión Paul se convencía de que no estaba enamorado de India ni la pretendía como mujer. Sólo eran amigos y necesitaba su ayuda para salir de una situación difícil. Nunca lo había manifestado sin ambages, pero opinaba que su matrimonio era un desastre y Doug un desalmado que la explotaba, ignoraba y usaba. El magnate tenía el convencimiento de que a Doug le daba lo mismo lo que le ocurriese a su mujer. Si le hubiera importado algo le habría permitido continuar con su actividad profesional e incluso la habría apoyado, mimado y, como mínimo, le habría dicho que la quería. Por su propia conveniencia la había chantajeado y encerrado en un recinto asfixiante. Paul sentía un profundo desprecio por Doug. Pese a sus sentimientos no quería que India corriese riesgos y prometió ser cauteloso cuando telefonease.

—¿No puedes contarle que somos amigos? Explícale que soy una especie de hermano mayor adoptivo.

La ingenua sugerencia de Paul hizo reír a India. ¿Existía algún hombre capaz de entender esa situación? Sabía que Doug la consideraba de su propiedad y no estaba dispuesto a que otro hombre usara lo que era suyo, aunque sólo fuese para conversar y dar ánimos.

—Sé que no lo entendería.

Pero India tampoco. En el fondo, lo que sentía por Paul no era lo que habría sentido por un hermano. Era consciente de que se trataba de un sentimiento más fuerte. Claro que Paul no estaba en condiciones de afrontarlo, aunque sólo fuese por lealtad a Serena.

El magnate le contó que esa semana había soñado con su esposa: viajaban juntos en el avión, el accidente se producía y él se salvaba. En sueños Serena lo acusaba de que no había intentado ayudarla y lo culpaba de no morir con ella. No era difícil descifrar las implicaciones psicológicas de esa pesadilla.

India le preguntó si se consideraba responsable o culpable de la muerte de Serena.

Con voz quebrada Paul respondió que se censuraba por no haber muerto a su lado. India percibió que lloraba amargamente.

Ella insistió en que no se culpara y que era algo que no debía haber ocurrido. Paul sufría la culpa del superviviente y era una de las razones por las que se había recluido en el *Sea Star*. India sabía que, tarde o temprano, el magnate tendría que afrontar su regreso al mundo. La pérdida todavía era muy reciente. Sólo hacía tres meses de la muerte de Serena y Paul aún no estaba preparado. Con el transcurso del tiempo tendría que volver; no podía esconderse eternamente. India le aconsejaba que se concediese tiempo y Paul repetía tercamente que estaba seguro de que jamás lo superaría.

La fotógrafa insistía en que lo conseguiría si se lo proponía y le preguntó qué opinaría Serena.

Paul respondió risueño que Serena le habría dado una patada en el trasero. Si estuviera en su lugar, la escritora habría vendido el velero, comprado un piso en Londres y una casa en París para dedicarse a organizar fiestas. Siempre había dicho que no interpretaría el papel de viuda inconsolable y que era mejor que Paul no se molestase en sufrir un infarto a causa del exceso de trabajo. Insistía en que la situación le resultaría espantosamente aburrida. Paul sabía que no hablaba en serio pero tenía la certeza de que Serena habría afrontado la realidad mucho mejor que él porque, probablemente, era más fuerte.

India sabía que Paul también era fuerte, pero estaba muy unido a su esposa y le resultaba difícil deshacer esos vínculos. Le repetía que conservara las partes positivas de Serena: los recuerdos, las alegrías, el ingenio, el humor, el entusiasmo compartido y la felicidad que le había proporcionado. De momento Paul no había hallado el camino. Entretanto, en India encontraba un rincón cálido donde esconderse, una mano que estrechar, un alma sensible que lo consolaba. Durante la última semana había llegado a necesitarla más de lo que estaba dispuesto a reconocer. La imposibilidad de hablar con ella cuando quisiese comenzaba a afectarlo. Se preocuparía mucho porque sabría que India estaba en territorio enemigo. Y el temido enemigo era, en realidad, su marido. Paul no era más que una voz por teléfono, un hombre al que había visto un par de veces durante el verano anterior. En modo alguno estaba preparado para ser algo más. De todas maneras, quería mantener lo que juntos habían encontrado.

—Te llamaré todos los días a la hora de comer —prometió el magnate y de pronto reparó en que los fines de semana quedaban sin resolver.

—Los fines de semana telefonearé yo —sugirió India y se sintió culpable—. Tal vez pueda acercarme a una cabina cuando lleve a Sam a jugar a fútbol.

Esa solución contenía algo subrepticio que la inquietó. Lo cierto es que no quería que en la factura telefónica se reflejaran sus llamadas. Por muy inocente que fuese le resultaría imposible hacérselo entender a su marido. Fue el primer pacto secreto que estableció en su vida, su primer acto clandestino. Cuando recapacitó se dio cuenta de que era distinto a los encuentros que Gail tenía en los moteles. Muy distinto.

Esa noche charlaron más de lo habitual y se sintieron muy solos al poner fin a la conversación. India tenía la sensación de que su última velada en Londres la había pasado con Paul. Los inspectores de policía con los que había trabajado esa semana la invitaron a salir, pero se excusó en que estaba muy cansada. Se alegró de permanecer en la habitación del hotel y hablar por teléfono con Paul.

Por la mañana acabó de cerrar la maleta y estaba a punto de irse cuando sonó el teléfono.

—Sólo quiero despedirme y desearte buen viaje —murmuró Paul ligeramente cohibido. A veces se sentía como un adolescente cuando la llamaba, pero le gustaba—. Dale recuerdos a Sam.

Paul se preguntó si se los daría o si lo comentaría con Doug. La situación de amigos telefónicos era realmente peculiar.

—Paul, cuídate mucho, y gracias de nuevo...

El magnate le había prestado muchísimo apoyo mientras realizaba los reportajes. Había defendido su deseo de volver a trabajar y, finalmente, ella lo había conseguido gracias a su estímulo.

—No te olvides de enviarme las fotos. Ya te diré a qué señas. —Contaba con varias direcciones en las que recibía el correo, los contratos y los documentos que le enviaban del despacho—. Me muero de ganas de verlas.

Charlaron unos minutos más y de repente se produjo un extraño silencio. India contempló por la ventana los tejados de Londres.

—Te echaré de menos —murmuró tan quedamente que Paul apenas la oyó.

Aunque no se vieran era agradable saber que se encontraban en la misma zona del mundo. En Westport tenía la sensación de hallarse en otro planeta.

—Yo ya te añoro —reconoció Paul, olvidando su dolor y su lealtad a Serena—. No permitas que abusen de ti.

Ambos sabían a quién se refería y la fotógrafa asintió con la cabeza.

—Y tú no seas tan duro contigo mismo y tómatelo con calma...

—Lo haré. Tú también. Te llamaré el lunes.

Era viernes, por lo que había un fin de semana de por medio, a no ser que India llamase desde una cabina. De pronto, se preguntó si era factible. Durante su estancia en Londres hablaban mucho cada noche y pensó cómo se sentiría si durante un par de días no se comunicaban. Le bastó pensarlo para que la soledad la dominase.

India debía apresurarse para llegar al aeropuerto y colgaron. Durante el trayecto y el vuelo pensó en Paul. Estuvo largo rato mirando por la ventanilla y reflexionó sobre lo que el magnate había dicho sobre sí mismo y acerca de Serena. Él estaba seguro de que no volvería a amar, pero ella no acababa de creérselo. Otra parte de su ser se preguntaba si estaba enamorado de ella. ¡Qué disparate! Sólo eran amigos. Se repitió esa frase durante todo el vuelo a Estados Unidos. Sus propios sentimientos no contaban. Paul había dicho que sólo eran amigos.

18

Cuando entró en su casa —a las cinco y cuarto de la tarde del viernes—, India encontró a sus hijos en la cocina. Comían golosinas, jugaban, se incordiaban y el perro no dejaba de ladrar. Le bastó verlos para tener la sensación de que no había estado fuera. Londres se trocó en una especie de sueño, los reportajes se volvieron irreales y su amistad con Paul pareció inexistente. Ésta era su vida, su realidad y su existencia.

En cuanto la vieron Aimee soltó un grito, Jason y Sam se acercaron corriendo y Jessica la saludó con la mano y sonrió de oreja a oreja sin dejar de hablar por teléfono con una amiga. De repente se vio rodeada de niños y descubrió que los había echado mucho de menos. Durante una semana había llevado una vida estrictamente de adulta, muy independiente y libre. Había sido emocionante, pero ésta era todavía mejor.

—¡Cuánto os he añorado! —reconoció.

Abrazó a sus hijos, que finalmente se apartaron. Los cuatro a la vez le contaron lo sucedido a lo largo de la semana. Sam había marcado el gol de la victoria en el partido, a Aimee se le habían caído dos dientes, a Jason le habían quitado el aparato de ortodoncia y, según ellos, Jessica tenía un nuevo amigo. India los escuchó como siempre y, al cabo de diez minutos de celebrar su retorno, los chicos subieron a realizar las tareas escolares, telefonear a los amigos y ver la tele. A las seis de la tarde India se sentía como si nunca hubiera salido de su casa.

Llevó la maleta al dormitorio, se sentó en la cama y paseó la mirada en derredor. Nada había cambiado. Era el mundo seguro y cerrado de siempre y los hijos habían sobrevivido. Ella también seguía viva. De una manera peculiar el viaje se volvió irreal, como si sólo fuese producto de su imaginación.

Pero recuperó su realidad cuando, a las siete de la tarde, vio la expresión de Doug al llegar del trabajo. Tenía muy mala cara y apenas la saludó antes de sentarse a cenar. La niñera estaba en casa y se marchó poco antes de que apareciera Doug. De cena tomarían bistec con puré de patatas y judías. Hasta la cocina parecía ordenada cuando India se acercó para besarlo. Todavía no se había quitado la ropa con la que había viajado: pantalón negro de lana y un jersey grueso para no pasar frío en el avión. Intentó besarlo y Doug se apartó. Hacía ocho días que no hablaban, desde la mañana de la fiesta de Acción de Gracias. Cada vez que había llamado los chicos le dijeron que Doug estaba fuera u ocupado, y él no había telefoneado.

—¿Cómo ha ido el viaje? —preguntó Doug formalmente cuando se sentaron a la mesa.

Los niños percibieron la tensión soterrada que existía entre sus padres.

—Fantástico —contestó India con afabilidad.

Les contó la boda con todo lujo de detalles. A las chicas les encantó. Hasta Jason y Sam quedaron impresionados cuando comentó que habían asistido reyes, reinas, primeros ministros y el presidente y la primera dama.

—¿Has saludado al presidente de mi parte? —bromeó Sam.

—Desde luego. —India sonrió a sus hijos—. El presidente me pidió que enviara recuerdos a su amigo Sam.

Sam rió. Con excepción de Doug, que durante la cena permaneció ceñudo, todos estaban de excelente humor.

La crisis estalló cuando subieron al dormitorio.

—Por lo visto lo has pasado bien —la acusó Doug.

No había percibido el menor remordimiento en su esposa por haberlos abandonado. Por si esto fuera poco, no la asustaban las incomodidades que le había causado ni las consecuencias de su decisión. Ése era el don que Paul le había transmitido. Por primera vez en muchos años India estaba cómoda en su piel e incluso orgullosa de lo que había conseguido. Al notar que Doug la miraba furibundo experimentó un ligero temblor.

—He realizado un buen trabajo —comentó impávida y sin disculparse. Lamentaba que Doug no compartiese su satisfacción—. Los chicos están bien.

Los hijos eran el vínculo compartido, lo único a lo que podían aferrarse ya que no se tenían el uno al otro. Doug no la había tocado, abrazado ni besado. Evidentemente estaba muy enfadado.

—Pues no es precisamente gracias a ti —espetó como respuesta al comentario sobre los chicos—. Me parece significativo que estés dispuesta a hacer a tus hijos lo que tu padre hizo contigo. ¿Has pensado en la cuestión a lo largo de esta semana?

Pretendía que se sintiera culpable pero, de momento, no lo había conseguido.

—Una semana en Londres no es lo mismo que seis meses en Da Nang o un año en Camboya. Es muy distinto.

—Poco a poco todo se andará. Estoy seguro de que sólo es cuestión de tiempo.

Doug se mostraba cada vez más desagradable.

—Pues no lo es. Tengo muy claro lo que estoy dispuesta a hacer.

—¿De veras? ¿Qué estás dispuesta a hacer? ¿Por qué no me lo explicas?

—Sólo aceptaré algún encargo ocasional como el de Londres —respondió sin darle más vueltas a la cuestión.

—¿Tiene que ver con tu vanidad y con tu orgullo? ¿No te alcanza con quedarte en casa y cuidar de tus hijos? Necesitas salir al mundo y pavonearte, ¿verdad?

Doug habló como si ella fuera una exhibicionista.

—Adoro mi trabajo y os quiero muchísimo. Una cosa no excluye la otra.

—Tal vez sí. No está muy claro si son o no excluyentes.

Las palabras de su marido encubrían una amenaza y el tono enfureció a India. Estaba cansada del viaje, para ella eran las dos de la madrugada y desde su llegada Doug había sido implacable.

—¿A qué te refieres? ¿Intentas amenazarme?

—Ya sabías a qué te exponías cuando te largaste la víspera de Acción de Gracias.

—Doug, yo no me largué. La noche antes preparé la cena y a los niños les pareció bien.

—Pues a mí no me gustó y lo sabes.

—El mundo no gira a tu alrededor. —Eso era lo que había cambiado entre ellos. Ahora al menos una parte del mundo giraba alrededor de ella—. ¿Por qué no lo dejas estar? Yo ya lo he olvidado. Los niños están bien y seguimos adelante. Sólo se trata de una semana en nuestras vidas y me ha sentado de maravilla. ¿No lo notas?

India aún intentaba que le hiciera caso pero, por mucho que la escuchase, lo cierto es que su felicidad no le importaba.

—Lo único que noto es que se trata de un estilo de vida que no me va. India, éste es el fondo del problema.

Ella comprendió que su marido sólo pretendía controlarla. Estaba rabioso por lo que consideraba insubordinación y traición. Pero no estaba dispuesta a dejarse controlar. Quería que la amase y empezaba a pensar que no era así. Mejor dicho, hacía tiempo que lo intuía.

—Lamento que le des tanta importancia. No tiene por qué ser así. ¿Qué tal si lo dejas estar una temporada a ver qué ocurre? Si se complica demasiado, si afecta en exceso a los chicos y no podemos soportarlo, ya lo hablaremos.

India intentaba hacerlo entrar en razón, pero no hubo caso. Su propuesta era racional, característica que él no poseía.

Sin más, Doug cogió una revista y se puso a leer. Así terminó la conversación. La había descartado. En lo que a Doug se refería, ni siquiera merecía la pena discutirlo con su esposa.

India deshizo la maleta, se acostó y lamentó no poder hablar con Paul. Era materialmente imposible y para el magnate eran las cinco de la mañana dondequiera que estuviese, en Sicilia, en Córcega o rumbo a Venecia. Parecía formar parte de otra vida, de un sueño lejano que para India jamás adquiriría realidad. Paul era una voz por teléfono y Doug la persona con la que tenía que convivir.

Al día siguiente India llevó a Sam al fútbol. Hasta el fin de semana Doug y ella no se dirigieron la palabra. Se encontró con Gail, que habló de las compras navideñas. Después de dejar a Sam, India llevó los carretes a Raúl López. Comieron juntos y le dio todos los detalles de los reportajes. Raúl se interesó, sobre todo, por la red de prostitución de menores, ya que sabía que se trataba de una bomba informativa. A las cuatro de la tarde, cuando regresaba de Nueva York a Westport, se detuvo en una gasolinera. Sabía de memoria el número de Paul y en el aeropuerto había cambiado veinte dólares en monedas por si se le presentaba una oportunidad como ésa.

Una voz con acento británico respondió rápidamente:

—Buenas noches, aquí el *Sea Star*.

India reconoció al sobrecargo, lo saludó y preguntó por Paul. En el velero eran las diez de la noche y supuso que el magnate estaba leyendo en su camarote.

Paul respondió con rapidez y la fotógrafa tuvo la sensación de que se alegraba de oírla.

—Hola, India. ¿Dónde estás?

Ella miró alrededor y rió antes de replicar:

—A punto de congelarme en una cabina de una gasolinera. Me he acercado a la ciudad a entregar los carretes y regreso a Westport.

En ese preciso momento empezó a nevar.

—¿Va todo bien?

Paul parecía preocupado.

—Más o menos. Los niños están muy bien, creo que ni siquiera me han echado de menos. —La infancia de sus hijos era muy distinta de la suya. India había estado sola con su madre, mientras que sus hijos se apoyaban unos en otros y llevaban una vida estable y feliz que ella se había encargado de proporcionarles—. Desde que he vuelto Doug no me ha dirigido la palabra, salvo para decirme lo mal que he hecho las cosas y cuestionar por qué me he ido. Aquí no ha cambiado casi nada.

India empezó a tomar conciencia de que nada cambiaría y de que ese paisaje yermo se había convertido en su existencia.

—¿Qué tal las fotos?

Paul siempre mostraba entusiasmo por su trabajo y muy especialmente, por los reportajes que acababa de realizar en Londres.

—Todavía no lo sé. Me pidieron que no las revelara. Las grandes publicaciones se hacen cargo del revelado y montaje. Ya no están en mis manos.

—¿Cuándo las publicarán?

—Las de la boda saldrán dentro de unos días. Raúl ha vendido las de la red de prostitución a una agencia internacional y las publicarán más adelante. ¿Cómo estás?

El frío había insensibilizado los pies de India y sentía que la mano con que sostenía el auricular se había congelado, pero no le importaba. Se alegraba de oír a Paul. Era una voz cálida y amistosa en las penumbras de su vida.

—Estoy bien. Pensé que no volverías a llamarme y empecé a preocuparme.

Paul había fantaseado con que, al regresar a casa, India tendría un cálido y romántico reencuentro con su marido, pero se había inquietado al darse cuenta de que tal posibilidad lo ponía nervioso.

—Desde que regresé no he parado un segundo. Esta mañana llevé a Sam a jugar a fútbol y luego me trasladé a la ciudad. Por la noche iré al cine con los niños. —Era algo que podía hacer mientras Doug la ignoraba. Habría preferido cenar con él y contarle sus experiencias en Londres, pero eso era una utopía. No le había quedado más remedio que llamar a Paul desde una cabina a fin de hablar con un adulto comprensivo—. ¿Dónde estás?

—Acabamos de dejar Córcega, nos dirigimos al estrecho de Mesina y después navegaremos en línea ascendente hasta Venecia.

—Me gustaría estar contigo.

India habló en serio y de pronto se preguntó qué había querido decir. A Paul le agradó el comentario. Habrían charlado toda la noche, jugado a los dados, escuchado música y navegado durante el día. Para ambos era una fantasía arrebatadora, aunque incluía facetas que ninguno había asumido todavía.

—A mí también me gustaría tenerte a mi lado —aseguró él con voz ronca.

—¿Has dormido bien anoche?

Ella siempre se lo preguntaba pues sabía que tenía dificultades para conciliar el sueño. Paul se emocionó.

—Más o menos.

—¿Vuelves a tener pesadillas?

Aún lo obsesionaban las visiones de Serena y la culpa de haber sobrevivido.

—Sí, algo así.

—Toma un vaso de leche tibia.

—Si tuviera tomaría somníferos.

Sus noches se habían convertido en una larga y agotadora batalla.

—Ni se te ocurra. Date un baño caliente o sube al puente y navega un rato.

—A sus órdenes —bromeó él, muy contento de oír su voz—. India, ¿te estás congelando? —preguntó con tono sensual y divertido.

—Sí, pero merece la pena. —Rió. La incomodaba hacer algo tan clandestino y detestaba actuar sigilosamente. De todos modos, era fabuloso charlar con Paul, y de pronto pensó que, en realidad, sus conversaciones eran inofensivas—. Está nevando pero no me hago a la idea de que sólo faltan cuatro semanas para Navidad. Todavía no he organizado nada.

En cuanto las palabras brotaron de su boca se arrepintió de haberlas dicho. Sabía que ese año las fiestas navideñas serían terribles para Paul y que no iría a Saint Moritz, como había hecho siempre con Serena.

—Apuesto que a Sam le encanta la Navidad —comentó tranquilamente el magnate—. ¿Todavía cree en Papá Noel?

—Más o menos. Yo diría que no pero, para no correr riesgos, finge creer. —Ambos rieron y en ese momento la telefonista pidió que introdujera más monedas. India añadió apenada—: Tengo que colgar, se me han acabado las monedas.

—Llama siempre que quieras. Te telefonearé el lunes. Ah, India...

Paul parecía a punto de decir algo importante y a la fotógrafa le dio un vuelco el corazón. En algunos momentos ella tenía la sensación de que rozaban una frontera peligrosa y no sabía cómo reaccionarían cuando la alcanzaran o la cruzasen.

—Dime —murmuró valientemente.

—No bajes la guardia.

Aliviada y decepcionada, India sonrió al oír esas palabras. Seguían en terreno seguro y se preguntó si siempre se mantendrían allí. A veces le costaba esclarecer sus sentimientos. Estaba casada con un hombre que no parecía preocuparse por ella, pero desde una cabina telefoneaba a alguien que se encontraba a miles de kilómetros y se preocupaba de si dormía bien o no. De una manera extraña e inexplicable era como estar casada con dos hombres, con ninguno de los cuales tenía una relación tangible.

—Volveremos a hablar pronto —apostilló la fotógrafa mientras en el frío ambiente de la cabina se acumulaban bocanadas de vapor escarchado.

—Gracias por tu llamada —dijo Paul cariñosamente.

Colgaron y ambos permanecieron inmóviles unos minutos. India se preguntó a qué extremos sería capaz de llegar con tal de hablar con Paul. Por su parte, el magnate decidió alentarla para que siguiese llamando. Reanudaron sus actividades igualmente confundidos y satisfechos de haber conversado, aunque fuese por teléfono.

Al llegar a Westport, India vio que la esperaban para cenar mientras discutían qué película verían. Doug repasaba unos documentos y no le dirigió la palabra ni le preguntó dónde había estado.

Un escalofrío de remordimiento la recorrió cuando su marido se sentó a su lado para cenar. Se preguntó si le gustaría que él llamara a otras mujeres desde una cabina. Claro que ésa no era su situación. Paul era su amigo, su confidente, su mentor. Lo grave no era lo que Paul proporcionaba a su vida, sino lo que Doug no le daba.

Después de muchas protestas, Doug decidió acompañarlos al cine. Fueron a un multicine de nueve salas y Doug y los chicos eligieron una película de acción mientras India y las niñas veían la última de Julia Roberts. Regresaron contentos y de buen humor.

Pese a las tensiones, el fin de semana transcurrió relativamente tranquilo, tanto como podían esperar. India descubrió que tenía que aplicar normas distintas si quería sobrevivir a la soledad de su vida. Siempre y cuando no tuviesen discusiones de fondo y Doug no amenazara con dejarla, el fin de semana discurriría más o menos bien. No se trataba precisamente de una situación perfecta.

Tal como había prometido, Paul telefoneó el lunes.

India le habló de la película que había visto y de la llamada de Raúl para comunicarle que las publicaciones estaban encantadas con sus fotos, y luego le preguntó si seguía teniendo pesadillas. Él respondió que la víspera había dormido a pierna suelta y le contó que no tardaría en aparecer el último libro de Serena, el que incluía el retrato que le había hecho. Se había deprimido al pensar en la publicación de la novela. Era como si Serena siguiera viva. India lo escuchó y asintió con la cabeza.

Después de conversar de diversos temas colgaron. Por la tarde India recogió a los chicos y compró varios regalos navideños.

Durante las dos semanas siguientes Paul la llamó para saber cómo estaba, contarle dónde se encontraba y cómo se sentía. Las Navidades comenzaban a pesarle y hablaba cada vez más de Serena.

India se manejó con Doug lo mejor que pudo, pese a que desde antes de Acción de Gracias la ignoraba y a que parecía que en el dormitorio les separaba una pared de cristal. Se veían, pero no se tocaban y apenas se dirigían la palabra. Ya no eran más que simples compañeros de piso.

India aún tenía expectativas de mantener vivo su matrimonio, pero no sabía cómo hacerlo. Estaba dispuesta a hacer las concesiones que hiciera falta siempre y cuando fuesen razonables, lo que ya no incluía el rechazo de todos los reportajes. Con un poco de suerte tal vez pasarían las Navidades en paz. Esperaba que así fuese por el bien de los niños.

En un par de ocasiones comentó su situación con Gail. A Gail no se le ocurrió otra cosa que aconsejarle una aventura para animarse y modificar las pautas reinantes. India todavía no le había contado sus charlas con Paul. Seguía siendo su secreto más íntimo. Sólo ellos lo conocían, lo que los convertía en cómplices y aliados.

India acababa de hablar con el magnate un día en que Doug regresó tarde del trabajo, entró hecho una furia y le pidió que subiera al dormitorio. No sabía por qué estaba tan frenético. Él dejó el maletín sobre la cama, lo abrió violentamente y, con un brutal ademán, arrojó una revista a sus pies.

—¡Me has engañado! —chilló mientras India lo miraba sin comprender. Pensó que se refería a las llamadas a Paul, pero Doug no estaba alterado por esas llamadas; de hecho, no sabía que existían—. ¡Me dijiste que ibas a Londres a hacer un reportaje sobre una boda!

Señaló la revista que había arrojado al suelo e India notó que su marido temblaba de ira.

—Hice el reportaje de la boda real —confirmó, sorprendida y algo asustada. Nunca lo había visto tan enfadado—. Te mostré las fotos.

La semana anterior habían publicado el artículo y las fotos eran fabulosas. A los niños les habían encantado y su marido se había negado a mirarlas.

—¿Y qué es esto? —inquirió Doug, recogiendo la revista del suelo y acercándosela a la cara.

India se percató de lo que ocurría. Seguramente había aparecido el otro reportaje. Cogió la revista, la hojeó y asintió lentamente con la cabeza.

—Cuando estuve en Londres cubrí otra noticia —explicó quedamente y le temblaron las manos.

Habían publicado el artículo antes de lo previsto. Tenía intención de decírselo a Doug, pero el momento oportuno no había llegado y ahora estaba hecho un basilisco, no sólo porque había realizado un reportaje sin su consentimiento, sino porque el tema le repugnaba.

—Es basura, es la peor porquería que he visto en mi vida. ¿Cómo pudiste tomar esas fotos y firmarlas? Es pornografía pura, basura sin paliativos y lo sabes. ¡Es repugnante!

—Claro que es repugnante... y terrible. Pero no son fotos pornográficas. Se trata de abusos a menores. Quiero que los lectores sientan lo mismo que tú al enterarse de lo ocurrido. Espero que queden asqueados y ultrajados. Ése es el objetivo de mi trabajo.

Doug acababa de demostrar que había hecho un buen trabajo. Lo cierto es que no estaba furioso con los jefes de la red, sino con ella por tratar ese tema. Tenía una perspectiva ligeramente tergiversada de la realidad.

—India, tienes que estar enferma para haber participado en esto. Piensa en tus hijos. ¿Qué opinarán cuando sepan lo que has hecho? Se avergonzarán de ti tanto como yo.

Hasta entonces India no se había percatado de lo cerrado, limitado y arcaico que era Doug. Al oírlo se deprimió.

—Espero que no —apostilló con voz queda—. Aunque a ti te resulte imposible, espero que comprendan que quería ayudar y evitar que vuelvan a cometerse delitos tan terribles. En esto consiste mi profesión, no sólo se trata de tomar fotos bonitas en las bodas. A decir verdad, esta clase de reportajes me van mucho más que el de un enlace real.

—Creo que estás enferma —aseguró Doug fríamente.

—Y yo creo que nuestro matrimonio está más grave que yo. No entiendo tu reacción.

—Me has engañado. No habría permitido que fueras a Londres a cubrir esta noticia. Seguramente por eso no me dijiste nada. Me mentiste.

—Por favor, crece de una vez. Existe un mundo real plagado de peligros, tragedias y malhechores. Si nadie los denuncia, ¿qué evitará que te hagan daño y que se metan con nuestros hijos o conmigo? ¿No lo entiendes?

—Lo único que entiendo es que me engañaste para fotografiar un montón de basura, prostitutas adolescentes y viejos verdes. India, si es lo que quieres de la vida, adelante. Pero si decides vivir en ese mundo no quiero saber nada de él ni de ti.

—Hace tiempo que recibo claramente tu mensaje —repuso ella y lo miró incrédula. Doug no estaba orgulloso, no la felicitaba ni reconocía lo que tal vez había conseguido con el reportaje. Todavía no lo había leído, pero por la reacción de Doug supo que era tan estremecedor como pretendía—. Pensé que lo superarías y que tal vez «me perdonarías» por querer de la vida algo más que llevar y traer a Sam de los partidos de fútbol, pero empiezo a pensar que nada cambiará y seguirás castigándome por lo que consideras mis múltiples delitos.

—India, ya no eres la mujer con la que me casé —la acusó mientras ella lo observaba afligida.

—Desde luego que lo soy. Soy exactamente la misma. Ocurre que hacía mucho tiempo que no era esa persona. Hasta ahora sólo he sido la persona en que quisiste que me convirtiera. Lo intenté, vaya si lo intenté. Supuse que podría ser las dos, la que tú quieres y la que siempre he sido, la misma que era antes de casarme contigo. Y me lo impediste. Lo único que quieres es matar a esa persona y sólo te interesa aquello en que pretendes convertirme.

—Sólo quiero lo que me debes.

Por primera vez en diecisiete años, India sintió que no le debía nada.

—Doug, no te debo nada, sólo lo mismo que tú a mí. Lo que cada uno le debe al otro consiste en ser buenos con nuestros hijos y hacernos felices. Nadie debe al otro una vida desgraciada, la imposición de ser lo que no somos o, peor aún, la privación de algo que nos hace sentir mejor como seres humanos. ¿De qué clase de pacto hablas? Tu propuesta no es nada positiva.

India se expresó con gran dolor y tanto su postura como la manera de mirar a Doug indicaban que se sentía derrotada.

—Me voy —declaró él y la miró con furia. Hacía seis meses que su esposa le provocaba quebraderos de cabeza y estaba más que harto. En lo que a él se refería, India había violado todos los pactos establecidos cuando se casaron—. Estoy hasta el gorro de tus tonterías.

Doug sacó una maleta del altillo del armario, la arrojó sobre la cama y empezó a llenarla. Ni siquiera miró lo que metía: montones de corbatas, calcetines y ropa interior.

—¿Piensas divorciarte? —preguntó ella muy apenada, pues era la peor época del año para separarse.

En realidad, no existía una época buena para divorciarse.

—De momento no lo sé —espetó y cerró la maleta—. Me iré a un hotel de la ciudad. Así no tendré que viajar todos los días en tren y al llegar a casa no te oiré protestar por lo injusto que soy contigo. ¿Para qué te casaste conmigo?

Bastó un puñado de palabras para mandar al garete los años que India había dedicado incansablemente a su marido y sus hijos. Con su actitud rabiosa Doug estaba dispuesto a echar por la borda diecisiete años de matrimonio. India no sabía qué hacer para calmarlo o modificar la situación. No podía renunciar a todo con tal de darle el gusto. Al final sería tan dañino como la actitud de Doug. Además, no estaba totalmente en desacuerdo: los seis últimos meses habían sido una pesadilla.

Doug bajó la escalera y franqueó la puerta sin dirigir la palabra a su esposa ni a sus hijos, que veían la tele en el salón. Cerró de un violento portazo.

India se asomó a la ventana y lo vio alejarse. Nevaba. Las lágrimas resbalaban lentamente por sus mejillas mientras recogía la revista que Doug había arrojado nuevamente al suelo. Se dejó caer en el sillón, leyó el artículo, supo que era lo mejor que había hecho en su vida y que, por comparación, el reportaje de abusos a menores en Harlem parecía un cuento de hadas. La historia de Londres era brutal y lo que las pequeñas habían padecido se traslucía en sus miradas y expresiones. A medida que pasaba las páginas India se alegró de haber cubierto la noticia... pensara lo que pensase Doug.

La noche fue interminable y solitaria. Pensó en Doug y se preguntó dónde estaría. No la llamó para decirle en qué hotel se hospedaba. También pensó en todo lo ocurrido desde junio. Tuvo la sensación de que entre ellos se alzaba una montaña tan alta como el Everest y no supo cómo escalarla.

A las tres de la madrugada se giró para consultar el reloj. Hizo cálculos y concluyó que en Venecia eran las nueve de la mañana. Con un peso en el pecho marcó el número del *Sea Star*, preguntó por Paul y al oír su voz se tranquilizó.

—¿Te encuentras bien? —inquirió Paul—. Tu voz suena fatal. India, ¿estás enferma?

—Más o menos —respondió, y se echó a llorar. Le resultaba extraño llamar a Paul para hablar de Doug, pero necesitaba un hombro en el que llorar y a las tres de la madrugada no podía apelar a Gail—. Anoche Doug me dejó. Mejor dicho, nos dejó. Se ha ido a un hotel de Nueva York.

—¿Qué ha pasado?

—Publicaron el artículo de las menores de Londres. Es una maravilla. Se trata del mejor reportaje de mi vida. Pero a Doug le pareció repugnante, considera que es pornografía, dice que estoy enferma por haber cubierto esa noticia y, en consecuencia, no quiere saber nada más de mí. Dice que lo engañé en lo que al artículo se refiere. Así es, porque si le hubiera dicho la verdad no me habría permitido ir a Londres. —Suspiró—. Pero, Paul, sé que es terrible y a pesar de todo no me arrepiento de haber cubierto esa noticia.

—Hoy mismo compraré la revista. —Se trataba de una publicación internacional y Paul estaba seguro de que la encontraría—. Quiero ver el artículo. —A renglón seguido abordó el problema más acuciante—: ¿Qué harás respecto a tu marido?

—No lo sé. Esperaré a ver cómo reacciona. No sé qué decir a los chicos. Sería absurdo alterarlos si Doug recobra el sentido común. Si no cede, tarde o temprano se enterarán. —Empezó a llorar de nuevo—. Sólo faltan nueve días para Navidad... ¿Por qué se ha ido justo en estas fechas tan señaladas? Echará a perder las Navidades de los niños.

—Se ha ido ahora porque es un cabrón —declaró Paul con un tono que jamás había empleado ante India—. Desde que te conozco se ha dedicado a herirte. No sé cómo era antes vuestra relación, pero apostaría a que sólo funcionó porque siempre hiciste concesiones. —Hacía muy poco que India sabía que era así—. Por lo que me has contado, desde el verano pasado se ha portado muy mal contigo. Lo que has dicho durante los últimos meses alcanza y sobra para que lo dejes sin preocuparte de sus necesidades. —Paul estaba muy contrariado—. Con ese artículo has hecho algo muy importante y lo sabes. Eres un ser humano extraordinario, una gran madre y estoy convencido de que has sido una buena esposa. Doug no tiene derecho a ser tan cabrón. Eres una buena persona, honesta y con talento, y Doug no te merece como esposa.

Mientras lo escuchaba India tuvo la sensación de que un tren expreso pasaba por su lado. Paul estaba muy contrariado y prosiguió:

—Estoy harto de oírte decir que Doug te hace daño. No tiene derecho. Supongo que esta vez ha hecho lo correcto. Puede que a la larga sea una bendición para los niños y para ti. —Ella no estaba tan segura. Aún la embargaban la conmoción, la pérdida y la vergüenza de cuanto Doug había dicho. Jamás olvidaría su expresión cuando abandonó furioso el dormitorio—. India, préstame atención. Te irá bien. Saldrás adelante. Cuentas con tus hijos y tu trabajo. Y él tendrá que mantenerte. No puede abandonarte. La situación no es la misma que a la muerte de tu padre. —Sabía por ella que, al morir, el padre nada les había dejado porque nada tenía y que su madre se había visto obligada a hacer horas extras para llegar a final de mes. Nunca se quejó, pero durante meses las aterró la posibilidad de pasar hambre—. Nada cambiará. Tus hijos seguirán como siempre, estarás bien y os apoyaréis los unos en los otros.

Si Doug la dejaba ya no tendría marido. Hacía casi veinte años que su identidad estaba inseparablemente ligada a la de su esposo. Por muy desgraciada que Doug la había hecho, India tenía la sensación de que le habían arrancado una parte de su ser. Nada era fácil. Se dijo que tal vez habría sido más llevadero renunciar a su profesión, encogerse y secarse interiormente y acatar lo que Doug le exigía. Pero eso habría sido imposible. Sencillamente estaba asustada. Por suerte Paul la ayudaba.

Fugazmente se preguntó si seguiría contando con su amigo. El magnate no había dicho nada. Hablaban casi todos los días, se lo contaban todo y compartían los secretos más íntimos, pero jamás se habían referido al futuro, y ése no era el mejor momento para plantearlo.

—¿Sabes dónde está? —preguntó Paul mientras India se sonaba la nariz.

—No tengo ni idea. No ha llamado.

—Ya lo hará. Tal vez sea mejor así. Te aconsejo que consultes a un abogado. —Ella todavía no estaba en condiciones de hacerlo. Existía una remota posibilidad de que Doug se tranquilizara y regresase. En ese caso avanzarían como pudieran hacia el futuro—. ¿Podrás dormir? —preguntó Paul.

Al magnate le habría gustado estar a su lado para consolarla. India se había expresado como una chiquilla asustada.

—Lo dudo mucho.

Ya eran las cuatro de la madrugada.

—Inténtalo antes de que tus hijos despierten. Te llamaré más tarde.

—Gracias —dijo India y de nuevo se le humedecieron los ojos de lágrimas.

Seguía abrumada por lo sucedido y Paul la comprendió perfectamente.

—Todo saldrá bien —aseguró él, convencido de la valía de su amiga.

En cuanto colgaron India permaneció tumbada un rato y pensó en Paul, en Doug y en los acontecimientos de los últimos seis meses. En plena oscuridad se repitió al infinito que ahora estaba sola.

A bordo del velero, Paul, apenado, contempló, el mar y pensó en India y en los constantes agravios de Doug. Estaba harto de aquello y le habría gustado decírselo a Doug y pedirle que no volviera a acercarse, pero sabía que no tenía derecho a reclamar algo así.

Al cabo de un rato cogió el bote, se dirigió al muelle de Cipriani y compró la revista en la que aparecían las fotos de India. Se quedó en el vestíbulo del hotel y la hojeó. Las fotos eran fabulosas y, en su opinión, Doug estaba mal de la cabeza si las criticaba. Se sintió muy orgulloso de India y a las nueve de la mañana —hora de Estados Unidos— la llamó para decírselo.

—¿Realmente te han gustado? —preguntó ella, incrédula y muy ufana.

No había tenido noticias de Doug y estaba en la cocina, descalza y en camisón, preparando café. Sus hijos aún dormían.

—Nunca había visto algo tan conmovedor e impresionante. Cuando leía el artículo se me caían las lágrimas.

—A mí también me conmovió.

Pensó que Doug sólo había visto la sordidez de la red de prostitución, con la cual la había relacionado.

—¿Has descansado? —preguntó Paul.

—Más o menos. He dormido aproximadamente una hora. Sobre las siete caí rendida.

—Procura dormir la siesta. Ah, date una palmada de mi parte en la espalda por este gran artículo.

—Muchas gracias.

Hablaron unos minutos más y colgaron.

Un rato después telefoneó Raúl y básicamente hizo los mismos comentarios que Paul.

—India, tendré que inventar un premio si por este artículo no te dan el Pulitzer. Son las fotos más fuertes que he visto en mi vida.

—Gracias.

—¿Qué ha dicho tu marido? —preguntó el representante, convencido de que por fin le permitiría llevar a cabo la tarea para la que era tan competente y que tanto le importaba.

—Me ha dejado.

Se produjo una pausa muy larga.

—¿Es una broma?

—No, claro que no. Se fue anoche. Ya te dije que hablaba en serio.

—Pues se ha vuelto loco. Debería pasearte a hombros.

—No seas ingenuo.

—India, lo siento.

El tono de Raúl era sincero. Apreciaba a la fotógrafa y jamás había entendido la oposición de su marido.

—Yo también lo siento —reconoció ella, apenada.

—Tal vez recobre el sentido común y vuelva.

—Eso espero.

En cuanto lo dijo se percató de que ya no sabía qué quería. Poco a poco Paul empezaba a formar parte de una situación cada vez más enmarañada. Ya no sabía si quería hacer las paces con Doug o si prefería creer que, de alguna manera y en algún rincón del planeta, Paul y ella superarían sus respectivas penas y se encontrarían. Por remota que fuese, esa expectativa le resultaba cada vez más atractiva. Paul jamás había aludido a que existieran posibilidades en ese aspecto y la mayoría de las veces India tenía la certeza de que no las había. No podía dejar diecisiete años de matrimonio a cambio de una fantasía confusa con un hombre que juraba que no volvería a enamorarse y que estaba decidido a pasarse la vida escondido en un velero. Fuera cual fuese su relación con Paul, lo cierto es que la consideraba muy importante, pero sólo se trataba de un débil junco al que aferrarse. A decir verdad, más que amor era amistad.

Después de hablar con Raúl pasó el día con los niños y les explicó que Doug había ido a la ciudad a ver a sus clientes. En todo el fin de semana no tuvo noticias de su marido ni de Paul.

El lunes por la mañana telefoneó a Doug al despacho.

—¿Cómo estás? —preguntó apenada.

—Sigo pensando lo mismo, si te refieres a eso —replicó secamente—. Nada cambiará, eres tú la que tiene que cambiar.

A esas alturas ambos eran conscientes de que se trataba de algo improbable.

—¿Dónde estamos?

—Yo diría que en aguas turbulentas —repuso él, inflexible.

—Nuestros hijos pasarán unas Navidades muy tristes. ¿Por

qué no dejamos de lado la cuestión hasta después de las fiestas y entonces intentamos resolverla?

Era una propuesta razonable que, aunque no solucionaba el problema, al menos no aguaba las celebraciones que tanto ilusionaban a los niños.

—Lo pensaré —dijo él y le explicó que tenía una reunión con los clientes.

Durante dos días no tuvo noticias suyas. El miércoles telefoneó y, «por el bien de los niños», accedió a pasar las Navidades en casa. Como no se disculpó ni propuso una tregua, India dedujo que pasarían las fiestas muy tensos.

Esa semana habló todos los días con Paul. El magnate llamó la mayoría de las veces y ella lo hizo de vez en cuando en busca de apoyo moral.

El viernes por la noche, una semana después de su partida, Doug regresó a Westport. Sólo faltaban cuatro días para Navidad y los chicos preguntaban por qué no había vuelto desde el fin de semana anterior. La excusa de las reuniones con los clientes ya no daba resultado y los cuatro se alegraron de ver a su padre.

El regreso de Doug complicó las cosas. Como Paul ya no podía llamarla, el sábado y el domingo India le telefoneó desde una cabina. El lunes era Nochebuena y al volver del supermercado lo llamó a cobro revertido desde una cabina. Paul estaba tan deprimido como su amiga y añoraba a Serena. India se sentía mal por la presencia de Doug, que se dedicaba a complicarle la vida, de modo que rogó que sobrevivieran a las Navidades aunque sólo fuera por los niños.

—Estamos hechos un lío, ¿no te parece? —Paul sonrió nostálgico. Ni siquiera se alegraba de estar en el velero. Se regodeaba con los recuerdos e incluso había mirado las cosas de Serena que había en el camarote—. Me resulta imposible pensar que ya no está —comentó desconsolado.

India seguía sin creer que su matrimonio estaba a punto de romperse. Le costaba entender que a veces la vida se complica demasiado y que las personas enredan las cosas. Paul no tenía nada que reprocharse ni de lo que sentirse culpable, pero su caso era distinto. Doug estaba tan empeñado en responsabilizarla de todo que a veces India se consideraba culpable.

—¿Harás algo especial en las fiestas? —preguntó la fotógrafa con el deseo de darle ánimos. Como Paul vivía en el velero ni siquiera había tenido la posibilidad de enviarle un regalo. En su lugar, redactó un poema, y esa misma mañana se lo había enviado por fax desde la oficina de correos. Al magnate le había encantado. Los graves problemas de ambos seguían sin resolverse—. ¿Irás a misa?

India pensó que Venecia era la ciudad ideal para asistir a la iglesia.

—Últimamente Dios y yo tenemos problemas. Yo no creo en Él y Él no cree en mí. De momento guardamos las distancias.

—Será agradable y te sentirás bien —opinó ella, y movió los pies porque en la cabina hacía un frío polar.

—Probablemente me enfadaré y me sentiré peor —se empecinó él. En su opinión, si Dios existiera no habría perdido a Serena—. ¿Qué harás? ¿Acudirás a la misa del Gallo?

—Siempre lo hacemos. Vamos a la misa del Gallo con los niños.

—Doug debería reflexionar a fondo y preguntarse por qué te ha tratado tan mal últimamente. —No añadió que no era una situación nueva, y sin venir a cuento exclamó—: India, la echo tanto de menos que me resulta insoportable. A veces pienso que el dolor me desgarrará el pecho.

—No dejes de pensar en lo que Serena habría dicho. No lo olvides. Escúchala... Jamás habría querido que te sintieras siempre así.

India sabía que no se sentiría siempre mal y que estaba pasando el momento más álgido. Habían transcurrido menos de cuatro meses desde la muerte de Serena y era Navidad. Estaban tan lejos que se sintió impotente ante el dolor de su amigo. Si hubieran estado juntos lo habría abrazado y consolado pero, dada la situación, Paul ni siquiera hallaba consuelo en sus palabras.

—Serena siempre tuvo más agallas que yo.

—No te equivoques. Creo que en este aspecto estabais a la par. Si te lo propones puedes afrontarlo. No te queda otra alternativa. Tendrás que superarlo. Hay luz al final de ese túnel —afirmó para animarle.

Le habría gustado añadir que ella lo estaría esperando, pero era imposible saber qué depararía el futuro, carecía de certezas.

—¿Y qué me dices de ti? ¿Qué luz hay al final de tu túnel?

Ella nunca lo había notado tan deprimido.

—Todavía no lo sé, pero no estoy tan lejos del final. Sólo espero que haya alguna luz.

—Y la habrá. En algún momento hallarás lo que buscas.

¿Lo encontraría? India tenía sus dudas y Paul no parecía dispuesto a decir que la estaría esperando. Continuaba inmerso en el pasado y en Serena.

La fotógrafa se sobresaltó cuando el magnate declaró:

—India, me encantaría decir que te estaré esperando al final del túnel. Ojalá pudiera, pero sé que no estaré. No seré la luz al final de tu túnel. Si ni siquiera soy capaz de estar al final del mío, menos aún del de otra persona. —Le resultaba imposible iluminar a una mujer catorce años más joven, una mujer con cuatro hijos que tenía toda la vida por delante. Lo había pensado infinidad de veces y, por mucho que la apreciara y que se necesitaran mutuamente, sabía que no tenía nada que ofrecerle. Finalmente había llegado a esa conclusión. Lo había comprendido por la mañana mientras desde el *Sea Star* contemplaba la plaza de San Marcos—. Ya no tengo nada que ofrecer. Se lo he dado todo a Serena.

—Te comprendo —musitó ella—. Me parece bien. Paul, no espero nada de ti. De momento lo único que podemos hacer es ayudarnos. Espero que en el futuro estemos mejor y nos arreglemos cada uno por nuestra cuenta.

Ambos eran conscientes de que necesitaban la mano del otro para superar los obstáculos que afrontaban. Sin duda él había sido muy claro: no estaría esperándola al final del túnel. No quería estar allí. Para ella fue un brutal golpe de realidad y se hizo muy pocas ilusiones. Le gustara o no, no se trataba de lo que deseaba, pero Paul había sido muy franco.

Hablaron un rato más e India dijo que tenía que volver a casa. Estaba muerta de frío y la charla no había sido alegre. Le deseó felices fiestas con lágrimas en los ojos.

—India, lo mismo te deseo. Espero que el año que viene nos vaya mejor. Nos lo merecemos.

Teniendo en cuenta lo que Paul había dicho no tenía motivos para hacerlo, pero le habría encantado decirle que lo amaba. Se contuvo porque habría sido una locura. Ambos necesitaban afecto y tenían muy poco, salvo el mutuo y compartido. Aunque esas palabras no se pronunciaron, quisieran o no enterarse, el tiempo, el cariño y la ternura que se habían proporcionado eran muy elocuentes.

India regresó a casa con el corazón en un puño. Paul le había dicho lo que durante meses se había preguntado y no quería oír, pero al menos ya no podía engañarse con respecto al futuro o a lo que ella significaba para el magnate. Era precisamente lo que se había repetido un millón de veces: una amistad extraordinaria. No podía convertirlo en la red que amortiguara su caída y salvarse de las llamas de su matrimonio fracasado. En el fondo supo que Paul tenía razón al no poder desempeñar ese papel.

Como todos los años, Doug e India fueron a la misa del Gallo con sus hijos. Cuando regresaron, ella acomodó los últimos regalos al pie del árbol mientras Sam dejaba galletas para Papá Noel y zanahorias y sal para los renos. Sus hermanos no quisieron frustrar sus ilusiones.

Por la mañana la casa se llenó de exclamaciones de alegría a medida que abrían los regalos. India los había elegido a conciencia, y a Doug le compró una chaqueta, que necesitaba urgentemente, y un bonito maletín de piel. No se trataba de regalos ingeniosos, pero le iban como anillo al dedo y le gustaron realmente. Él le regaló una pulsera de oro que India encontró muy bonita. Lo que no le agradó fue la persistente actitud hostil que reinaba entre ellos.

El alto el fuego duró poco y por la noche, cuando se dirigieron al dormitorio, ella percibió que la tensión iba en aumento. Temió que Doug volviese a dejarla en cuanto pasase Navidad. Planteó el tema con ansiedad y su marido respondió que había decidido quedarse hasta después de Año Nuevo, pues se había tomado una semana de vacaciones. India pensó que el descanso sería positivo, pero las cosas iban de mal en peor y se peleaban cada día.

Siempre que podía llamaba a Paul, aunque un par de veces no lo encontró porque había desembarcado. Ya le había dicho que no telefonease a su casa hasta pasado Año Nuevo.

Poco después del comienzo del nuevo año Doug entró en la cocina con un sobre en la mano, echando chispas por los ojos. Acababa de recoger el correo y se detuvo delante de India, que doblaba toallas. Agitó la carta en sus narices. Ella pensó que se trataba de la factura telefónica.

—¿Te molestaría explicarme qué es esto? —preguntó furibundo y le arrojó la carta.

—Parece la factura del teléfono.

India se preguntó si subía demasiado y, presa del pánico, repentinamente recordó que durante la semana que Doug había pasado en la ciudad había llamado varias veces a Paul.

—Y lo es, ya lo creo que lo es. —Doug caminó de un lado a otro como un león enjaulado—. ¿De esto se trata? ¿Con que éstas tenemos? ¿La pesadilla de los últimos tiempos ha tenido que ver con tu profesión? India, ¿cuánto hace que te acuestas con él? ¿Compartís la cama desde el verano pasado?

La fotógrafa repasó la factura y comprobó que había cinco llamadas al *Sea Star*.

—No me acuesto con él, sólo somos amigos —repuso quedamente, aunque tenía la sensación de que le estallaría el corazón. No había manera de explicárselo a Doug. Era evidente que inducía al equívoco y comprendía la reacción de su esposo. En realidad, se trataba de amistad y el propio Paul lo había confirmado—. Quedé muy afectada cuando me dejaste. Paul llamó un par de veces para hablar de su esposa. Sabe que yo la apreciaba y se siente muy desgraciado. Eso es todo. Dos seres desdichados que buscan un hombro en el que llorar.

Le costó reconocerlo, pero no había mucho más que decir.

—No te creo —insistió Doug fuera de sí—. Estoy seguro de que te acuestas con él desde el verano pasado.

—No es cierto y lo sabes. Si así fuera nuestra situación no me afectaría tanto ni haría lo imposible por comunicarme contigo.

—¡Déjate de tonterías! Lo único que has hecho es luchar por tu trabajo con la intención de abandonarnos y largarte de aquí. ¿Te has visto con él en Londres?

—Por supuesto que no —replicó serenamente a pesar de que no las tenía todas consigo.

Se sentía apenada, asustada y algo culpable. Tuvo la sensación de que los jirones de su relación con Doug se esfumaban. No quedaba nada por lo que luchar. No había nada que hacer.

—¿Te ha llamado?

—Sí.

—¿A qué os dedicáis? ¿Practicáis el sexo por teléfono? ¿Os excitáis a distancia?

Las palabras de Doug la estremecieron.

—No. Paul llora la ausencia de su esposa y yo sufro por nosotros dos. No tiene nada de erótico.

—Estáis perturbados y sois tal para cual. No pienso soportar un minuto más. Se acabó. No te necesito y tampoco le serás de utilidad a él. Eres una mala esposa y una amante fatal —exclamó con malicia—. Sólo te interesa tu profesión, nada más. De acuerdo, es toda tuya.

Sonó el teléfono y los timbrazos resaltaron las palabras de Doug y aceleraron el pulso de India, que contestó con la esperanza de que no fuese Paul, ya que eso empeoraría las cosas. Se trataba de Raúl y parecía muy entusiasmado.

India explicó que en ese momento no podía hablar, pero el representante insistió. Notó que Doug la vigilaba y, como temió que pensase que era Paul, permitió que Raúl le explicara por qué llamaba.

Quería que hiciese un reportaje en Montana. Se trataba de una secta religiosa que había conseguido muchos adeptos y al parecer se había desmandado. Estaban asediados, tenían rehenes y el FBI los había rodeado. Se trataba de más de un centenar de personas y, como mínimo, la mitad eran niños.

—Será un bombazo informativo —aseguró Raúl.

—En este momento no puedo.

—Tienes que hacerlo. La revista quiere que vayas. Si no fuera importante no te hubiera llamado. ¿Aceptas?

—Te llamaré más tarde. Estoy hablando con mi marido.

—¡Mierda! ¿Ha vuelto? De acuerdo, espero una respuesta antes de dos horas. Tengo que confirmarlo a los directores de la revista.

—Diles que no puedo y que lo siento.

India lo tenía muy claro. No estaba dispuesta a añadir leña al fuego que Doug acababa de encender ni a utilizar su matrimonio como madera.

—Llámame —insistió Raúl.

—Lo intentaré.

—¿Quién era? —preguntó Doug receloso.

—Raúl López.

—¿Qué quería?

—Encargarme un reportaje en Montana. Ya me has oído, le he dicho que no puedo.

—Me da igual. Se acabó. —Doug se expresó con tanto reconcomio que India supo que hablaba muy en serio—. Estoy harto. No quiero saber nada. No eres la mujer con la que me casé ni la que quiero. No me interesa seguir casado contigo. Así de sencillo. Díselo a Raúl López, a Paul Ward o a quien quiera oírlo. El lunes llamaré a mi abogado.

—No serás capaz —murmuró ella con los ojos anegados de lágrimas y pidió clemencia.

—Ya verás si lo soy. Tú ocúpate de tu reportaje.

—Ahora no tiene importancia.

—Ya lo creo que la tiene. Estuviste dispuesta a destrozar nuestro matrimonio por tu profesión. Es lo que querías. Y lo has conseguido.

—No hay por qué elegir una cosa u otra. Podría haber hecho ambas.

—Casada conmigo es imposible.

De pronto estar casada con Doug dejó de ser una opción que le interesara. Lo miró, vio que la observaba cabreado y supo que no la amaba. Por muy doloroso que fuese, tenía que afrontarlo. Se le quitaron las ganas de luchar, le volvió la espalda y lo dejó plantado.

Cogió el abrigo, salió, aspiró una bocanada de aire frío y notó que le quemaba los pulmones. Sintió que se le partía el corazón y, por muy aterrador que resultase, simultáneamente experimentó la imperiosa necesidad de ser libre. No podía seguir viviendo en medio de amenazas, con miedo a que la abandonase, con el manto de culpa que pretendía imponerle o con sus acusaciones constantes. Necesitaba que Doug la dejara sola y desnuda. Ya no tenía nada salvo sus hijos, su cámara, su vida y su libertad. El matrimonio que tanto había cuidado, al que se había aferrado con uñas y dientes y por el que había luchado estaba muerto y enterrado. Tan muerto como Serena. Tal como le había dicho a Paul con respecto a su vida, ahora le tocaba a ella resistir, ser fuerte y sobrevivir.

19

Al final India rechazó el trabajo en Montana y Doug y ella comunicaron a los niños que se separaban. Fue el peor día de su vida y se odió. Jamás había pretendido hacerles algo parecido a sus hijos, del mismo modo que no había querido perder a su padre. Sabía que originaría un cambio en sus vidas tanto como en la suya; pero era consciente de que, como los quería, sobrevivirían.

—¿Papá y tú os divorciáis? —preguntó Sam horrorizado.

India se habría arrancado el corazón, pero Doug ya lo había hecho.

—Eso es, tonto. Lo acaban de decir —confirmó Aimee, que disimuló un sollozo y fulminó a sus padres con la mirada.

Los detestó por destruir en una fracción de segundo su existencia perfecta y sus ilusiones.

Jason guardó silencio, corrió a su dormitorio y se encerró dando un portazo. Luego volvió, pero tenía los ojos enrojecidos e inflamados y se comportó como si no pasara nada.

Cuando India y Doug terminaron de dar explicaciones Jessica se volvió hacia su madre y le espetó:

—Te detesto. Tienes la culpa de lo que pasa por insistir en colaborar con esas estúpidas revistas y hacer fotos tontas. Te oí discutir con papá. ¿Por qué nos haces esto?

Lloraba como una cría y en un abrir y cerrar de ojos perdió su apariencia adulta.

—Jess, para mí es importante, forma parte de mi manera de ser y lo necesito. No es tan fundamental como tú o como tu padre, pero para mí significa mucho y esperaba que papá lo entendiese.

—¡Sois dos estúpidos! —exclamó Jessica, y corrió escaleras arriba, se encerró en su habitación y lloró desconsoladamente.

A India le habría gustado darle una explicación, pero es imposible hacer entender a una chica de catorce años que ya no estás enamorada de su padre. ¿Cómo explicarle que te ha roto el corazón y destruido parte de tu esencia? Ni siquiera India lo entendía del todo.

Sam se sentó en el regazo de su madre y sollozó largo rato sin dejar de temblar penosamente.

—¿Seguiremos viendo a papá? —preguntó compungido.

—Por supuesto.

Las lágrimas caían por las mejillas de la fotógrafa. Le habría gustado volverse atrás, decir a sus hijos que no era cierto y simular que no había sucedido nada. Pero habían ocurrido demasiadas cosas y era imposible retroceder. Todos tenían que afrontar la realidad.

Aunque nadie tenía hambre, India preparó caldo de pollo. Mientras recogía la cocina Sam entró con gesto de preocupación.

—Papá dice que tienes un amigo muy especial. ¿Es verdad, mamá?

Ella se volvió y lo miró horrorizada.

—Claro que no.

—Dice que es Paul. Mamá, ¿es verdad?

India comprendió que Sam necesitaba información. El comentario de Doug había sido muy desagradable, pero ya nada la sorprendía.

—No, cielo, no es verdad.

—Entonces ¿por qué lo dice?

Sam necesitaba creer a su madre.

—Porque está enfadado y dolido. Ambos lo estamos. A veces los adultos decimos tonterías. Al igual que tú, no he vuelto a ver a Paul desde el verano pasado. —No hacía falta que añadiese que habían hablado por teléfono. Además, no estaba liada con Paul, por lo que jamás representaría un problema en la vida de Sam, sólo era su amigo y compañero de navegación—. Lamento lo que ha dicho papá, pero no te preocupes.

Por la noche habló con Doug y empleó términos más fuertes. Lo acusó de utilizar a los hijos para hacerle daño y añadió que si volvía a intentarlo se arrepentiría.

—¿Acaso no es verdad? —replicó él.

—No, no es verdad y lo sabes. Resulta más fácil echar la culpa a los demás. Todo es obra nuestra: destruimos la relación, nadie nos ayudó. Al margen de las veces que hablamos, no puedes achacárselo a alguien con quien hablé por teléfono. Si quieres conocer al responsable de esta situación, mírate en el espejo.

Por la mañana Doug hizo las maletas y abandonó la casa. Dijo que alquilaría un apartamento en la ciudad y añadió que, una vez instalado, quería ver a sus hijos los fines de semana.

De pronto India se percató de que tendrían que acordar muchas cuestiones: la frecuencia, el sitio y los horarios en que Doug se reuniría con los niños, lo que él pagaría para mantener a sus hijos, quién se quedaría con la casa... Sus vidas resultarían muy afectadas.

Después de la partida de Doug permaneció cinco días encerrada y no dejó de llorar por lo que habían compartido y perdido. Paul percibió su aflicción, se mantuvo discretamente al margen y no telefoneó.

Una semana después, India llamó a Paul y hablaron largo y tendido de los niños. Continuaban afectados y Jessica seguía furiosa con su madre, aunque los demás se adaptaban lentamente a la nueva situación. Sam estaba triste. Doug había ido a visitarlos y el domingo los había llevado al restaurante y al cine. Cuando volvieron ella lo invitó a pasar y a charlar, pero Doug la miró como si no se conocieran.

—No tengo nada que hablar contigo —le dijo—. ¿Te has buscado un abogado?

India replicó que no. Todavía no estaba en condiciones de afrontarlo. Su matrimonio estaba acabado, y una parte de su ser deseaba que fuese así, necesitaba distanciarse del sufrimiento constante, pero otra añoraba los buenos años compartidos. Ella sabía que tardaría mucho en superarlo, del mismo modo que Paul necesitaba tiempo para sobreponerse a la muerte de Serena. Paul comprendía lo que le ocurría.

El magnate había regresado a Cap d'Antibes y volvió a llamarla todos los días. Poco a poco transcurrió enero e India empezó a sentirse mejor. Gail le dio el nombre de un abogado especializado en divorcios, pero aun así no se creía del todo lo que le había ocurrido a India.

—¿A qué supones que se debe? —le preguntó una mañana de principios de febrero mientras tomaban un cappuccino.

—A todo —repuso India sinceramente—. Al paso del tiempo, a que Doug no quería que volviese a trabajar, a que se negó a hacer caso de mis sentimientos, a que me negué a hacer lo que le venía en gana. Si lo analizo me sorprende que hayamos durado tanto.

—Siempre supuse que estaríais juntos hasta el final de los tiempos.

—Yo también. —India sonrió nostálgica—. Pero los matrimonios perfectos no existen. Sólo funcionó mientras me atuve a las normas de Doug. En cuanto sacudí la estructura e intenté incorporar mis pautas todo acabó.

—¿Lo lamentas? ¿Te arrepientes de haber movido la estructura?

—A veces. Habría resultado más fácil dejar todo como estaba, pero después de un tiempo fue imposible. Ahora comprendo que necesitaba más de lo que Doug estaba dispuesto a darme. Te aseguro que da miedo.

Ahora la entera responsabilidad de sus hijos recaía en ella sola. No tenía a nadie que por la noche se reuniera con ella en casa o que se preocupase si enfermaba, se rompía una pierna o moría. No tenía más familia que sus hijos.

Durante la conversación, hasta el matrimonio de Gail quedó en cuestión. Hacía años que las cosas no funcionaban bien pero, por mucho que se quejara, su amiga jamás había pensado seriamente en separarse. Lo extraño es que en el caso de India todo parecía ir bien, pero de repente el matrimonio se deshizo.

—¿Qué harás? ¿Venderás la casa? —preguntó Gail.

—Doug dice que no es imprescindible. Puede pagarla. Me quedaré en casa hasta que los chicos crezcan y vayan a la universidad. Entonces la venderemos. Si volviera a casarme la venderíamos antes —sonrió pesarosa—, pero lo veo muy improbable, a menos que Dan Lewison me invite a salir.

En Westport no había nadie con quien le apeteciera salir. Los hombres con los que Gail se veía a hurtadillas estaban casados.

—Tienes muchas agallas —reconoció Gail—. Hace años que me quejo de Jeff y ni siquiera sé si todavía me gusta, pero no podría hacer lo mismo que tú.

—Claro que sí, lo harías si no tuvieras otra opción o si supieras que, quedándote cruzada de brazos, perderías incluso más. Eso me ocurrió a mí. Probablemente quieres a Jeff más de lo que supones.

—Después de oírte hablar de los chicos, la casa, la pensión por alimentos y las vacaciones es posible que cuando esta noche vuelva a casa bese a Jeff —bromeó Gail e India sonrió.

—No estaría de más.

India ya no lamentaba lo ocurrido. Sabía que era por el bien de todos. Ahora tenía libertad y, aunque había asumido la plena responsabilidad de los niños, podía organizarse y aceptar reportajes locales.

En febrero Raúl la envió a Washington a entrevistar a la primera dama. No era un trabajo tan emocionante como acudir a una zona en conflicto, pero caía cerca de su casa y la mantenía en el candelero. Luego cubrió una noticia sobre una mina de carbón en Kentucky. No le quedaba tiempo para hacer vida social. Doug había alquilado un apartamento y según Gail, que estaba al tanto de los cotilleos, salía con una chica. No había perdido el tiempo y empezó a salir con ella un mes después de abandonar el hogar conyugal. Era una divorciada con dos hijos y vivía en Greenwich. Nunca había trabajado, hablaba por los codos, tenía una piernas espectaculares y era muy mona. Tres amigas de Gail la conocían y le contaron hasta el último detalle para que se lo transmitiese a India, pues consideraban que debía saberlo.

Paul seguía llamando todos los días y parecía más animado. Aunque aún tenía pesadillas había recuperado el sentido del humor y se refería a su trabajo. Aunque él no estaba dispuesto a reconocerlo, India sospechaba que lo echaba de menos. Se habían cumplido seis meses de la muerte de Serena y, pese a que la añoraba desesperadamente, era capaz de contar anécdotas divertidas sobre su esposa, de mencionar los disparates que había cometido, las personas a las que había ofendido con elegancia y las venganzas que había tramado. Ya no la veía exclusivamente como un dechado de virtudes, lo que demostraba que no había perdido por completo la perspectiva. De todos modos, cada vez que hablaban quedaba de manifiesto lo mucho que aún la amaba.

El magnate había representado un gran apoyo para India desde la partida de Doug. Sostenía que estaba mejor sola y cuando

India se deprimía le costaba entender que echara en falta a su ex marido. El hecho de que hubiera estado casada con Doug desde antes de que Paul conociera a Serena le resultaba inconcebible. Consideraba que Doug era un cabrón y que India había hecho muy bien al librarse de él, y no admitía que a veces su amiga se entristeciera. Le resultaba difícil aceptar que, al igual que en su caso, India no sólo había perdido a su pareja, sino una manera de vivir y todo lo que la acompaña.

A principios de marzo Paul seguía en el *Sea Star*, pero India tuvo la sensación de que empezaba a estar harto. Para entonces ya conocía sus estados de ánimo, sus caprichos, sus necesidades, sus miedos y sus motivos de enfado. Por extraño que parezca, a veces se relacionaban como si estuvieran casados. Se conocían a fondo y, cada vez que hablaban, Paul insistía en que él no sería la luz que ella encontraría al final del túnel. Afirmaba que siempre podría contar con él como amigo e insistía en que se buscase un hombre con quien salir.

—De acuerdo. No te olvides de apuntar mi número de teléfono en los lavabos del sur de Francia. En Westport no hay nadie que me interese.

—Porque no te lo tomas en serio.

—Tienes razón. Los hombres de por aquí son desagradables, tontos, están casados o empinan el codo. Y a mí no me apetece salir con ninguno.

—¡Qué pena! Estaba a punto de proponerte que asistieras a las reuniones de alcohólicos anónimos. Parece un sitio adecuado para encontrar a alguien con quien salir.

—Pórtate bien o te enviaré divorciadas al velero. Te aseguro que te pondrán los pelos de punta.

Mantenían un trato afable que incluía consuelo y humor. Hacía tanto tiempo que hablaban a diario que les resultaba imposible dejarlo, pese a los estragos que causaba en la factura telefónica de India. Lo más curioso es que ella no sabía si alguna vez volvería a verlo. Al parecer, lo único que querían era esa clase de relación. El coqueteo romántico se había enfriado y desde la partida de Doug a India ya no le preocupaba. Paul había expresado claramente sus intenciones y hacía mucho que aquella electricidad que parecía traspasarlos no les estremecía. Más que otra cosa parecían hermanos.

En cierta ocasión India le habló de un hombre que había conocido cuando acompañó a Sam a un partido de fútbol. Era tan repugnante que le tomó una foto. Se trataba de un individuo obeso, calvo y grosero, que mascaba chicle y se hurgó la nariz antes de invitarla a salir.

—¿Qué respondiste? —preguntó Paul divertido, pues sus anécdotas le encantaban.

El magnate conocía la ironía de India y sabía que no la había perdido pese a los problemas que atravesaba.

—Le dije que nos veríamos en el Village Grille. ¿Crees que quiero quedarme para vestir santos?

Lo cierto es que no se relacionaba con nadie. No le apetecía encontrar a otro hombre, aún le escocía la relación con Doug. Extraía cuanto necesitaba de las charlas por teléfono que, hasta cierto punto, le impedían meter la pata, algo que evitaba por todos los medios.

—No me gustaría que ocurriera —declaró Paul, al parecer decepcionado.

—¿Por qué? ¿Estás celoso?

—¿A ti qué te parece? Además, la semana que viene vuelo a Nueva York y pensé que podíamos comer juntos o cenar... pero estás tan ocupada que...

—¿Qué has dicho? —preguntó India, sin dar crédito a sus oídos. Daba por sentado que Paul se quedaría eternamente en el *Sea Star* y que su existencia sólo era un producto de su imaginación—. ¿Hablas en serio?

—Se celebra una reunión de la junta y mis socios consideran que debo asistir. Quiero ver cómo está Nueva York después de tanto tiempo y... bueno, ya me entiendes, incluso el *Sea Star* puede resultar aburrido.

—Pensé que jamás te oiría decir una cosa así —comentó India radiante de alegría.

—Pensé que jamás lo diría. Afortunadamente Serena no me oye.

Últimamente, cada vez que mencionaba a Serena, su voz no denotaba tanta tristeza.

—¿Cuándo llegas?

—El domingo por la noche. —Hacía semanas que lo cavilaba, pero no lo había comentado con India. No quería crearle expectativas. La posibilidad de reencontrarse aún lo ponía nervioso, pues en la fotógrafa había algo que lo conmovía profundamente. Se sintió como un adolescente en su primera cita cuando preguntó—: ¿Existe la posibilidad de que accedas a verme?

—¿Quieres que te espere en el aeropuerto?

—Claro, es lo habitual. Esta vez no llego por mar. ¿Te resultaría muy molesto desplazarte desde Westport?

—Puedo combinarlo. —Se preguntó si era una decisión que Paul había tomado espontáneamente o si la había planificado. Lo planteó en voz alta—: ¿Cuándo tomaste esta decisión?

—Hace unas semanas. No te lo dije porque quería estar seguro. Esta mañana compré el billete y supongo que iré. India, tengo muchas ganas de verte.

Pronunció esas palabras con un tono peculiar e India dedujo que lo emocionaba regresar a Nueva York y a su apartamento. Se había marchado al día siguiente del funeral y aún no había regresado. La fotógrafa recordaba claramente lo desesperado que se le veía en la iglesia. Por suerte, en el tiempo transcurrido algunas de las heridas habían cicatrizado.

—Me muero por verte —afirmó llanamente, y se preguntó cuánto tiempo se quedaría Paul. Ignoraba si volvía para siempre o para probar cómo le sentaba. Supuso que su amigo tampoco lo sabía y no quiso presionarlo—. Así pues, tendré que cancelar mis citas —bromeó—. ¡Los sacrificios que hacemos por los amigos!

—Conserva sus números de teléfono, tal vez los necesites.

Charlaron unos minutos más y colgaron. Paul se había comprometido a darle más detalles de su llegada.

India estuvo largo rato asomada a la ventana de su casa y buscó indicios de la llegada de la primavera. En vano. Los árboles estaban pelados y el suelo seguía seco. La certeza del regreso de Paul la llevó a sentir que algo estaba a punto de florecer. Ambos habían sobrevivido a un invierno larguísimo y solitario. Merecían una recompensa por lo mucho que habían sufrido, aunque India sabía que la vida no siempre concede recompensas. No premia la desesperación, la tragedia, la pérdida y el valor. Sólo proporciona más de lo mismo. De vez en cuando en medio de la nieve asoma una flor diminuta que nos sirve de aliciente, nos llena de esperanza y nos recuerda tiempos mejores. Nos recuerda que, una vez pasado el invierno, llega la primavera y después el verano.

De momento esos indicios no existían. La aguardaban días largos y solitarios y nada a lo que aferrarse, salvo las llamadas de Paul. Pero ahora volvía. Subió sonriente la escalera y pensó que no debía hacerse demasiadas ilusiones. Pese a todo, la alegría de volver a verlo la embargaba.

20

El domingo por la noche India dejó a los niños con la canguro y fue en coche al aeropuerto. Llovía ligeramente, había mucho tráfico y tuvo la sensación de que tardaba una eternidad. Tenía tiempo de sobra y después de aparcar vio que faltaba media hora para la llegada de Paul.

Deambuló por la terminal, recorrió las tiendas y se miró en el espejo. Se había puesto un traje pantalón gris y tacones. También llevaba la gabardina. Había pensado arreglarse más y ponerse el traje negro, pero al final se dijo que era una tontería. Sólo eran amigos y se conocían tan a fondo que mostrarse seductora o sensual le habría resultado ridículo. Su única concesión a la llegada de Paul consistió en recogerse el pelo a la francesa y maquillarse.

Mientras lo aguardaba se preguntó qué esperaba Paul de ella y por qué le había pedido que fuera a su encuentro. Suponía que lo asustaba regresar a Nueva York y hacer frente a sus recuerdos. Pese al tiempo transcurrido, no le resultaría fácil cuando abriese la puerta del apartamento que había compartido con Serena. Los últimos seis meses Paul había estado escondido y recluido en el *Sea Star* y, a modo de consuelo, había aferrado su mano a distancia. Cualesquiera que fuesen sus motivos, India se alegraba de ir a buscarlo.

Miró la hora varias veces y consultó el tablero que anunciaba la llegada de los vuelos. Se preguntó si habría demora. Al final en el tablero se anunció el vuelo procedente de Londres. Aún debía esperar un rato, ya que Paul tenía que pasar por la aduana. La espera se le hizo interminable.

Transcurrió media hora hasta que los viajeros comenzaron a salir: abuelas gordas, hombres en tejano, dos modelos con sus maletines y una amplia variedad de hombres, mujeres y niños. No sabía si eran compañeros de viaje de Paul, aunque al final oyó hablar en inglés británico y dedujo que procedían del mismo vuelo. De pronto se preguntó si no lo había visto pasar y el pánico la embargó. Había muchísima gente que daba vueltas alrededor de ella. Hacía casi un año que no lo veía y habían transcurrido seis meses desde el funeral, pero entonces apenas lo había vislumbrado. Desde el verano anterior que no se encontraban cara a cara. ¿Y si Paul no la reconocía? ¿Y si se había olvidado de su aspecto?

India miró alrededor y de repente oyó a sus espaldas una voz conocida:

—No te esperaba con el pelo recogido.

Paul había buscado su trenza y a punto estuvo de pasarla por alto. India se volvió rápidamente y recordó las palabras de Gail, que le había contado que los medios de comunicación lo consideraban «indecentemente guapo e ilegalmente atractivo».

Así lo vio cuando Paul le sonrió y la rodeó con los brazos. Había olvidado lo alto que era y el azul de sus ojos. Llevaba el pelo muy corto y estaba muy bronceado.

—Estás preciosa —exclamó Paul mientras la abrazaba.

Ella se quedó sin aliento. Tenía delante la voz con la que había hablado durante seis meses; se trataba de su confidente, del hombre que lo sabía todo sobre ella, el mismo que le había tendido la mano a medida que su matrimonio se iba a pique... Se sintió cohibida e incómoda.

—Y tú estás muy guapo. —Sonrió cuando él se apartó para contemplarla de la cabeza a los pies—. Tienes un aspecto muy saludable.

—No podía ser de otra manera. Hace seis meses que lo único que hago es estar en el barco, engordar y no dar golpe.

Paul no parecía haber engordado. Se lo veía fuerte, joven, ágil e incluso mejor que el verano anterior. En todo caso estaba más delgado.

Mientras recogía el equipaje —sólo llevaba una maleta pequeña y el maletín, ya que en el apartamento tenía cuanto necesitaba— y se dirigían lentamente a la salida, Paul comentó:

—Has adelgazado, pero te sienta bien.

Parecía tan contento de verla que India seguía con la sonrisa en los labios.

—Pues yo pensaba lo mismo de ti. ¿Cómo ha ido el vuelo?

Era el diálogo que habría tenido con Doug si hubiera ido a recogerlo al aeropuerto. Hasta cierto punto Paul y ella se conocían tanto que era como si estuvieran casados. Pero India no se engañaba: sabía que Paul no era su marido ni su amante, sino algo muy distinto. Le pareció fantástico dejar de hablar con una voz incorpórea. Ahora Paul era real, tangible. Sonrió cuando se detuvieron al salir de la terminal.

—Me parece increíble que estés aquí —aseguró India.

En ocasiones había llegado a pensar que su amigo estaría eternamente en el extranjero y no volvería a verlo.

—A mí también me cuesta creerlo. —Paul estaba radiante—. El vuelo fue espantoso. Viajaban doscientos críos llorones y abandonados por sus madres. La mujer que iba a mi lado no paró de hablar de su jardín. Estaré encantado si no vuelvo a oír la palabra rosal. —India rió. Se dirigieron al coche y Paul colocó el equipaje en el asiento trasero—. ¿Quieres que conduzca? —propuso.

Ella supuso que estaba cansado y titubeó. Sabía que a algunos hombres, Doug incluido, les desagrada que las mujeres conduzcan.

—¿Confías en mí?

—Trasladas a tus hijos a la escuela, cosa que yo no hago, y no has bebido tres whiskies, ¿verdad?

Paul había pensado que el whisky era el único antídoto contra los niños que lloraban, pero aun así no se notaba que había bebido.

Subieron a la camioneta e India lo contempló con seriedad. Paul la observó. Ambos tenían los ojos del mismo tono azulado.

—Me gustaría darte las gracias —murmuró ella.

—¿Por qué? —repuso él, sorprendido.

—Por darme ánimos durante estos meses. Sin ti no lo habría superado.

India había hecho exactamente lo mismo por él y el magnate lo sabía.

—¿Cómo va todo? ¿Doug te sigue torturando?

—No; lo ha sustituido su abogado. —Sonrió y puso el motor en marcha—. De todas maneras, creo que está casi todo resuelto.

Doug le había ofrecido pasar una pensión alimentaria a los hijos y una pensión suficiente para vivir con holgura siempre que cada año realizara algunos reportajes. Su propuesta era muy correcta y le permitía conservar la casa nueve años más, hasta que Sam asistiera a la universidad o ella volviese a casarse. El abogado le había aconsejado que aceptara. En Navidades obtendría el divorcio. Ya lo había hablado con Paul por teléfono y éste había opinado que era un buen acuerdo. Aunque no se trataba de nada del otro mundo era aceptable. A Doug le quedaba lo necesario para vivir y, si le apetecía, para volver a casarse. Ganaba un buen salario (no era para el nivel de Paul, por supuesto, pero sí para el corriente). Habían acordado dividir los ahorros que, aunque no ascendían a mucho, proporcionaban cierto desahogo a la fotógrafa.

—Me cuesta creer que he vuelto —comentó Paul en cuanto avistó el perfil de Nueva York.

Después del tiempo transcurrido y de los lugares donde había estado tenía que resultarle extraño. Había visitado Turquía, Yugoslavia, Córcega, Sicilia, Venecia, Viareggio, Portofino, Cap d'Antibes... Había escogido sitios pintorescos para ocultarse, pero no le habían proporcionado alegría a causa del dolor que lo embargaba. Tal como India sospechaba, Paul se ponía nervioso sólo de pensar en su apartamento. Lo dijo y ella lo tranquilizó con una sonrisa.

—Tal vez deberías hospedarte en un hotel —aconsejó con sensatez. India sabía que Paul padecía de insomnio y tenía pesadillas, aunque le había explicado que últimamente estaba mejor.

Le resultaba muy extraño estar sentada a su lado después de las horas que durante meses habían pasado al teléfono y de los secretos que habían compartido. Era más extraño todavía aunar la voz con el hombre. Ambos tenían que acostumbrarse. Paul no dejaba de contemplarla mientras conducía, feliz de estar a su lado.

—Es una posibilidad, sí —reconoció el magnate—. Veré qué pasa esta noche. Tengo que revisar los documentos porque la reunión de la junta se celebra mañana.

Los socios habían amenazado con cortarle el cuello si no se presentaba. Les había resultado muy duro prescindir de él durante medio año y ya se había ausentado de dos reuniones. Opinaban que esta vez debía estar presente.

—¿Es una reunión complicada? —preguntó India mientras enfilaban la FDR Drive, a orillas del East River.

—Lo dudo mucho. Supongo que será aburrida. —La miró con seriedad y preguntó—: ¿Quieres cenar conmigo?

—¿Ahora?

India se mostró sorprendida y Paul rió.

—No; me refiero a mañana. Para mí son las dos de la madrugada y estoy agotado. Mañana podemos cenar en un restaurante que te guste. ¿Qué prefieres, el 21, el Côte Basque o Daniel?

La fotógrafa rió al oír la propuesta. Paul había olvidado en qué mundo real vivía ella.

—He pensado en Jack in the Box o en Denny's. Recuerda que últimamente sólo salgo a comer con mis hijos. —Doug no solía llevarla a cenar a Nueva York. A veces se desplazaban a la ciudad para asistir al teatro y cenaban en cualquier parte. Doug no era de los que llevaban a su esposa a restaurantes de cinco tenedores: los reservaba para los clientes—. Elige tú.

—¿Qué te parece Daniel?

Había sido uno de los preferidos de Serena, pero a Paul también le gustaba. Serena consideraba que no era tan ostentoso como La Grenouille o el Côte Basque, razón por la cual al magnate le encantaba. Lo encontraba más elegante y refinado que los demás. Y la cocina era excelente.

—Nunca he estado —reconoció India—. He leído varios artículos elogiosos y una amiga dice que es el mejor de Nueva York.

Era evidente que salir con Paul no tenía nada que ver con su vida en Westport.

—¿Contratarás a una canguro?

Ella sonrió cuando salieron de la FDR Drive y enfilaron la calle Setenta y nueve.

—Te agradezco el interés por mis hijos. —Sin duda hacía muchos años que no se preocupaba por esas cuestiones e India agradeció que lo tuviese en cuenta—. La contrataré. ¿Quieres venir a casa este fin de semana? Así conocerás a mis hijos. A Sam le encantaría verte.

—Sería muy divertido. Podemos comer en una pizzería e ir al cine.

Paul sabía que la pizza era uno de los platos preferidos de los chicos y deseaba compartirlo con India. Para ambos se había abierto un mundo totalmente nuevo. La fotógrafa seguía desconcertada por su repentino regreso, aunque todavía no lo asimilaba ni sabía cuánto tiempo se quedaría. Pensó que preguntarlo resultaría descortés. Además, estaba segura de que visitaría a otros amigos e ignoraba cuánto tiempo le dedicaría. Seguramente muy poco antes de que volvieran a charlar todos los días por teléfono. Claro que eso era lo único que esperaba de Paul.

El apartamento de Paul se encontraba en la Quinta Avenida, en un edificio muy elegante, poco más arriba de la calle Setenta y tres. El portero se asombró al ver a Paul.

—¡Señor Ward! —exclamó, y le estrechó la mano.

—Hola, Rosario. ¿Cómo estás? ¿Qué tal te trata Nueva York?

—Muy bien, señor Ward. Gracias por preguntarlo. ¿Ha pasado estos meses en el barco?

El portero había oído rumores en ese sentido y enviado la correspondencia al despacho del magnate.

—Así es —contestó Paul y sonrió.

El portero quería darle el pésame por la muerte de su esposa, pero no le pareció adecuado pues iba en compañía de una rubia muy atractiva. Supuso que se trataba de su novia y, por el bien de Paul, esperó que así fuese.

Subieron al ascensor. Cuando bajaron, India esperó mientras Paul buscaba el llavero en el maletín. Cuando introdujo la llave en la cerradura vio que le temblaba la mano. Lo cogió delicadamente del brazo y el magnate se volvió para mirarla, pues pensó que quería decirle algo.

—No pasa nada —susurró ella—. Tómatelo con calma...

Él sonrió. Como siempre, India sabía exactamente qué pensaba y, aún más importante, qué sentía. Por teléfono ella tenía la misma actitud y por eso él la apreciaba. Era un refugio donde siempre podía buscar consuelo. Antes de girar la llave dejó el maletín en el suelo y la abrazó.

—Muchas gracias. Me resultará más doloroso de lo que suponía.

—Tal vez no. Inténtalo.

India estaba a su lado de la misma forma que Paul la había apoyado durante los últimos meses. Ella sabía que podía llamarlo, ya que la estaba esperando en el *Sea Star*. De repente el rostro que contemplaba dejó de estar separado de la voz fraternal que conocía, y vio al hombre, al alma, a la persona en la cual había aprendido a confiar.

Paul giró lentamente la llave, la puerta se abrió y él encendió la luz. Salvo la mujer de la limpieza, nadie había entrado desde septiembre. El apartamento estaba impecable, pero se veía desolado y silencioso. India contempló un ancho recibidor blanco y negro, decorado con litografías y esculturas modernas, y vio un interesante cuadro de Jackson Pollock.

Paul se dirigió al salón y encendió más luces. Era una amplia estancia, cuidada y decorada con una interesante combinación de muebles antiguos y modernos. De las paredes colgaban un Miró, un Chagall y varias obras de artistas desconocidos. Se trataba de una estancia muy ecléctica que recordaba poderosamente a Serena. En el apartamento todo tenía su sello, su estilo, su fuerza y su humor. Por todas partes había fotos de la escritora, en su mayoría procedentes de sus libros, y sobre la chimenea colgaba un enorme retrato que hipnotizó a Paul, quien permaneció en silencio junto a India.

—Ya no recordaba lo bella que era —susurró con tristeza—. Procuro no pensar en ella.

India asintió con la cabeza, consciente de que la situación resultaba muy dolorosa, aunque también sabía que Paul tendría que superarla. Se preguntó si el magnate descolgaría el retrato o lo dejaría donde estaba. Era tan imponente como Serena lo había sido en vida.

Paul se dirigió a una habitación más pequeña y revestida en madera, su despacho, y dejó el maletín. India lo siguió. La fotógrafa temió que podía estar de más y que tal vez debía irse.

—¿Quieres que me vaya? —le preguntó en voz baja.

Paul la miró súbitamente decepcionado y algo dolido.

—¿Tan pronto? India, si no tienes que regresar con tus hijos quédate un rato más.

—No tengo prisa, pero no quisiera molestar.

Paul se mostró tal cual era y manifestó su dolor, seguro de que India lo comprendería.

—Te necesito. ¿Qué quieres beber?

—No puedo beber, he de conducir hasta Westport.

—No me tranquiliza que tengas que conducir —dijo el magnate y se sentó en un sofá de terciopelo delante de una chimenea más pequeña que la del salón. El despacho estaba decorado con terciopelo azul oscuro y sobre la chimenea colgaba un Renoir—. Me ocuparé de que un chófer te traiga y te lleve. Si lo prefieres, a veces te acompañaré a casa.

—Me gusta conducir. —Sonrió y agradeció su amabilidad. Paul se sirvió un whisky y la fotógrafa aceptó una Coca-Cola—. El apartamento es precioso —comentó.

India ya había imaginado que era hermoso, en algunos sentidos tanto como el *Sea Star*.

—Serena lo decoró personalmente. —Paul suspiró, miró a su amiga y por enésima vez comprobó lo bonita que era. Gracias a su melena rubia y sus facciones clásicas llamaba la atención más de lo que él recordaba. Estaba sentada con las piernas elegantemente cruzadas. Él recordó las horas de charla que el verano pa-

235

sado habían compartido en el *Sea Star*. Volvió a pensar en su difunta esposa y añadió—: Era capaz de hacer de todo, aunque a veces resultaba difícil de soportar. India se dio cuenta de que el apartamento poseía la elegancia natural, el ingenio y el sentido del humor que caracterizaban a Serena—. No sé qué haré con el piso. Supongo que debería coger mis pertenencias y venderlo.

—Tal vez no —opinó India y bebió un trago de Coca-Cola—. El apartamento es magnífico. Quizá sólo deberías cambiar algunas cosas de sitio.

Paul rió entre dientes.

—Serena me mataría. Cada vez que colocaba algo insistía en que se lo había dictado Dios. Se enfadaba si me atrevía a mover un cenicero. Puede que tengas razón, tal vez debería adaptarlo a mis necesidades. Ahora tiene la impronta de Serena. Antes no me había percatado de la influencia de su estilo. —Serena jamás había dispuesto algo en el velero ni le había importado; el *Sea Star* era el mundo de Paul, razón por la cual le había resultado tan sencillo recluirse allí desde septiembre. En la nave los recuerdos eran más escasos y discretos. En el apartamento saltaban a la vista desde cada rincón—. ¿Piensas redecorar la casa de Westport y sacarte a Doug de la cabeza? ¿Se ha llevado múchas cosas?

Tuvieron más de un tira y afloja, pero al final Doug sólo se había llevado el ordenador y algunos recuerdos de su época universitaria. No quería alterar a los chicos más de lo necesario.

—No; sólo unas pocas. Si introdujera cambios en casa mis hijos se pondrían nerviosos. Ya son bastantes las novedades a las que deben adaptarse.

Paul sabía que era propio de India pensar en estas cuestiones y proponer que se limitara a cambiar algunas cosas de sitio en lugar de decirle de qué tenía que desprenderse. Dar órdenes no iba con ella y, además, no le correspondía a ella decirle qué tenía que hacer con el apartamento. Paul se alegró de verse tan respetado. A lo largo de los meses que habían hablado por teléfono no se había sentido amenazado. India le había proporcionado un refugio seguro.

La fotógrafa caviló y decidió preguntarle si trasladaría el velero a Estados Unidos.

Paul reflexionó antes de responder.

—No lo he decidido. Depende del tiempo que me quede y todavía no lo sé. Ya veremos cómo me siento. —La miró e India supuso que se refería a los negocios y a su permanencia en el apartamento—. Tal vez lo lleve una temporada al Caribe, probablemente en abril. En esa época hace muy buen tiempo. ¿Conoces el Caribe?

—Es uno de los pocos lugares del mundo que no he recorrido.

—Hubo conflictos en Granada...

—Pero yo me los perdí.

—Si llevo el velero a Antigua, los niños y tú podríais venir unos días o en las vacaciones escolares.

—Les encantaría. —Recordó que Aimee se mareaba, pero podía resolverlo con una pastilla. Notó que Paul observaba con cierta incomodidad una foto de Serena. Había retratos prácticamente en todas partes y lo compadeció—. ¿Tienes hambre? —inquirió para distraerlo—. ¿Quieres que prepare algo de comer? Hago unas excelentes tortillas francesas y bocadillos de mantequilla de cacahuete.

—La mantequilla de cacahuete me chifla. —Sonrió al reparar en el esfuerzo de India y se lo agradeció en silencio. Supo que no serviría de nada. Estar en aquel apartamento equivalía a respirar la fragancia de Serena—. Me encanta la mantequilla de cacahuete con olivas y plátano.

El magnate rió al ver la cara de asco de su amiga.

—¡Es repugnante! No se lo digas a Sam. Se parece a sus mejunjes. ¿Hay algo de comer en el piso? Prepararé la cena en un abrir y cerrar de ojos.

—No creo que haya nada, pero podemos mirar.

Paul no sabía si en el congelador quedaba algo, pero en la cocina los recuerdos no lo agobiarían tanto. Serena nunca entraba allí. Comían en restaurantes, pedían que les subiesen la comida, contrataban un cocinero o Paul cocinaba para ambos. En once años ni una sola vez había preparado la cena y se había enorgullecido de que fuera así.

India lo siguió por el comedor, que albergaba una enorme mesa antigua e incontables objetos de plata, y entraron en la espartana cocina de granito negro. Parecía salida de una revista de decoración e India tuvo la certeza de que alguna vez la habían incluido en un reportaje.

Sólo encontraron entremeses congelados y una hilera de refrescos.

—Creo que mañana tomarás un desayuno opíparo.

—Nadie sabe que he venido y probablemente mi secretaria pensó que no me quedaría en el apartamento. Dijo que me haría la reserva en el Carlyle. Tal vez mañana me traslade al hotel. —Miró a India enarcando las cejas y la fotógrafa sonrió—. Lamento no tener nada que ofrecerte.

—No tengo hambre, aunque pensé que tal vez tú sí querrías comer algo. —Consultó la hora—. Supongo que estás agotado.

—De momento resisto. Me gusta estar contigo.

A Paul no le entusiasmaba quedarse a solas en el apartamento con los recuerdos y las cosas de Serena. Sabía que su ropa seguía en los armarios y era algo que temía. No había pedido que la retiraran. Tendría que verla antes de abrir sus propios armarios. Se encogió al pensar que vería sus batas y zapatillas, sus bolsos y vestidos, colocados según colores y diseñadores. Serena había sido extraordinariamente organizada y obsesiva, incluso con el vestuario.

—¿A qué hora tienes que regresar a Westport?

Paul no quería que condujera en horas intempestivas, y tampoco le apetecía que se fuese. Al cabo de tantos meses de conferencias telefónicas necesitaba tenerla cerca, pero no sabía cómo plantearlo. Incluso le parecía incorrecto rodearle los hombros con el brazo. India interpretó su actitud como demostración del carácter fraternal de su amistad, hecho que Paul no sabía cómo modificar.

Hablaron de los hijos de India y de la reunión que Paul tenía al día siguiente. El magnate le explicó en qué consistía y se explayó sobre su trabajo. Le preguntó si tenía noticias de Raúl. Hacía tiempo que no telefoneaba para encargarle más reportajes. A India le parecía bien pues de momento no quería dejar a sus hijos. Hacía muy poco que se había separado y deseaba estar cerca para comprobar que se adaptaban sin dificultades.

Charlaron largo rato y al final Paul miró la hora y le aconsejó que se fuera. Eran más de las doce y llegaría a Westport después de la una. Cuando la acompañó a la puerta Paul parecía un crío a punto de perder a su mejor amiga e India no quiso dejarlo.

—¿Estás en condiciones de quedarte solo? —le preguntó, olvidando que había recorrido medio mundo sin ella.

—Supongo que sí —respondió él.

—Si te sientes mal llámame. No te preocupes por la hora ni temas despertarme.

—Gracias —murmuró Paul, y vaciló como si estuviera a punto de añadir algo más, pero guardó silencio—. Me alegro de estar aquí —afirmó, y con la mirada le dejó claro que no se refería al apartamento.

—Me alegro de contar contigo —aseguró al hombre del que se había hecho amiga, y hablaba totalmente en serio.

Bajaron en el ascensor. Paul la acompañó hasta el coche y con señas le indicó que echara el seguro a las puertas. India bajó la ventanilla y volvió a darle las gracias. Él añadió que la llamaría en cuanto acabase la reunión de la junta.

—¿Te apetece cenar conmigo mañana a las siete y media?

Ella sonrió y asintió con la cabeza.

—Me encantaría. ¿Daniel es muy elegante?

—No demasiado. Es un local acogedor. —Era lo mismo que le habría dicho a Serena e India lo captó. Decidió ponerse el traje negro, zapatos de ante y los pendientes de perlas—. Te llamaré.

—Cuídate mucho... y descansa —aconsejó antes de partir.

Durante el trayecto India pensó en Paul y se preocupó, pues ni siquiera podría beberse un vaso de leche para relajarse. Era maravilloso contar con su presencia, mucho mejor que hablar por teléfono y, si se lo hubiera permitido, habría dejado que sus pensamientos se desbocaran, pero se contuvo. Encendió la radio, tarareó una canción y pensó que al día siguiente cenaría en Daniel con su amigo.

21

Paul telefoneó a India a las siete de la mañana y se mostró desalentado y agotado. Reconoció que había pasado una noche de perros, y añadió que se mudaba al Carlyle.

—Paul, lo siento. —Era previsible porque el apartamento evocaba agudamente a Serena—. Tendrás que asistir a la reunión muerto de sueño.

—Ha sido espantoso, peor de lo que imaginaba. No tendría que haberme quedado.

India tuvo la sensación de que había estado llorando.

—Es posible que más adelante puedas introducir algunos cambios.

La reconfortaba volver a hablar por teléfono y en el acto se armó de valor. Conocía muy bien esa voz que desde hacía tiempo era una constante en su vida.

—No sé qué hacer, supongo que lo venderé tal como está.

—Aún no estaba en condiciones de tomar esa decisión e India lo percibió—. Por la noche nos veremos en el Carlyle. Te espero en el bar Bemelmans a las siete. Tomaremos una copa antes de ir a Daniel.

—Allí estaré. Por cierto, acuérdate de desayunar. No puedes ir a la reunión con el estómago vacío.

Como tenía hijos India se preocupaba por esas cuestiones. Paul sonrió. Hacía años que nadie lo tenía en tanta consideración. Ni siquiera Serena, que incluso lo habría dejado morir de hambre. Ella jamás desayunaba y consideraba que su marido tampoco necesitaba hacerlo.

—Tomaré algo en el despacho. Allí tienen de todo y, como mínimo, me darán una taza de café. Iré temprano. —Se habría largado a cualquier sitio con tal de salir del apartamento. La víspera, los armarios casi habían podido con él y desde las seis de la mañana no dejaba de llorar—. No creo que vuelva a poner los pies en este piso —comentó con voz quebrada.

—Ya te calmarás —lo tranquilizó India.

Pensó que al principio a su amigo incluso le había resultado difícil refugiarse en el *Sea Star*. El regreso al apartamento que había compartido con su esposa era una dosis de realidad excesiva y el retorno a Nueva York probablemente había sacudido sus emociones. India sabía que nada era fácil.

—Gracias por hablar conmigo —murmuró Paul y de repente oyó golpes y ladridos—. ¿Dónde te has metido? Oigo un gran alboroto.

—Hay un gran alboroto. —La fotógrafa sonrió—. Estoy preparando el desayuno y el perro está loco por salir.

El estrépito agradó a Paul, que lo encontró acogedor.

—¿Cómo está Sam?

—Hambriento.

—Dale el desayuno. Te llamaré más tarde.

India pasó la tarde fuera y regresó a casa después de recoger a los chicos en la escuela. Se encontró con Gail, quien le contó que la novia de Doug y sus hijos habían pasado el fin de semana con él. Se lo habían contado dos mujeres a las que vio en el supermercado. India se sorprendió al percatarse de que le molestaba. Doug tenía derecho a hacer lo que quisiese, pero no había guardado las formas. Sólo hacía dos meses que estaban separados. Ella no tenía a nadie, salvo a Paul. Claro que era muy distinto. Tampoco le abrió su corazón a Gail, por lo que su amistad con Paul siguió siendo un secreto celosamente guardado.

La canguro llegó a las cinco. India se cambió de atuendo y a las seis se fue a Nueva York. Esta vez los niños protestaron.

—¿Por qué vuelves a salir? —se quejó Sam cuando su madre le dio un beso de despedida—. Anoche saliste.

—Tengo amigos en la ciudad. Nos veremos por la mañana.

Como sabía que su hijo preguntaría quiénes eran se batió rápidamente en retirada. No pensaba decírselo. No era asunto de él ni quería preocuparle. Sabía que sus hijos estaban inquietos por la novia de Doug y sus dos hijos. Por mucho que Paul no representase una amenaza para ellos, tampoco era necesario angustiarlos.

Había tanto tráfico que se retrasó diez minutos. Llevaba el traje negro, zapatos nuevos, la melena recogida a la francesa y los únicos pendientes de perlas que tenía. Arreglarse y conducir a la ciudad para ir a cenar era una experiencia nueva para India. Paul había insistido en que la recogiese un chófer con limusina, pero sus hijos se habrían inquietado al verla partir como si fuera Cenicienta. Rió al pensar que la confundirían con una estrella cinematográfica o con una traficante de drogas. Era mucho más sencillo coger su coche y ahorrarse preguntas y comentarios.

En cuanto la vio, Paul la piropeó e India percibió que estaba cansado. Había tenido una jornada agotadora, sobre todo a causa de permanecer tantos meses al margen del trabajo. Todos requirieron su atención pese a que todavía no se había adaptado al nuevo horario.

—¿Cómo has pasado el día? —inquirió él mientras India se sentaba—. Espero que no tan ocupada como yo. Casi había olvidado lo que agota el trabajo.

Paul sonrió y ella pidió una copa de vino blanco.

—Hice varios recados y recogí a los chicos en la escuela.

Le contó lo que Gail había dicho sobre Doug y Paul arrugó el entrecejo.

—No ha perdido un segundo.

De todos modos se alegró, pues significaba que Doug ya no molestaría a India.

—¿Qué tal la reunión de la junta? —preguntó ella.

—Muy estimulante. He hablado con mi hijo. Esperan otro crío. Es una señal positiva. Siempre he pensado que un bebé es una apuesta de futuro. Claro que a su edad no reflexionan tanto.

India se dijo que no tenía pinta de abuelo. Era muy apuesto y no aparentaba la edad que tenía, aunque esa noche él aseguró que le pesaban los años. India comentó que tal vez se debía al *jet-lag*. Paul repuso que la noche anterior lo había dejado muy perturbado.

—Creo que trasladarte al hotel te sentará bien.

—Ya. Resulta absurdo porque el apartamento está muy cerca, pero soy incapaz de pasar otra noche allí. He vuelto a tener las mismas pesadillas... en las que Serena me dice que tendría que haber muerto con ella.

—Sabes que ella jamás habría dicho semejante desatino —declaró India con firmeza.

Se tomó la libertad de opinar como lo habría hecho por teléfono ya que cada vez se acostumbraba más a su presencia. Le agradaba verlo al final del día, arreglados para salir a cenar. Hacía mucho que no lo hacía y cuando bebió un sorbo de su copa notó que Paul le sonreía.

—Casi has hablado como Serena —dijo él. Desde luego India era muy suya. Detestaba que se autocompadeciera y no se privaba de decírselo con toda claridad—. Como de costumbre, tus palabras son atinadas. Tienes razón en muchas cosas.

Sólo se había equivocado en su matrimonio. Tendría que haberse plantado mucho antes sin importarle que Doug se fuese. Paul sabía que, sin su apoyo, India jamás lo habría conseguido.

Cuando terminaron las copas fueron a Daniel, donde les asignaron una de las mejores mesas. El *maître* celebró la aparición de Paul y a India le quedó claro que había acudido con frecuencia al restaurante. El *maître* sentía curiosidad por ella.

—Todos se preguntan quién eres —comentó Paul sonriente—. El traje te queda muy bien, pareces una top model. Además, el peinado te sienta de maravilla.

Pero echaba de menos la trenza y el aspecto de su amiga cuando estuvo en el *Sea Star*. Ella se había sentido totalmente a sus anchas en el velero y se habían divertido mucho con Sam. Paul ansiaba volver a navegar con él. En ese instante decidió trasladar el barco a Antigua y proponer a India que llevase a sus hijos por las vacaciones de Pascua.

Encargaron la cena: de primero, sopa de langosta; de segundo, pichones para ella, bistec a la pimienta para él, ensalada de endivias y, de postre, *soufflé*.

Cuando el camarero escanció el vino, Paul comentó que le gustaría que en Pascua se trasladara a Antigua con sus hijos para pasar las vacaciones.

—¿No prefieres otro invitado? Somos muchos y los chicos te volverán loco.

—Todo lo contrario, si son como Sam. Acomodaremos a los cuatro en dos camarotes y, si nos apetece, tendremos más invitados. Será divertido tenerlos a bordo. Me gustaría invitar a Sean, pero navegar no es una de sus pasiones y como su esposa está embarazada no creo que acepten. De todos modos, puedo consultárselo. Los niños se divertirán mucho. Sam y yo saldremos en el bote mientras los demás jugáis, veis vídeos o hacéis lo que os dé la gana.

A India le encantó la idea. Además, Doug ya le había comunicado sus planes para las vacaciones. Visitaría Disney World con su novia y los hijos de ésta. A sus hijos les había afectado que no los invitaran. Como había repetido Gail, era lo que solía ocurrir con los divorciados. Muchos padres se despreocupan de sus hijos en cuanto tienen una nueva novia...

—Paul, ¿lo de Antigua va en serio? —preguntó India mientras tomaban la sopa—. No estás obligado.

—Claro que no, pero me apetece. Si te pone nerviosa puedes quedarte en tu camarote y llamarme por teléfono a la cabina de mando. Así recordarás quién soy.

Era una broma y Paul reparó en que la fotógrafa se estaba adaptando a la nueva situación. Ambos tenían que introducir muchos ajustes en sus vidas. La víspera, Paul se había dado de narices con la realidad en el apartamento. India se echó a reír.

—Pues podría funcionar. Creo que saldré del restaurante y te llamaré desde la cabina más cercana.

—No pienso responderte —repuso él con fingida seriedad.

—¿Por qué?

Paul le dirigió una mirada significativa.

—Porque tengo una cita. Es mi primera cita en muchos años. Tengo que aprender muchas cosas. No recuerdo bien lo que se hace en una cita.

Su expresión denotaba tanta vulnerabilidad que India musitó:

—¿Es una cita? Creí que sólo éramos amigos.

Paul la había dejado confundida.

—Una cosa no excluye la otra.

Paul le clavó la mirada. Aunque no se lo había dicho, su traslado a Nueva York era para algo más que por una reunión de junta. Después de las conferencias telefónicas de los últimos meses necesitaba verla.

—Creo que tienes razón —admitió ella, y de pronto se puso muy nerviosa.

—Derramarás la sopa —advirtió Paul y ella sonrió desconcertada—. India, cuando salgas a cenar conmigo no puedes derramar la sopa sobre la mesa.

El magnate se reclinó y la contempló dejar la cuchara.

—Me parece que no entiendo lo que dices.

India no quería entenderlo. No quería que Paul cambiase nada. Por Navidad, antes de que Doug la dejara, Paul ya había aclarado que sólo eran amigos. Estaba muerta de frío en una cabina telefónica cuando le comunicó que él no sería la luz que encontraría al final del túnel. Si era así, ¿por qué decía ahora que tenían una cita? ¿A qué se refería? ¿Qué había cambiado?

—Creo que sólo intentas intimidarme —aseguró India.

A Paul se le escapó una sonrisa. Encontraba muy bella, juvenil e ingenua a India, que llevaba más tiempo que él sin tener una cita. Habían transcurrido más de veinte años desde que conociera a Doug en el Cuerpo de Paz.

—India, ¿te he asustado? —Súbitamente se inquietó—. Lo siento, no pretendía... ¿Lo dices en serio?

—Hasta cierto punto, sí. Pienso que sólo somos amigos. Al menos es lo que dijiste en Navidad...

—¿De verdad? Desde entonces ha pasado mucho tiempo. —De repente se acordó de sus palabras. Hablaba en serio. Habían transcurrido tres meses y la angustia por la pérdida de Serena ya no lo obnubilaba. No sé muy bien qué dije, aunque probablemente fue una sarta de tonterías. —A India le dio un vuelco el corazón—. Me parece que hice un comentario de muy mal gusto acerca de que no sería la luz al final del túnel. —Ella no entendía qué había cambiado. Paul la miró, suspiró y le cogió la mano—. A veces me asusto, me entristezco, añoro a Serena, y digo cosas que no debería...

India se preguntó cuándo hablaba en serio, ahora o entonces. Las lágrimas afloraron a sus ojos. No quería hacer nada que pusiese en peligro esa relación. No quería perderlo. Si seguían adelante, Paul podría arrepentirse y refugiarse nuevamente en la seguridad del velero. Y tal vez en este caso huiría para siempre.

—Creo que no sabes lo que haces —comentó mientras él le enjugaba las lágrimas con la servilleta.

—Puede que tengas razón, pero déjame que lo averigüe y no te preocupes demasiado. India, confía en mí. Descubrámoslo juntos.

Ella cerró los ojos unos segundos, asumió la situación y asintió con la cabeza. Al mirarlo esbozó una amplia sonrisa. A Paul le agradaba lo que ocurría y lo que sentía. En lugar de llorar por el fin de algo, ahora saboreaba la ternura del comienzo.

A partir de ese momento hablaron de muchas cosas. Paul contó anécdotas divertidas ocurridas en el velero, personas que habían bebido más de la cuenta o hecho trastadas. Se refirió a una mujer que se había liado con el capitán y a otra que, al dejar abiertas las portillas del camarote, estuvieron a punto de hundirse. Al oír la última historia India se estremeció.

—Te prometo que las cerraré —dijo ella, a la defensiva.

—Ya te lo recordaré. Es una situación muy incómoda y estropea la moqueta. —La fotógrafa lo escuchó con gran atención. Sabía de veleros menos que Sam y Paul se aprovechaba, aunque la anécdota de las portillas era verídica y habían colocado rótulos en los camarotes por si alguien se olvidaba. Paul la miró sin inmutarse y apostilló—: Te contaré algo extraordinario. El *Sea Star* está tan bien construido que sólo zozobramos una vez.

India quedó boquiabierta, pero al punto se percató de que era otra broma.

—Te odio —declaró como si fuera Sam.

El magnate se tronchó de risa.

—¿Te has asustado? Sólo pretendía impresionarte. El velero reacciona muy bien cuando zozobra, se da la vuelta y vuelve a la posición correcta. Lo único farragoso es secar las velas. Ya te lo demostraré.

—Olvídate de las vacaciones en Antigua —repuso ella con un mohín, aunque ya se había dado cuenta de que Paul le tomaba el pelo—. Cuéntale estas aventuras a Sam. Al menos él no te creerá.

—Yo no estaría tan seguro. —A Paul le brillaban los ojos. Disfrutaba de la compañía de India, la cena y el vino. Hacía mucho que no se divertía tanto—. Te garantizo que puedo resultar muy convincente.

—Ya lo creo —reconoció ella.

India estaba encantada con el sentido del humor y el estilo de Paul y se sentía tan relajada como cuando hablaban por teléfono.

Fue una velada inolvidable. Después de cenar caminaron lentamente hasta el Carlyle. Era temprano y Paul la invitó a subir un rato, pues ella disponía de tiempo antes de regresar a Westport. En realidad, disponía de todo el tiempo del mundo porque la canguro había accedido a quedarse toda la noche por si volvía demasiado tarde.

—Mi *suite* no está mal, pero tampoco es el Palacio de Versalles —se disculpó el magnate—. Creo que alguien la usa como apartamento. En ocasiones las alquilan por meses.

Paul no propuso ir al bar. Mientras subían en el ascensor siguió hablando del *Sea Star* y explicó lo que podrían hacer en Antigua, como visitar otras islas.

El ascensor se detuvo en el noveno piso. Paul la condujo a una estancia amplia, cómoda y elegantemente decorada, aunque no tenía nada que ver con su piso. Previsiblemente impersonal, estaba llena de flores y tenía un bar muy bien surtido. Paul le sirvió vino, pero India rehusó pues tenía que conducir. El hotel tenía el detalle de ofrecer fruta y pasteles pero, después de la copiosa cena en Daniel, no tenían apetito.

India se sentó en el sofá y Paul se acomodó a su lado. Siguió hablando del velero, pero de pronto calló y la contempló. India experimentó la misma electricidad en su cuerpo que había notado al conocerlo. Aparte de su apostura, Paul poseía algo irresistiblemente atractivo.

—No puedo creer que estemos aquí —comentó él—. Pienso que voy a despertar en el velero y alguien me dirá que estás al teléfono.

—Es extraño, sí.

India sonrió al recordar la infinidad de veces que se habían telefoneado y lo que se habían contado a lo largo de tantos meses, las ocasiones en que ella había llamado desde una cabina antes de que Doug la dejase. Rió al recordar que había estado a punto de congelarse y que siempre iba cargada de monedas para llamarlo si surgía la ocasión.

—Hemos superado muchas dificultades —murmuró Paul.

En ese momento sólo pensaba en India, ya no recordaba al ser querido que había perdido ni a la persona que había sido en el pasado. Lo único que veía eran los ojos afables de su amiga y sólo sentía lo que había madurado entre ellos durante los meses que permaneció recluido en el *Sea Star*.

No dijo nada más. Se inclinó lentamente, la abrazó y la besó. Cuando sus labios se unieron India encontró respuesta a todas sus preguntas. Tardaron un rato en recuperar la palabra.

—Creo que me he enamorado de ti —susurró él embargado por la pasión.

En modo alguno era lo que Paul esperaba ni lo que India suponía que sucedería. Hacía mucho tiempo que la fotógrafa estaba convencida de que eso jamás ocurriría.

—Hice lo imposible por reprimirlo, incluso por no sentir lo que siento —susurró ella, tan enamorada como Paul.

—A mí me ocurrió lo mismo —reconoció él y la estrechó entre sus brazos—. Hace tiempo que yo siento lo mismo, pero temía que tú no pensaras igual.

—Pensé... tuve miedo de que...

Estaba segura de que, a los ojos de Paul, jamás estaría a la altura de Serena. No se había atrevido a albergar esperanzas, pero en ese momento no lo mencionó. Él volvió a besarla y la abrazó con tanta fogosidad que la dejó sin aliento. Sin decir palabra, se puso de pie y la condujo lentamente al dormitorio. Se detuvo en la puerta y le dijo:

—Haré todo lo que me pidas. —Sabía que con esa actitud dejaba atrás una vida y comenzaba otra, siempre que fuese lo que India quería. La amaba más de lo que podía imaginar y en ese instante lo supo con toda claridad—. Si quieres regresar a Westport, adelante... Lo comprenderé.

India lo miró y negó con la cabeza. Ya no le apetecía ir a ninguna parte sin Paul. Al igual que él, sabía lo que sentía. Había defendido con uñas y dientes esa amistad, lo había apoyado y lo había llamado desde heladas cabinas, pero todo eso pertenecía al pasado.

—Paul, te quiero —musitó.

Él apagó las luces, la tumbó en la cama, se tendió a su lado, la acarició y se deleitó con su calidez, su delicadeza y su gloria. Le quitó el traje negro y se abrazaron con un ansia que ninguno de los dos presentía. Ella permaneció desnuda a su lado y él la contempló con amor y ternura.

—India, eres tan hermosa...

La fotógrafa lo rodeó con los brazos, le dedicó su entrañable sonrisa y lo estrechó delicadamente.

Se abrazaron y tocaron el cielo, pues al fin estaban unidos a lo que tanto buscaban, entre los brazos de alguien a quien amar y ser correspondido. Era lo que les faltaba y que por fin habían encontrado. Fue como renacer pues se aferraron a la vida, a las esperanzas y los sueños olvidados o en los que habían dejado de creer. India gimió entre sus brazos cuando él la llevó a reinos desconocidos e inimaginables. El encuentro amoroso terminó, pero no fue un final, sólo un principio.

Permanecieron tumbados uno junto al otro. Paul volvió a besarla y al cabo de unos minutos India se durmió. La contempló largo rato. Por último cerró los ojos y descansó como hacía meses que no lo hacía, ya que el amor de India lo devolvía a casa al cabo de un doloroso itinerario.

Amanecía cuando despertaron. Volvieron a hacer el amor y después India se cobijó en sus brazos. Suspiró y comentó que no se imaginaba que pudiera ser tan hermoso.

—No existe nada tan maravilloso —aseguró Paul sonriente, asombrado de los sentimientos que compartían. India era todo aquello que buscaba desesperadamente y que no había estado dispuesto a reconocer durante los meses que habían hablado por teléfono—. No me separaré de ti. Tendrás que ir a todas partes conmigo. No puedo vivir sin ti.

—Tendrás que hacerlo. Debo regresar a Westport.

Sonrió con picardía.

Paul protestó ante la perspectiva de dejar de verla ni siquiera unas horas.

—¿Volverás esta noche? —preguntó antes de liberarla de su abrazo.

Él deseaba volver a hacer el amor, pero necesitaban tiempo para recuperarse.

India sabía que le resultaría difícil salir por tercera noche consecutiva y de pronto se le ocurrió una idea.

—Ven tú a Westport —propuso.

—¿Y los chicos?

—Ya se nos ocurrirá algo... Dormirás con Sam.

—¡Muy interesante!

Paul lanzó una carcajada e India dejó escapar una risita mientras se apartaba lentamente, todavía abrumada por los acontecimientos.

El magnate la vio cruzar la habitación y no le dijo que era la mujer más hermosa que conocía, temiendo ser irrespetuoso con Serena. Con India acababa de descubrir algo que con la escritora jamás había compartido. Lo fascinante de Serena consistía en que nunca se había entregado totalmente, ni siquiera después de tantos años de convivencia. Siempre se reservaba una parte de sí misma, como si quisiera demostrarle que jamás la poseería. Pero India se entregaba en cuerpo y alma, se abría con toda su calidez y vulnerabilidad, y Paul sintió que podía perderse mil años en cuanto ella le había dado. Con India se sentía a salvo y compartían una pasión que los satisfacía plenamente.

Se ducharon juntos. Paul la contempló mientras se vestía y luego India hizo lo propio. Sonrió. Pensaba que quien había dicho que Paul era indecentemente guapo no faltaba a la verdad.

Bajaron en el ascensor. Paul caviló sobre lo que India representaba para él y cuando ella subió al coche la contempló y deseó recordar eternamente ese instante.

—Cuídate... India, te quiero.

Ella asomó la cabeza por la ventanilla para besarlo y la larga melena rubia le colgó por debajo de los hombros. Paul la acarició como si fuera de seda y ella sonrió, pura inocencia, confianza, esperanza y fantasía, con los ojos brillantes por todo lo que había sucedido. Su expresión reflejaba una profunda paz.

—Yo también te quiero. Llámame y te explicaré cómo llegar.

Embriagado de amor, Paul la observó mientras el coche se alejaba. Al regresar al hotel se acordó de Serena y sintió que los remordimientos herían profundamente su alma.

22

Esa noche Paul fue en coche hasta Westport y cenó con India y sus hijos. Conoció a Jason, Aimee y Jessica, a los que encontró encantadores y divertidos.

Sam hizo el payaso durante la cena. Paul y Jason sostuvieron una sesuda conversación sobre la navegación a vela. Aimee coqueteó con el magnate y puso a prueba todos sus encantos; Paul pensó que era muy bonita, pues se parecía a su madre. Sólo Jessica se mostró reservada y en cuanto terminó la cena subió a hacer las tareas escolares.

—Te han aprobado —dijo India sonriente cuando se sentaron en la sala, después de que los chicos subieran a telefonear a sus amigos y ver la tele—. A Jason le has caído fenomenal. Aimee dice que le gustas y, como bien sabes, Sam te adora.

—Y Jessica me odia —declaró él con total sencillez.

—Te equivocas. No ha dicho nada, lo que significa que no te odia. Si te detestara te lo diría.

—¡Vaya consuelo! —exclamó él divertido.

Los críos eran simpáticos e India había cumplido a la perfección su labor de madre. Eran espabilados, seguros de sí mismos y alegres. Durante la cena habían sostenido una charla muy animada.

En cuanto los niños se fueron a dormir, subieron la escalera de puntillas. La fotógrafa echó el cerrojo a la puerta e hicieron el amor en silencio. Paul se puso ligeramente nervioso.

—¿Estamos actuando correctamente? —susurró cuando acabaron.

Se había dejado llevar por la pasión y no se lo había preguntado, pero India asintió con la cabeza.

—La puerta está cerrada y ellos duermen a pierna suelta.

—Afortunadamente existe la inocencia infantil. Pero no podremos engañarlos mucho tiempo. No puedo pasar la noche contigo, ¿verdad?

Paul ya conocía la respuesta.

—Todavía no. Mis hijos necesitan tiempo para acostumbrarse. Les afecta que Doug tenga una novia, y eso que pasan los fines de semana con ella.

Paul pensó que había tenido mala suerte al ser la segunda persona en la vida de India. La perspectiva de conducir hasta Nueva York a las cuatro de la madrugada no lo entusiasmaba.

Al final se quedó hasta las seis y durmió a intervalos. Soñó con aviones, pero no tuvo pesadillas en las que aparecía Serena. Bajaron la escalera sin hacer ruido e India prometió que por la noche iría a verlo.

Mientras conducía, el magnate comprendió que la situación no era nada fácil. Ante todo, la distancia y la falta de descanso lo matarían. De todas maneras, India merecía la pena.

Había quedado en verse con Sean el jueves por la noche. El fin de semana los chicos de India estarían con su padre y ella dormiría en el Carlyle. De momento todo estaba organizado, pero le parecía complicado ir y volver de Westport a noches alternas y ocultarse de los niños. Pensó en la perversidad del humor divino. A su edad, plantear un futuro con una mujer con cuatro hijos, un perro y casa en Connecticut sería todo un desafío. Claro que era la mujer más excitante que había conocido.

A las cuatro de la tarde Paul salió del despacho. Aunque fue a hacerse un masaje y descansó un rato, estaba agotado. No tenía muy buen aspecto cuando por la noche llevó a India a cenar a Gino's.

—¿Cómo están los chicos? —preguntó—. ¿Han dicho algo? ¿Me oyeron esta mañana?

—Claro que no.

India sonrió y no se inmutó gracias a la flexibilidad adquirida tras catorce años de maternidad. Tuvo que reconocer que además tenía catorce años menos que Paul, aunque él ya había demostrado que en algunos aspectos la edad no suponía un problema.

Cuando regresaron al hotel estaban tan cansados que se quedaron dormidos viendo la tele.

India despertó a las siete de la mañana.

—¡Dios mío! —exclamó al ver la hora—. ¡La canguro me matará! Dije que volvería a medianoche.

Cogió el teléfono y contó una historia sobre una amiga que había sufrido un accidente y a la que había acompañado toda la noche. Después llamó a Gail y le pidió que se ocupara de los niños. En pocos minutos resolvió el entuerto, volvieron a arrebujarse en la cama y con desmesurada energía compensaron lo que la víspera no habían practicado.

Paul pidió el desayuno por teléfono. India se sentó frente a él, cubierta únicamente con la camisa del magnate y con aspecto gloriosamente atractivo.

—¿Alguna vez has pensado en tener un piso en la ciudad? —preguntó Paul.

India hojeó el *Wall Street Journal*. Siempre lo leía cuando Doug se marchaba a trabajar y después de la separación había mantenido la suscripción.

—Doug decía que nos mudaríamos cuando Sam ingresara en la universidad.

—Puede que yo no viva tanto —comentó él con ligereza.

India lo miró por encima del periódico.

—Supongo que esto es muy duro para ti —murmuró comprensiva.

Hacía sólo tres días que Paul había regresado y la situación aún no se había puesto difícil, aunque potencialmente podía resultar explosiva.

—Todavía no lo es, pero lo será. Además, no puedes ir y volver todas las noches.

A Paul le desagradaba que India circulara por la carretera a las cuatro de la madrugada, y a él tampoco le apetecía hacerlo. Todavía sería peor cuando llegara la temporada de nieve.

—Sólo quedan tres meses de curso escolar —observó India con pragmatismo.

En ese momento no estaban dispuestos a afrontar la realidad. La relación había pasado del nacimiento a la mayoría de edad. Se trataba de algo sobre lo que reflexionar y Paul fue consciente de que no había tenido en cuenta los problemas logísticos de India, que abarcaban desde la niñera hasta los traslados en coche. Su hijo tenía treinta y un años y hacía mucho que no se ocupaba de esos menesteres. También recordó que Sean nunca había aceptado sus relaciones sentimentales. Había detestado sistemáticamente a todas las mujeres con las que su padre salía. Paul conoció a Serena cuando Sean iba a la universidad. Tampoco le cayó bien y tardó años en establecer vínculos amistosos con ella. Para entonces Sean ya estaba casado. Paul recordó que esa noche cenaba con su hijo.

A partir del viernes India pasaría el fin de semana con él en Nueva York.

Desayunaron y se vistieron. Salieron juntos del hotel, ella rumbo a Westport y él al despacho.

Paul sonrió cuando India se sentó al volante y lo contempló con su cautivadora belleza rubia.

—Creo que estoy loco, pero te amo —declaró el magnate, y hablaba absolutamente en serio.

Paul la vio alejarse y se obligó a no pensar en Serena. Su peor momento llegaba cuando se separaba de India. Si estaba a su lado no pensaba en Serena: se había comprometido en cuerpo y alma en esta relación y no se arrepentía.

Por la noche, durante la cena con Sean, habló de India y le contó la relación que mantenían. Sean mostró poco entusiasmo y se expresó con cautela.

—Papá, ¿no es demasiado pronto?

—¿Para salir con una mujer?

La reacción del hijo desconcertó a Paul. Aunque finalmente se hicieron amigos, Sean nunca había tenido debilidad por Serena. La consideraba demasiado ostentosa. India era todo lo contrario; se trataba de una mujer reservada, discreta, elegante y sin pretensiones, pero Sean no la conocía.

—Tal vez —repuso Sean—. Sólo han pasado seis meses y estabas muy enamorado de Serena.

—Lo estaba y lo estoy. ¿Crees que no tengo derecho a relacionarme con otra mujer?

Se trataba de una pregunta directa que merecía una respuesta ecuánime.

—¿Para qué? A tu edad no es necesario que vuelvas a casarte.

—¿Quién ha hablado de matrimonio?

Paul dio un respingo al oír las palabras de su hijo y reparar en su aguda capacidad de percepción. Por la mañana había pensado en casarse mientras evaluaba la posibilidad de ir y volver cada día de Westport, práctica que no podían mantener eternamente.

—Si no estás dispuesto a casarte, ¿para qué sales con una mujer? Tienes el *Sea Star*.

A Sean le parecía un trueque sensato y a Paul le hizo muy poca gracia que su hijo pensase que, con cincuenta y siete años, era demasiado viejo para citarse con una mujer.

—¿Desde cuándo te interesan los barcos? Supuse que te gustaría saber qué hago. Un día de éstos te la presentaré.

—No es necesario, salvo que quieras casarte con ella —replicó Sean a bocajarro.

Paul pensó que si le presentaba a India estaría obligado a casarse con ella. Para cambiar de tema habló de su trabajo como fotógrafa y de su extraordinario talento.

—Muy interesante —dijo Sean por cortesía—. ¿Tiene hijos? —Paul pensó que era otra genialidad de su parte. Asintió discretamente con la cabeza y Sean fue al grano—: ¿Cuántos?

—Más de uno.

El pánico se apoderó de Paul y Sean lo percibió.

—¿Cuántos? —insistió.

—Cuatro.

—¿Pequeños?

—De los nueve a los catorce años.

El magnate pensó que ocultarlo no conducía a nada.

—¿Es una broma?

—No.

—¿Te has vuelto loco?

—Tal vez.

A esas alturas Paul dudaba de todo.

—Pero si no soportas más de diez minutos a mis hijos.

—Tus hijos son más pequeños y no paran de berrear. Los de ella son distintos.

—No vayas tan rápido. Acabarán en la cárcel, se emborracharán, tomarán drogas o dejarán preñadas a sus novias. Tal vez ella quede embarazada. Te encantará.

—No seas tan pesimista. Tú no hiciste nada de eso.

—Qué sabes tú. Además, me lo impediste. Papá, a tu edad lo que menos necesitas es una mujer con cuatro hijos. ¿Por qué no buscas una mujer más madura?

—¿Qué te parece Georgia O'Keeffe? ¿Te parece lo bastante madura? Creo recordar que supera los noventa.

—Me parece que ha muerto —comentó Sean—. Venga, serénate. Regresa al velero y relájate. Creo que sufres la crisis de la edad madura.

—Agradezco tu optimismo —ironizó Paul, afectado. Era difícil que su hijo aceptara a India—. Si consideras que tengo esa crisis de que hablas, significa que esperas que viva el doble de mi edad actual, hasta los ciento catorce. Haré cuanto esté en mi mano para darte el gusto. Te garantizo que no estoy senil. Es una buena amiga, una mujer encantadora y me gusta mucho. Pensé que te agradaría saberlo, pero más vale que lo olvides.

—No —dijo Sean severamente y se desquitó de las peroratas que Paul le había dado a lo largo de su vida—. Será mejor que seas tú quien la olvide.

Abordaron otros temas y, cuando salieron del restaurante, Sean seguía preocupado. Dijo que durante el fin de semana lo llamaría para que viese a sus nietos y Paul no tuvo valor para responder que tenía otros planes. Se limitó a comentar que telefonearía si el fin de semana se quedaba en la ciudad. Sean comprendió en el acto a qué se refería.

Cuando llegó a casa, Sean comentó con su esposa, acosada por los mareos del embarazo y con mal semblante, que su padre había perdido la chaveta. Dicho sea en su honor, su mujer le aconsejó que no fuese tan envarado. Paul tenía derecho a hacer lo que le viniera en gana. Sean replicó que se ocupara de sus asuntos.

Las pesadillas que padeció aquella noche fueron terribles. Soñó con Serena y con aviones que estallaban en pleno vuelo. En dos ocasiones la oyó preguntar a gritos qué le había hecho y sollozar porque le había sido infiel. Al despertar se sentía como un anciano de noventa años. Sean había hecho un comentario inquietante: ¿Y si India quedaba embarazada? La mera idea le provocaba escalofríos.

Cuando por la tarde India telefoneó al despacho y dejó dicho que llegaría al hotel a las cinco y media, Paul pidió a su secretaria que le avisase de que allí estaría.

En cuanto la vio olvidó sus pesadillas y las advertencias de Sean. Le bastó besarla para derretirse. Terminaron en la cama antes de cenar y a medianoche solicitaron el servicio de habitaciones. Era la mujer más cautivadora que conocía y, por muchos hijos que tuviera, Paul sabía que la amaba. Mejor dicho, estaba colado por ella. Pasaron un fin de semana realmente mágico.

Pasearon por Central Park cogidos de la mano, visitaron el Metropolitan y fueron al cine. Vieron una historia de amor trágica y lloraron. Compraron libros, leyeron y escucharon música. Compartían los gustos e India habló entusiasmada del crucero que realizarían a bordo del *Sea Star*. Hablaron de sus sueños y temores, como en el pasado habían hecho por teléfono.

El domingo por la tarde Paul se entristeció pues India tenía que irse, debía recoger a los chicos después de la cena. Cuando su amada se marchó le resultó insoportable la perspectiva de pasar la noche sin ella.

La noche del domingo fue peor que la del jueves. Soñó que estaba en brazos de Serena, quien le suplicaba que no la dejase morir y decía que deseaba permanecer siempre a su lado. A las tres de la madrugada despertó y lloró una hora seguida, acosado por los remordimientos. No consiguió conciliar nuevamente el sueño y por la mañana tuvo la certeza de que no debería haber sobrevivido a Serena. La situación se le tornó insoportable. Habló con India, que se mostró complaciente y preocupada por lo que le ocurría.

Cuando salió del hotel hacia el despacho se sentía como muerto. Había quedado en ir a Westport por la noche, pero a las seis telefoneó a India y le explicó que no podía. Era incapaz de mirarla a la cara. Necesitaba otra noche en solitario para pensar en Serena y en lo que estaba haciendo. Supuso que a la mañana siguiente se encontraría mejor e India quedó en desplazarse a la ciudad. Le había pedido a la canguro que pasase la noche en su casa y explicó a sus hijos que iba a visitar a una amiga enferma. ¿Cuánto tiempo podría mantener la farsa?

Cuando por la noche llegó al hotel, Paul la estaba esperando. Tenía mal aspecto e India se preocupó. Quiso saber si había comido y si tenía fiebre. Muy abatido, el magnate respondió que no.

—Cariño, pareces enfermo.

Paul se sintió como un asesino en serie. Tras tantos meses de hablar por teléfono la conocía muy bien, sabía qué pensaba, qué sentía y en qué creía. India creía en la esperanza, los sueños, la sinceridad, la fidelidad y las demás emociones humanas positivas. También creía en los finales felices... pero en este caso no lo había. En los dos días que no se habían visto Paul se había dado cuenta de que seguía enamorado de Serena y estaba convencido de que siempre lo estaría.

Se sentó en el sofá junto a India y la miró. A ella se le cayó el alma a los pies. Paul sólo vio la melena dorada, los ojos azules que a cada minuto que pasaba parecían más grandes y un rostro tan pálido que se asustó.

—Creo que sabes lo que voy a decir —murmuró con toda la tristeza del mundo.

—No quiero oírlo —repuso ella con voz quebrada—. ¿Qué ha pasado?

—India, me he despertado, he recobrado el juicio.

—No, no es cierto. Te has vuelto loco.

Ella sabía de antemano lo que él le diría, y el corazón le dio un vuelco. Perderlo le daba terror. Llevaba toda la vida esperándolo.

—Estaba loco cuando te dije que te amaba. Fue un error. Me excitabas... Quería que nuestra relación fuese todo lo que pensaba que debía ser. Eres la mujer más maravillosa que he conocido, pero estoy enamorado de Serena y siempre lo estaré. Sé que es así. No puedo seguir adelante.

—Te has asustado, eso es todo. El pánico te ha dominado —aseguró desesperada.

—Es ahora cuando el pánico me domina —reconoció él sinceramente y la miró a los ojos. No quería hacerse responsable de ella; mejor dicho, no podía. Sabía que no podía. Sean no se había equivocado: estaba senil—. India, tienes cuatro hijos y una casa en Westport.

—¿Y qué tiene que ver? Los daré en adopción —bromeó, pero se le llenaron los ojos de lágrimas. Paul hablaba en serio. Ella luchaba por el amor que compartían pero el magnate no quería saber nada—. Te quiero.

—Ni siquiera me conoces. Sólo soy una voz por teléfono, un sueño, una ilusión.

—Claro que te conozco —afirmó a la desesperada—. Te conozco tanto como tú a mí. No es justo.

Rompió a llorar desconsoladamente.

Paul la estrechó entre sus brazos. Se sintió un canalla pero sabía que, para sobrevivir, tenía que escapar.

—Será mejor dejarlo, más adelante resultaría más doloroso.

Nos uniremos más y ¿qué pasará? No puedo seguir adelante, Serena me lo impide.

—Serena ha muerto —puntualizó ella con delicadeza en medio de las lágrimas, pues no quería hacerle daño pese al dolor que Paul le causaba—. Ella no querría que fueras desgraciado.

—Sí lo querría, jamás me permitirá estar con otra mujer.

—Era inteligente y te quería... No puedo creer que me hagas esto. —Habían compartido una semana, siete días, India se había entregado totalmente y ahora Paul le decía que era el fin. Hacía una semana, hacía sólo dos días, le había dicho lo mucho que la amaba. Quería que se fuese a vivir a la ciudad y le gustaban sus hijos—. ¿No estás dispuesto a dar una oportunidad a nuestra relación?

—No, no puedo. Por tu bien y por el mío. Volveré al velero. Mi hijo tiene razón, soy demasiado viejo. Necesitas un hombre más joven. No puedo asumir cuatro críos, es demasiado. A las edades que tienen tus hijos Sean estuvo a punto de volverme loco. Lo había olvidado. Han pasado veinte años, yo tenía treinta y siete. Y ahora tengo cien. No, India, es imposible —dijo severamente y la contempló llorar. Lo hacía por Serena, se lo debía por haber permitido que perdiera la vida en aquel accidente aéreo. No tendría que haber ocurrido, él debería haber muerto a su lado—. Será mejor que te vayas.

Paul se levantó y la ayudó a incorporarse. La fotógrafa sollozaba desconsoladamente. No esperaba que le hiciera algo así ni estaba preparada para asimilarlo. Jamás había imaginado que ocurriría. Paul la amaba y ella lo sabía.

—¿Y las vacaciones en Antigua? —preguntó en medio del llanto, como si tuvieran importancia.

Sólo era un pretexto al que aferrarse. Paul también se lo arrebató. Quería recuperarlo todo: su corazón, su vida, su futuro.

—Olvídalas —replicó con frialdad—. Vete a otra parte. Vete con un buen hombre. Yo no soy la persona adecuada, lo mejor de mí murió con Serena.

—No es verdad. Amo lo mejor y lo peor de ti.

Paul ya no estaba dispuesto a oírla. No quería nada de India. Se había acabado. La fotógrafa lo miró con una expresión que le desgarró el corazón.

—¿Qué les diré a mis hijos?

—Diles que soy un cabrón. Te creerán.

—No me creerán. Yo tampoco te creo. Simplemente estás asustado. Tienes miedo de ser feliz.

Aquello era más cierto de lo que India podía imaginar y de lo que Paul estaba dispuesto a reconocer.

—Vuelve a tu casa —dijo él y le abrió la puerta—. Regresa con tus hijos. Te necesitan.

—Tú también me necesitas —insistió convencida, ya que lo conocía a fondo—. Me necesitas más que mis hijos. —Se entretuvo en la puerta, sollozó lastimeramente y antes de partir dijo—: Te quiero.

Cuando India se marchó, Paul cerró la puerta y se dirigió al dormitorio. Se tumbó en la cama que habían compartido, pensó en ella y lloró amargamente. Deseaba que volviese y que formara parte de su vida, pero era imposible. Había aparecido demasiado tarde. Estaba muerto. Serena se lo había llevado consigo, por no haber muerto a su lado, por haberla dejado en la estacada. Él la había traicionado y no podía volver a hacerlo. No tenía derecho a coger lo que India quería darle.

Mientras Paul permanecía tumbado en la cama y lloraba, India conducía histérica y cegada por las lágrimas. No daba crédito a lo ocurrido ni a lo que Paul le había hecho. Era mucho peor que Doug. La diferencia radicaba en que se amaban. Estaba tan angustiada y afectada por la pena que no vio el coche que se salió del carril y se cruzó por delante. Chocó sin reparar en lo que ocurría. Rebotó contra la valla, se desvió a otro carril, dio una vuelta de campana y se golpeó la cabeza con el volante. Finalmente el vehículo se detuvo. Notó un gusto salado en la boca y vio manchas de sangre por todas partes. Alguien abrió la portezuela. India lo miró y se desmayó.

23

Era más de medianoche cuando India telefoneó a Gail. Le habían dado catorce puntos en la cabeza y tenía un brazo roto, conmoción cerebral leve y contusión cervical. La camioneta había quedado para el desguace. El accidente podría haber sido mucho más grave. En total había chocado con tres coches pero, por suerte, no hubo más heridos. La habían llevado al hospital de Westport. Lloró mientras explicaba a Gail lo que había pasado. En un primer momento había pensado en llamar a Paul pero, a pesar de lo aturdida que estaba, optó por no hacerlo. No quería que se sintiese culpable ni la compadeciera. Era ella la que se había equivocado y era injusto responsabilizarlo del accidente.

Sollozaba y hablaba incoherentemente cuando telefoneó a Gail y le pidió que fuera a buscarla al hospital. Gail se asustó y se presentó media hora después, con zapatillas de deporte y el abrigo echado sobre el camisón. Sus hijos se habían quedado con Jeff.

—India, ¿qué ha ocurrido?

—Nada... Estoy bien.

La fotógrafa no dejaba de sollozar y estaba muy afectada.

—Tienes muy mal aspecto —dijo Gail y se dio cuenta de que, por si fuera poco, India acabaría con un ojo a la funerala. Era el primer accidente de coche que sufría y se la veía conmocionada—. ¿Habías bebido? —preguntó.

La policía ya la había interrogado y en urgencias las enfermeras iban y venían a su alrededor.

—No —repuso India e intentó incorporarse, pero dos minutos después vomitó. Aunque le habían dado el alta, Gail consideraba que era pronto para dejar el hospital—. No puedo quedarme, tengo que volver con los chicos. Seguro que están preocupados.

—Y más se preocuparán si te ven en este estado —aseguró Gail.

India insistió. Sólo deseaba volver a casa, meterse en la cama y morir en silencio.

Diez minutos después abandonaron el hospital. India se cubría la ropa manchada de sangre con una manta y llevaba una bolsa de plástico por si volvía a sufrir náuseas. Durante el trayecto siguió llorando quedamente y vomitó cuatro veces.

—¿Qué ha pasado? ¿Te has peleado con Doug?

Gail intuía que a su amiga le había sucedido algo traumático.

—No; estoy bien —repitió—. No ha pasado nada. Lo siento mucho.

—Deja ya de decir que lo sientes.

Gail estaba preocupadísima. Ayudó a su amiga a subir la escalera, la acostó y permaneció a su lado. Preparó una taza de té que India ni probó. La arropó en la cama y lloró hasta que, a las seis de la mañana, el cansancio la venció. Cuando los niños despertaron Gail les explicó que su madre había sufrido un leve accidente y que estaba bien. Sólo un golpe en la cabeza que le dolía mucho.

—¿Y el coche? —preguntó Sam, desconcertado al ver a Gail preparando el desayuno en lugar de su madre.

—El coche ya no existe —comentó ella mientras preparaba crepes. Había pasado la noche despierta, vigilando a India, y se notaba. Añadió—: Está definitivamente muerto.

Jason lanzó un silbido.

—¡Caray! Seguro que se ha dado una buena torta.

—Así es, pero ha tenido mucha suerte.

—¿Puedo verla? —pidió Aimee, muy preocupada.

—Ahora está descansando.

Los chicos desayunaron en silencio pues percibieron que el accidente era más grave de lo que Gail había dicho. En cuanto se fueron a la escuela subió a ver a India, que aún dormía. Le dejó una nota en la que explicaba que iba a casa a cambiarse y que volvería más tarde.

India despertó a mediodía y, muy a su pesar, telefoneó a Paul: necesitaba oír su voz. No estaba segura de que contestara y había decidido no mencionar el accidente. Se sorprendió de que él contestase a la primera.

—¿Estás bien? —preguntó él.

Había pasado la noche en vela, pero prefería estar despierto a sufrir pesadillas. Estaba muy preocupado por India.

—Claro que estoy bien.

Aunque su tono era débil y soñoliento, intentó parecer normal para no angustiarlo.

—¿Anoche regresaste sin problemas?

—Sí, ningún problema —mintió mientras las lágrimas resbalaban por sus mejillas.

Paul se percató de que India no decía la verdad y recordó su mirada de aflicción la noche anterior.

—Estabas demasiado alterada para conducir. Me di cuenta cuando te marchaste. No te llamé porque temí despertar a los niños.

—Los niños se encuentran perfectamente y yo también. ¿Cómo estás tú?

India hablaba como si estuviera exhausta y Paul supuso que había dormido tan poco como él.

—Nada bien —reconoció con seriedad—. Esta noche viajo a Gibraltar, donde está atracado el velero. Navegaré hasta Antigua o me largaré a otra parte, aún no lo he decidido.

—Ah —masculló ella y se le revolvió el estómago.

Abrigaba la esperanza de que Paul hubiera cambiado de idea. Suponía que todo era posible pero, por lo visto, se había equivocado.

—India, quiero pedirte que no me llames más.

Paul le asestó el golpe de gracia directamente en el corazón.

—¿Por qué?

—Porque sólo servirá para que nos volvamos locos. Tenemos que dejarlo. Me equivoqué, me equivoqué de plano y lo siento muchísimo.

—Yo también me equivoqué —reconoció ella, y pensó que el dolor de cabeza era una tontería si lo comparaba con el resto de lo que sentía.

—Soy mayor que tú y tendría que haberlo sabido. Pero lo superarás. Ambos lo superaremos. —Paul sabía que jamás se sobrepondría a la muerte de Serena y que para compensarla había matado a India. Esperaba que, dondequiera que estuviese, Serena fuera feliz. También esperaba que su desdicha compensara de alguna manera la deuda contraída con ella por no haber muerto a su lado—. Cuídate.

India asintió con la cabeza y el llanto le impidió articular palabra. Él guardó silencio.

—Te amo y quiero que lo sepas —dijo ella al cabo—. Si recuperas la cordura, llámame.

—Estoy cuerdo. Por fin estoy cuerdo. Te aseguro que no te llamaré. —No quería que se formara ilusiones, pues habría sido demasiado cruel. Sabía que Serena era la dueña de su alma por toda la eternidad y que el resto no merecía la pena—. Adiós —se despidió suavemente y colgó.

India oyó el tono de marcar y colgó. Cerró los ojos, lloró desconsoladamente y deseó haber muerto en el accidente, porque así todo habría sido más sencillo.

Por la tarde Gail recogió a los niños en la escuela y fue a visitarla. Se sentó en la cama y pensó que su amiga estaba aún peor. No había probado bocado en todo el día e insistía en que no tenía hambre.

—Querida, tienes que comer o te sentirás peor.

Gail le preparó una taza de té. Al llevársela a los labios, India se acordó de Paul y tuvo un acceso de tos. Ni siquiera podía tragar.

A Gail le bastó mirarla para saber qué había ocurrido. Ignoraba con quién, pero su amiga tenía un problema amoroso.

—Tiene que ver con un hombre, ¿no? —preguntó delicadamente. India guardó silencio—. No permitas que ningún hombre te haga daño. No te lo mereces, no es justo que vuelvas a sufrir. —Con Doug ya lo había pasado bastante mal y lo único que le faltaba era alguien peor que él—. Te recuperarás. Estoy segura de que, sea quien sea, no vale la pena.

—Vaya si vale la pena. —India se echó a llorar y, sin haber probado el té, apoyó la taza en el plato—. El problema es que vale la pena.

Gail no se atrevió a preguntar a quién se refería, pero tuvo un curioso pálpito. India no había mencionado a Paul Ward desde el verano anterior, pero cuando sus miradas se cruzaron Gail puso en marcha su sexto sentido. El hombre en cuestión sólo podía ser él. Era un misterio cuándo se habían visto y qué habían hecho. Por lo que Gail recordaba, él se encontraba en Europa. De pronto tuvo la certeza de que había regresado y provocado en su amiga ese estado calamitoso. Nunca había visto tan mal a India. Sólo había tratado con otra mujer tan desesperada: su hermana. A los veinte años se había suicidado por el vecino de al lado y Gail fue quien la encontró. Era la tragedia de su vida y jamás lo olvidaría. Miró a India, se asustó y se preguntó si la víspera había intentado matarse.

Ni siquiera India lo sabía. Volvió a tumbarse, cerró los ojos y pensó en Paul mientras Gail la contemplaba con el corazón encogido.

24

India se recuperó lentamente. Los puntos se convirtieron en una cicatriz que seguía la línea del nacimiento del pelo a lo largo de la sien izquierda. Tres semanas después del accidente, la herida aún tenía un color rojo intenso, pero le aseguraron que en seis meses no se notaría y que podría haber sido peor, muchísimo peor. Había tenido mucha suerte, pues podía haber sufrido daños cerebrales irreversibles o morir. Aquella noche en urgencias había de guardia un cirujano plástico que le había cosido la herida. Tres semanas después la visitó y se mostró satisfecho de su trabajo. El brazo roto sólo tardó cuatro semanas en curarse y, como era el izquierdo, no quedó absolutamente imposibilitada. Lo que creó más problemas fue la contusión cervical y todavía llevaba collarín cuando en abril la llamó Raúl. Quería que cubriese un reportaje en la ciudad. Una revista publicaba un artículo sobre la víctima de una violación. El juicio despertaba mucho interés y necesitaban fotografías.

India lo pensó durante dos días y aceptó el encargo. Necesitaba salir de la rutina. Conoció a la víctima y le cayó bien. Se trataba de una famosa top model, de veinticinco años. El violador le había hecho cortes en la cara la noche en que había puesto fin a su carrera en un montículo de hierba de Central Park, donde la condujo a punta de pistola cuando ella se apeó de un taxi en la Quinta Avenida.

El reportaje requirió dos días de trabajo y lo único que le desagradó fue que el encuentro tuvo lugar en el Carlyle, lo que le recordó a Paul. Por lo demás, todo marchó sobre ruedas. Publicadas una semana después, las fotos provocaron gran revuelo.

Hacía un mes que no tenía noticias de Paul pero se abstuvo de llamarlo. Ignoraba dónde estaba e intentaba no pensar en él. Un mes después de la ruptura seguía en medio de una nube de confusión. Había sido como conseguir cuanto había soñado y luego perderlo. La única diferencia con la modelo consistía en que ésta estaba físicamente afectada. Las cicatrices de India eran igualmente profundas pero no se veían. Sólo ella sabía de su existencia.

Le costaba creer que no volvería a tener noticias de Paul, pero en mayo no le quedó otro remedio que aceptarlo. Se había alejado de su vida, cargado con sus penas, sus heridas y sus recuerdos de Serena. India sabía que jamás recuperaría algo muy íntimo que Paul le había arrebatado. Tenía que aprender a vivir con esto y con su fracaso matrimonial. Por algún motivo la ruptura con Paul le dolía más que la pérdida de Doug. Le resultaba más lacerante que todo lo que había vivido, salvo la muerte de su padre. Se trataba de la pérdida de las esperanzas en un momento vulnerable de su vida y estaba decepcionada. Sabía que el tiempo lo cura todo, aunque ignoraba cuánto tardaría. Tal vez le llevaría toda la vida, pero no tenía alternativa. Su sueño se había esfumado con Paul, lo mismo que su corazón y el amor que le había prodigado. Lo único que le quedaba era la certeza de que éste la había amado. Paul la amaba. Por mucho empeño que él pusiese en negarlo, durante un tiempo la había amado.

A principios de mayo comió con Gail. Todos los años almorzaban juntas el día del cumpleaños de India. Era una tradición. La víspera, India había comprado una camioneta nueva. Gail la contemplaba cuando de repente miró a su amiga. Hacía dos meses que deseaba hacerle una pregunta y hasta entonces no se había atrevido. Se armó de valor al comprobar que India estaba muy recuperada; además, la curiosidad la azuzaba. Se sentaron a comer y Gail se lo preguntó. India desvió la vista, luego miró a su amiga con expresión afligida. No tenía sentido guardar el secreto, ahora carecía de importancia.

—Sí, se trata de Paul. Durante mucho tiempo, casi desde el verano, nos hablamos por teléfono. Si quieres que sea exacta, a partir de la muerte de Serena. Al cabo de unos días me llamaba diariamente. Se convirtió en mi mejor amigo, en una especie de hermano... Durante una época lo fue todo para mí. Era la luz al final del túnel, aunque él se negaba a admitirlo. —Sonrió—. Después, regresó a Nueva York y me declaró su amor. Creo que la primera vez que lo vi me enamoré de él. A él le ocurrió lo mismo, incluso en vida de Serena, aunque nunca lo reconoció y creo que, en realidad, no se dio cuenta. Entre nosotros existía algo muy poderoso que lo asustó. Era más de lo que podía asimilar. Todo acabó en una semana. Dijo que era por mis hijos, por su edad y por una serie de tonterías que no vienen a cuento. En realidad lo hizo por él. Se sentía demasiado culpable debido a Serena, seguía enamorado de ella. Sea como fuere, puso fin a la relación la noche del accidente.

Miró a Gail con lágrimas en los ojos.

—¿Aquella noche intentaste quitarte la vida?

La cuestión obsesionaba a Gail. India le recordaba mucho a su hermana; por suerte, se había salvado y parecía muy repuesta.

—Supongo que sí —reconoció ella con franqueza—. Tenía ganas de morir, pero me faltó valor. Sigo sin recordar qué ocurrió. Sólo sé que iba llorando y con la sensación de que mi vida estaba acabada. Cuando recobré el conocimiento ingresaba en el hospital. Recuerdo que después me llevaste a casa y me dolía mucho la cabeza. La verdad es que el corazón me dolía mucho más que la cabeza.

—¿Has sabido algo más de Paul? —inquirió Gail con pesar, pues le parecía una historia terrible que había estado a punto de terminar en tragedia.

Su amiga negó con la cabeza.

—No sé nada ni creo que vuelva a tener noticias suyas. Se ha terminado. He tardado mucho en aceptarlo, pero ahora sé que es así. No le he llamado ni le llamaré. Estaba muy deprimido y sólo faltaría que yo lo torturara. Hemos pasado momentos realmente difíciles. Supongo que ha llegado la hora de olvidarlo.

Gail asintió con la cabeza, deseosa de que así fuera. Si Paul no la quería, a su amiga no le quedaba otra opción que aceptarlo. Por muy doloroso que hubiera sido, parecía que al fin lo reconocía.

Comieron en Fernando's Steak House y hablaron de otros temas: los hijos de India, el reportaje de la modelo violada y, por último, la novia de Doug. Aunque no demasiado, este último punto molestaba a India. Todavía se preocupaba por Doug, si bien la separación le producía alivio. Su vida actual era mucho más sencilla y tranquila. No le apetecía salir con nadie. Suponía que, después de la historia con Paul, tardaría mucho en volver a abrirse. Gail no mencionó el tema. India no estaba en condiciones de salir con un hombre, de asistir a citas a ciegas o encuentros casuales en un motel. Además, no era su estilo. Gail se percató de lo herida que estaba, mucho más de lo que demostraban las cicatrices, el brazo roto o el cuello resentido. Las verdaderas heridas eran profundas, se encontraban donde nadie podía verlas o tocarlas. Eran el regalo de despedida que Paul le había hecho e India estaba convencida de que recuperarse le llevaría toda la vida. Jamás había amado a nadie como a Paul y le resultaba imposible pensar en volver a vivir una historia parecida. Gail estaba segura de que algún día aparecería alguien, pero India jamás se abriría como lo había hecho con Paul Ward.

Raúl telefoneó al día siguiente de que le retiraran la escayola del brazo. India esperaba otro reportaje local, como el del juicio por violación, pues su representante estaba al tanto del accidente y suponía que le asignaría una labor tranquila.

—¿Cómo te encuentras? —preguntó Raúl.

India sonrió.

—¿Por qué lo preguntas? ¿Piensas invitarme a bailar? Diría que estoy bien, aunque todavía no podría bailar claqué. Pero me atrevería con la samba. ¿Qué quieres que bailemos?

—¿Te van los ritmos africanos? —India sintió que algo se encendía en su interior y recordó el pasado—. ¿Qué te parece Ruanda?

—Está muy lejos —replicó.

Raúl fue franco con ella:

—Está muy lejos y el trabajo será agotador. En medio de la selva hay un hospital que se ocupa de niños huérfanos. Algunos padecen secuelas terribles y están muy afectados por enfermedades y problemas que ponen los pelos de punta. No disponen de mucha ayuda. Un grupo de estadounidenses colabora con los misioneros de Francia, Bélgica y Nueva Zelanda. Hay voluntarios de todo el mundo. La historia es interesantísima pero no quiero presionarte. Sé que has estado en fase de recuperación y que tienes que pensar en tus hijos. Así pues, depende de ti. No insistiré. La decisión es tuya.

—¿Cuánto tiempo requiere?

—Tres semanas, tal vez cuatro. Supongo que tú podrías hacerlo en tres.

Si aceptaba tendría que buscar a alguien que cuidara de sus hijos.

—Me encantaría cubrir la noticia —reconoció. Era precisamente la clase de reportajes a que aspiraba cuando volvió a trabajar. Se trataba de una región candente, pero no había muchos riesgos salvo las habituales enfermedades tropicales. Además, sus fotos de esa zona del planeta estaban anticuadas—. ¿Me das un par de días para pensarlo?

—Necesito la respuesta mañana mismo.

—Lo intentaré.

India continuó sentada junto al teléfono, pensó un buen rato y decidió coger el toro por los cuernos. No tenía nada que perder. Lo peor que podía ocurrir era obtener un no por respuesta.

Llamó a Doug al despacho y le preguntó si podía ocuparse de los chicos mientras estuviese fuera cubriendo un reportaje.

Él permaneció largo rato en silencio y al final le soltó una pregunta que India no esperaba pero que tenía mucho sentido.

—¿Puedo quedarme en Westport?

La fotógrafa no oyó acusaciones, insultos ni amenazas. A Doug le daba igual lo que hiciese siempre y cuando fuera responsable con los hijos.

—Desde luego, me parece perfecto. Para nuestros hijos será mejor así.

Entonces él la sorprendió con una pregunta:

—¿Puedo ir con Tanya?

Hacía varias semanas que Doug convivía con ella y sus dos hijos. Aunque había habitaciones de sobra, India no quería tenerlos a todos en su casa. Reflexionó, comprendió que el viaje a África dependía de que aceptara esa propuesta y, finalmente, cedió. No daba saltos de alegría pero, si era necesario, valía la pena dejar que Doug se instalara con Tanya y sus hijos. No tuvo muy claro cómo reaccionarían los muchachos. Sabía que detestaban a Tanya y sus críos.

—Pacto cerrado —declaró Doug.

India sonrió y recordó que era su concepto favorito, en el que creía a pies juntillas.

—Gracias —dijo—. Es un reportaje muy prometedor.

Entusiasmada, llamó inmediatamente a Raúl para darle la noticia.

—¿Cuándo puedes partir?

—Te lo diré en cuanto lo sepa. Supongo que muy pronto.

—Cuanto antes mejor —dijo Raúl.

India debía tomar las fotos sin más tardanzas. Raúl le dijo que debía salir en menos de una semana y ella emitió un silbido de sorpresa. No le quedaba mucho tiempo para organizarse, pero lo conseguiría.

Volvió a telefonear a Doug y se lo explicó. Su ex marido no puso reparos y ella le dio nuevamente las gracias. Se habían convertido en desconocidos. Costaba creer que hubiesen compartido diecisiete años de vida. Su matrimonio había terminado brusca y definitivamente, por lo que se preguntó hasta qué punto había sufrido Doug y si había sido importante para él. Supuso que Tanya era más sumisa que ella para acatar sus normas. India sabía que Tanya nunca había trabajado, que su ex marido era médico y que, cuando le planteó el divorcio para casarse con su enfermera, accedió a pasarle una asignación elevadísima, por lo que Tanya era económicamente independiente y no representaba una carga.

Por la noche les explicó a sus hijos que se iba de viaje y que Doug se quedaría con ellos. Estaban encantados, aunque no tanto cuando supieron que Tanya y sus hijos lo acompañarían.

—¿No hay otra solución? —preguntó Aimee.

Jason puso cara de disgusto.

—No pienso quedarme aquí —anunció Jessica, grandilocuente.

Ya había cumplido los quince, pero no tenía a donde ir.

—¿Puedo quedarme en casa de Gail? —preguntó Sam.

—Ni soñarlo —contestó India—. Os quedaréis en casa y os portaréis educadamente. Papá me hace un favor al venir aquí para que yo pueda viajar para cubrir una noticia. Así son las cosas y no hay nada que hacer. Sólo estaré fuera tres semanas.

—¿Tres semanas? ¿Tanto tiempo?

—Ruanda está muy lejos y necesito tres semanas.

Los chicos se vengaron: no le dirigían la palabra y discutían por todo, desde la ropa hasta los sitios a los que iban.

India estuvo enferma la semana antes de partir. Las vacunas le produjeron náuseas y fiebre. Pero estaba dispuesta a hacer lo imposible para realizar ese viaje y cubrir la noticia.

La víspera de su partida los llevó a cenar fuera y logró que, a regañadientes, accedieran a ser amables con Tanya, pero los cuatro se juramentaron no dirigir la palabra a sus hijos.

—Espero que seáis educados, os lo pido por papá.

En plena noche Sam se metió en su cama. Acababa de cumplir diez años. Jason tenía trece y Aimee doce. El único que de vez en cuando se colaba en su cama era el pequeño. La echaría de menos, pero con Doug en casa los chicos estarían bien. Tanya había telefoneado para decirle que se ocuparía de los traslados en coche. India se percató de que su relación con Doug era estable. Le costaba asimilar que él hubiera seguido adelante con su vida. Sin embargo, no guardaba rencor a Tanya, a quien los chicos encontraban horripilante pues les hablaba como si fueran bebés y se ponía demasiado maquillaje y perfume. India pensó que podría haber sido peor. Doug podría haberse liado con una veinteañera que odiara a sus hijos, pero Tanya no era así. Evidentemente se tomaba la situación con filosofía.

Se trasladarían a la casa de Westport el mismo día de la partida de India, que ya lo tenía todo preparado: listas, instrucciones y alimentos para una semana en la nevera y el congelador. Pensaba dejar cenas congeladas para calentar en el microondas, pero Doug le dijo que a Tanya le encantaba cocinar y que con mucho gusto prepararía la cena a los chicos.

Después de desayunar se marcharon a la escuela. India les dio un beso de despedida y les pidió que se portasen bien. Había dejado varios números de teléfono por si la necesitaban, aunque les advirtió que sería difícil contactar con ella. El hospital de campaña disponía de radio y le retransmitirían los mensajes. Sabía que para sus hijos lo más duro sería la imposibilidad de hablar con ella. Pero los dejaba en buenas manos y, gracias a Doug y Tanya, se quedaban en casa y sus vidas no se alterarían demasiado.

Telefoneó a Gail y le pidió que de vez en cuando echase un vistazo a los chicos. Gail le deseó suerte. Echaría de menos a su amiga, pero sabía que a ella le iría bien desconectar. Habían transcurrido dos meses desde la ruptura con Paul y desde entonces India parecía más muerta que viva, pero Gail abrigaba la esperanza de que el viaje la ayudara a recuperarse. Estaría tan ocupada, tan lejos y tan distante de todo que nada se lo recordaría.

India cubriría la primera etapa del viaje volando a Londres. Pernoctaría en un hotel del aeropuerto y al día siguiente cogería un vuelo a la ciudad ugandesa de Kampala. Una vez allí tomaría un pequeño avión para desplazarse a Kigali —la capital de Ruanda— y luego viajaría en jeep por la selva hasta Cyangugu, en el extremo meridional del lago Kivu.

Salió de casa vestida con tejano, botas y plumón; de su hombro colgaba la vieja bolsa con el equipo fotográfico y sólo llevaba un bolso pequeño. Una vez fuera se detuvo, miró alrededor, acarició al perro y rezó para que en su ausencia no pasara nada.

—Cuídalos por mí —dijo a *Crockett*.

El perro la miró y meneó la cola. India sonrió expectante y cogió el autobús que la conduciría al aeropuerto.

El viaje le resultó interminable. Las dos últimas etapas fueron peores de lo que Raúl había augurado. El avión de Kigali a Cyangugu era una minúscula huevera que sólo transportaba a dos pasajeros y apenas había espacio para su bolso de mano. Despegó a duras penas, casi rozando la copa de los árboles, y aterrizó en un claro rodeado de arbustos ralos. El paisaje era increíble e India comenzó a disparar su cámara antes de que tomaran tierra. El jeep era, en realidad, un viejo camión ruso. Nadie sabía de dónde lo habían sacado y al cabo de media hora de trayecto se dio cuenta de que los dueños anteriores no lo revisaban porque dejó de funcionar. La media hora de recorrido se convirtió en dos horas y media. Se detuvieron varias veces para reparar el camión o para ayudar a sacar del barro a vehículos atascados. A mitad de trayecto India ya se había convertido en una experta en bujías.

Le habían asignado un conductor sudafricano que se presentó con Ian, un neozelandés que llevaba tres años en la zona. Éste amaba África y le contó muchas cosas sobre las tribus hutus y tutsis, y la procedencia de los niños que vivían en el hospital de campaña.

—Será un reportaje estupendo —opinó el neozelandés.

Era muy atractivo e India se deprimió cuando advirtió que probablemente le doblaba la edad. En ese rincón del mundo había que ser joven para soportar las penurias. Con cuarenta y cuatro años, prácticamente era una anciana comparada con los demás integrantes del equipo. Claro que sólo se quedaría tres semanas.

—¿De dónde obtenéis las provisiones? —preguntó mientras avanzaban dando tumbos.

Hacía rato que había anochecido, pero tanto Ian como el conductor insistían en que no corrían peligro. Le explicaron que sólo debían preocuparse por la presencia ocasional de elefantes o leones. Ambos iban armados y aseguraron ser buenos tiradores.

—Obtenemos alimentos de donde podemos —respondió mientras traqueteaban.

—Espero que no los consigáis en el mismo sitio de donde procede el camión.

El joven rió y le explicó que las provisiones llegaban del extranjero y que las transportaban por puente aéreo. También contaban con ayuda de la Cruz Roja.

Llegaron a las dos de la madrugada y la acompañaron a su tienda de campaña. Era minúscula y parecía un desecho de guerra, pero a India no le importó. Le dieron un saco de dormir y un catre y le aconsejaron que no se quitara los zapatos por si los elefantes o los rinocerontes arrasaban el campamento y tenía que huir por piernas. También le advirtieron que había serpientes.

—¡Fantástico! —exclamó.

No estaba en Londres sino en África, pero se encontraba tan agotada que habría dormido de pie.

Por la mañana la despertaron los sonidos del campamento. Salió de la tienda con la misma ropa que llevaba la noche anterior, sin peinarse ni lavarse los dientes, y divisó el hospital de campaña. Estaba instalado en una enorme cabaña que un grupo de australianos había construido hacía dos años. Todos parecían muy concentrados en lo que hacían. Tuvo la sensación de ser una perezosa pues aún estaba medio dormida.

—¿Has tenido buen viaje? —preguntó una inglesa sonriente que le indicó dónde estaban los lavabos.

La cocina se encontraba detrás del hospital e India fue hacia allí después de lavarse los dientes y la cara, de cepillarse la melena y hacerse una coleta.

Era una mañana fantástica y el calor apretaba. Había dejado el plumón en la tienda y estaba hambrienta. En la cocina había una extraña mezcla de alimentos africanos para los nativos y una variedad poco tentadora de platos congelados para los demás. La mayoría de los presentes tomaban fruta. India sólo necesitaba un café antes de redactar la lista de las personas a las que tenía que entrevistar para el reportaje.

Estaba a punto de terminar la segunda taza de café y una tostada cuando entró un grupo de hombres en compañía del neozelandés que había conocido la víspera. Alguien comentó que eran pilotos. India contempló la espalda de uno de los recién llegados y le resultó ligeramente conocida. Llevaba chaqueta de vuelo y gorra de béisbol, pero no le vio la cara. De todos modos, no tenía importancia. No conocía a nadie, quizá era alguien con quien se había cruzado en los años en que deambulaba de un lado a otro del planeta. Le pareció harto improbable. Casi todas las personas con que trató se habían retirado ya, seguido su camino o muerto. En su profesión no existían muchas opciones y casi nadie perseveraba en esa clase de trabajo. Entrañaba demasiados riesgos y la inmensa mayoría de las personas cuerdas lo cambiaban encantadas por una mesa de despacho.

Aún miraba a los hombres cuando Ian la saludó con la mano y se acercó. Tres pilotos lo siguieron. El primero era bajo y corpulento y el segundo, negro. India miró al tercero y, atónita, lanzó una exclamación de sorpresa. Era Paul Ward. Se miraron fijamente, con una mezcla de miedo e incredulidad. El grupo llegó a la mesa que ocupaba la fotógrafa. El neozelandés los presentó y le resultó imposible pasar por alto la expresión de India. Su rostro de por sí pálido se había tornado blanco como el papel.

—¿Os conocéis? —preguntó Ian, percatándose de que había un problema grave.

Si India hubiera sido capaz de imaginar la única escena de su existencia que no quería vivir, probablemente habría sido la que se estaba desarrollando ante sus ojos.

—No es la primera vez que nos vemos —atinó a decir India y estrechó la mano de los recién llegados.

Enseguida recordó que Paul le había contado que, antes de casarse con Serena, organizaba puentes aéreos a zonas necesitadas, y que después de su boda había limitado su participación a prestar apoyo económico. Por lo visto, volvía a desempeñar un papel más activo. Cuando los demás se fueron Paul se las ingenió para quedarse.

Miró a India, aún tan sorprendido como ella. No podían imaginar que se encontrarían en Ruanda. Para India se trataba de un fatídico percance.

—India, lo siento mucho —se disculpó él, notando que la fotógrafa estaba muy afectada. Había viajado a ese lugar perdido para recuperarse y olvidarlo pero increíblemente se habían encontrado. Era una pesadilla—. No sabía que...

—Por supuesto que lo sabías. —Intentó sonreír porque era lo

único que podía hacer—. Lo has planificado para torturarme. Es lo que puedo esperar de ti.

Paul sintió alivio al ver que India aún era capaz de esbozar una sonrisa.

—Jamás haría semejante cosa. Supongo que lo sabes.

—Te creo muy capaz. —Aunque bromeaba a medias, sabía que ese encuentro era fortuito—. ¿Se trata de una escena de la peor película de tu vida? Para mí sí.

—Lo sé. ¿Cuándo llegaste?

—Anoche.

—Nosotros hace una hora, de Cyangugu.

—Eso me han dicho. ¿Cuánto tiempo te quedarás?

Le habría gustado que Paul permaneciera un solo día, pero no era lo que tenía previsto.

—Dos meses. Repartiremos provisiones, pero yo me quedaré aquí y utilizaré el hospital como base.

—¡Qué bien! —exclamó ella con ironía, aún sin dar crédito a lo que ocurría.

—¿Y tú? ¿Cuánto tiempo te quedarás?

—Tres o cuatro semanas. Tendremos que soportarnos, ¿no te parece? —preguntó tensa.

Hasta mirarlo le producía dolor. Era como clavar una aguja en una herida reciente. Paul estaba mejor que nunca, si bien algo más delgado y estresado, pero seguía siendo sumamente atractivo y juvenil. Por lo visto, los meses transcurridos desde la ruptura no habían hecho mella en él.

—Haré lo imposible por no interponerme en tu camino —prometió.

Ninguno de los dos sabía lo estrechamente que se trabajaba en el hospital de campaña. Los colaboradores pasaban juntos todo el día. Formaban un verdadero equipo y nadie podía zafarse.

—Te lo agradezco.

India se levantó y dejó la taza en una bandeja. Al volverse vio que Paul la contemplaba con expresión dolida. No quiso preguntarle cómo llevaba lo de las pesadillas, pues desde marzo sus propios sueños habían sido espantosos y la mayoría de las veces lo incluían.

—¿Cómo estás? —musitó Paul cuando la fotógrafa se alejaba.

—¿A ti qué te parece? —le contestó ella hablando por encima del hombro.

El magnate asintió con la cabeza. Aún no podía precisar de

qué se trataba, pero notaba algo distinto en el rostro de India. Cuando ésta se marchó advirtió que tenía una cicatriz reciente a lo largo de la sien. Quiso preguntarle a qué se debía, pero no le dio tiempo. Se reunió con los pilotos y experimentó un dolor conocido. En este caso no se trataba de Serena, sino de India y de lo que aún sentía por ella. No era consciente de lo mucho que todavía la quería.

25

A lo largo de los días siguientes hicieron cuanto pudieron para evitarse, pero les resultó imposible.

Un anochecer, Paul se sentó a la mesa en que India cenaba y la miró con desesperación.

—No hay nada que hacer, ¿verdad? —dijo quedamente.

De haber podido se habría marchado, pero su trabajo era muy importante. También sabía que India trabajaba en un reportaje crucial. Ninguno de los dos podía irse. India pasaría tres o cuatro semanas difíciles. Para Paul tampoco sería coser y cantar. Cada vez que la veía su corazón dejaba de latir. Tenía la sensación de que India estaba en todas partes. Varias veces al día se quedaba mirándola como un tonto. Se sentía incluso peor cuando sus miradas se cruzaban. Los ojos de ella traslucían un dolor profundo y lacerante. Le bastaba contemplarla para tener ganas de llorar y abrazarla.

—No sufras —aconsejó la fotógrafa con pragmatismo.

Paul no podía dejar de sufrir. El daño que le había causado a su amada resultaba palpable.

India desvió la mirada porque intuía que el labio le temblaba. No quería verlo, no quería experimentar los sentimientos que Paul había despertado en ella, pero comprobó mortificada que seguían existiendo y que tal vez existirían siempre. Intuyó que esa herida estaría eternamente abierta. Sin duda Paul era el hombre de su vida. Se convenció de que es posible olvidar incluso a los amores perdidos. Le habían planteado un desafío sobrehumano y de alguna manera tenía que afrontarlo.

Al cabo de unos minutos los demás se levantaron de la mesa y, como no sabía qué hacer, Paul la miró y preguntó:

—¿Qué te ha pasado?

India no tenía la cicatriz la última vez que se habían visto en Nueva York. Era una marca reciente. La mañana anterior la había visto con un collarín ortopédico. India se lo ponía cuando le dolía el cuello y lo había utilizado después del largo viaje. Paul le acarició suavemente la cicatriz pero la fotógrafa se apartó para evitar el contacto.

—Son las huellas de un duelo —intentó bromear, pero a él no le causó gracia—. Tuve un accidente.

—¿De coche? —Ella asintió con la cabeza—. ¿Cuándo?

Paul deseaba saber hasta el último detalle de lo ocurrido desde que dejaron de verse. Sabía que, a diferencia de la del rostro, las otras heridas que le había infligido eran demasiado profundas para resultar visibles.

—Hace un tiempo —contestó escuetamente.

A Paul le bastó mirarla para saber cuándo había ocurrido y se angustió.

—¿Fue aquella noche?

La idea lo hizo sentir más culpable que al principio. Sólo necesitó mirarla para comprender que tenía que haber ocurrido aquella noche aciaga.

—Sí.

—Oh, Dios mío... ¿Tuviste el accidente cuando regresabas a casa? —Ella volvió a asentir con la cabeza—. No tendría que haber permitido que condujeras. Tenía el presentimiento de que ocurriría algo espantoso.

—Yo también —reconoció India y pensó en todo el daño que él le había hecho.

Podría haber muerto; mejor dicho, había estado a punto de morir. Y durante una temporada había deseado morir.

—¿Fue muy grave?

—Bastante.

—¿Por qué no me lo contaste cuando a la mañana siguiente hablamos por teléfono?

—Porque ya no era asunto tuyo, sólo mío.

Paul recordó el extraño tono de India en aquella conversación. Parecía aturdida, ausente e incoherente, pero él supuso que sólo estaba alterada, lo cual también era cierto.

—Me siento muy mal. ¿Qué puedo decir?

—No te preocupes. Me he recuperado.

La mirada de India indicaba algo muy distinto. Intentaba guardar las distancias físicas porque emocionalmente le resultaba imposible alejarse. De momento nada había dado resultado, y tampoco la ayudaba estar cerca y ser testigo de los sentimientos de Paul. Conocía sus debilidades, del mismo modo que él conocía las suyas. India se dio cuenta de que Paul no había dejado de amarla. Lo que él había dicho no contaba. Por alguna razón, esos sentimientos empeoraron la situación porque no conducían a buen puerto. Paul había echado a perder la vida de ambos, su felicidad y su futuro. Se preguntó si también había ido a África para escapar de sus recuerdos, tal como ella había hecho. Era una paradoja agridulce que hubiesen viajado al mismo lugar. El sentido del humor divino volvía a manifestarse, aunque tal vez se trataba del destino.

Finalmente India lo miró y preguntó:

—¿Qué podemos hacer?

Estaba claro que guardar las distancias era imposible. Las circunstancias lo impedían.

—Tendremos que apretar los dientes y aprender a soportarlo —respondió Paul y la escrutó con la mirada—. Lo siento muchísimo. Jamás imaginé que estarías aquí.

—Yo tampoco. Sólo hace una semana que me ofrecieron este reportaje. Me pareció fabuloso y Doug y su novia accedieron a cuidar de los niños.

—¿Ambos?

Paul se sorprendió.

—¿Cuánto hace que te dedicas a los puentes aéreos?

En el campamento todos comentaban que Paul y sus amigos llevaban a cabo un trabajo extraordinario. El magnate era el coordinador, el piloto jefe y el que asumía la mayor parte de los gastos.

—Desde marzo —repuso con modestia—. Regresé al velero pero enseguida supe que no podía pasar así el resto de mi vida.

—¿Dónde lo has dejado?

—En Cap d'Antibes. Si realmente consigo poner en marcha los puentes aéreos y otro piloto se encarga de hacer los trayectos, el verano que viene regresaré al velero. Si no lo consigo me quedaré aquí. —La vida en África era muy dura, y la labor de Paul resultaba encomiable—. Te prometo que haré lo que pueda para mantenerme alejado de ti. Esta semana llevaremos a cabo un par de transportes. No puedo hacer nada más. Aquí me necesitan... tanto como a ti.

La atención de la prensa internacional era imprescindible para la supervivencia del proyecto y para recaudar fondos. Ambos eran muy importantes y no podían marcharse.

—Todo se resolverá —aseguró ella. Debían encontrar la manera de que funcionara. Lo miró apenada. Durante seis meses Paul le había alimentado todas las expectativas del mundo y luego se las había arrebatado. Ahora debía crearlas por sí misma—. Tal vez te parezca una locura (hasta cierto punto lo es), pero quizá podríamos ser amigos. —Sabía que Paul no lo deseaba, ya que lo había dejado muy claro—. Así empezó todo. Supongo que así tendría que terminar. Probablemente por eso nos hemos encontrado, como si un poder superior hubiera decidido ponernos frente a frente para enmendar los errores.

—No tienes nada que enmendar —precisó él con ecuanimidad—. Nunca me has hecho nada malo.

—Pero te asusté. Es suficiente. Intenté seducirte para que hicieras algo que no querías.

Sabían que no era cierto. Paul le había dicho que la amaba, había abierto la puerta invitándola a pasar. Pero al cabo de pocos días la echó, cerró de un portazo y la abandonó.

—Tú no me asustaste, fui yo el que se asustó. También fui el que te hizo daño. Espero que no lo olvides. Si alguien debe sentirse culpable soy yo.

Sus palabras eran incuestionables, pero a India le parecía más sencillo olvidarlo. En Ruanda no había espacio para lo que todavía sentía por él ni para pensar en el sufrimiento que le había causado.

—Mucho antes de regresar me dijiste que no querías ser la luz al final del túnel. Y no lo eres. Me lo advertiste muy claramente.

India recordó esas palabras pronunciadas mientras ella estaba en una gélida cabina y que le habían parecido más frías que el aire que la rodeaba. Lo único que la confundió fue que en marzo Paul cambiase de idea. Pero el viraje sólo duró unos días. Aquel fugaz instante fue una aberración, un sueño frustrado, una etapa que no volvería a repetirse. Sabía que ahora debía descubrir por sí misma sus expectativas. Y Paul tenía que hacer lo propio. Ya no podía ofrecérselas ella, él no las quería. Sólo le interesaban los recuerdos de Serena, su dependencia del pasado y los fantasmas que lo rodeaban. Ya no necesitaba a India.

—Tenemos que olvidar lo ocurrido —dijo ella—. Este encuentro es como una prueba y debemos hacer frente al desafío. —Sonrió con tristeza, se incorporó y le acarició la mano. Paul volvió a ser presa de la confusión, aunque captó la sensatez de la propuesta—. ¿Podemos ser amigos? —preguntó ella.

—No sé si podré —reconoció Paul, ya que incluso le costaba estar cerca de India.

—No hay otra solución, al menos durante tres semanas.

India había elegido el camino más difícil. Paul había preferido cerrarle la puerta en las narices, dejar de llamarla y pedirle que no telefonease. India no tenía intención de volver a llamarlo pero, costara lo que costase, durante tres semanas sería su amiga. Le tendió la mano para que la estrechase, pero Paul permaneció con las suyas en los bolsillos.

—Veré qué puedo hacer —dijo; se levantó y se alejó.

No estaba enfadado con India, pero se sentía fatal y al verla su malestar se había agudizado. Muy a su pesar tuvo que reconocer que la añoraba desesperadamente. Al encontrarla se habían reabierto las viejas heridas. Él aún pertenecía a Serena, pero admitió que la propuesta de India desprendía una gran dosis de sabiduría y generosidad. Tenía que asimilar la idea y aceptarla o rechazarla. India sabía qué sentía por él y, puesto que ya no podían ser amantes, de momento estaba dispuesta a ser su amiga.

Cuando regresaban a las tiendas Ian le preguntó:

—¿Sois enemigos jurados?

—Más o menos —respondió India. Esa explicación resultaba más convincente que reconocer que durante unos días habían sido amantes—. Lo superaremos. Este sitio es ideal para poner el pasado en perspectiva.

Sólo volvió a pensar en Paul cuando se metió en el saco de dormir y se tumbó en el estrecho catre que amenazaba con desplomarse cada vez que se movía. Durante la jornada había tomado muchas fotos y hecho acopio de un gran caudal de información, pero ahora sólo era capaz de pensar en que Paul ni siquiera la quería como amiga. No estaba dispuesto a regalarle esas migajas. Tenía que sumar este golpe a los demás. India sintió que había cumplido con lo que le correspondía pese al precio que le costaba. Las ganas de llorar la asaltaban cada vez que lo miraba o le dirigía la palabra. Al final se quebró en llanto doloroso.

Por la mañana Paul se desplazó a Kinshasa, donde permaneció dos días. India estuvo más tranquila sin él en el campamento y se concentró en su trabajo. Visitó a los niños enfermos, los fotografió y habló con los húerfanos. Vio que los médicos trataban a los leprosos con los medicamentos que Paul había pagado y transportado en avión. Su actitud serena y tranquila pareció influir en la gente del campamento. Y ella consiguió captar hasta lo más profundo de sus almas a través del objetivo. Cuando Paul regresó, India se había hecho amiga de muchas personas y parecía encontrarse mejor.

El viernes por la noche las enfermeras organizaron una fiesta. Invitaron a todos los del campamento pero la fotógrafa optó por no asistir porque tenía la certeza de que Paul acudiría. Ella le había ofrecido su amistad y él la había rechazado. No tenía ganas de verlo y, puesto que de momento el campamento era su hogar, lo único que le faltaba era acudir a una fiesta en la que él también estaría. Al fin y al cabo, sólo pasaría tres semanas en Ruanda y le pareció más sensato quedarse en la tienda.

Leía tranquilamente a la luz de la linterna, con un codo apoyado en el catre y el pelo recogido por el calor, cuando oyó un ligero aleteo y un sonido súbito en el exterior de la tienda. Se asustó. Estaba segura de que era un animal, quizá una serpiente. Apuntó hacia fuera con la linterna, dispuesta a gritar si se trataba de un animal peligroso, pero sólo vio el rostro de Paul.

—¡Uf! —exclamó—. Menudo susto.

Él bizqueó; el haz de luz lo había cegado.

—¿Te he asustado?

Paul se protegió los ojos con el brazo e India bajó la linterna.

—Sí, te confundí con una serpiente.

—Es lo que soy. ¿Por qué no has venido a la fiesta?

—Porque estoy cansada.

—No es cierto. Tú nunca te cansas.

Paul la conocía demasiado bien e India temió que descubriese lo que había en el fondo de su corazón. Durante mucho tiempo le había confiado sus intimidades: sabía qué sentía, qué opinaba y cómo funcionaba.

—Estoy cansada y tengo que terminar de leer varios informes.

—Dijiste que podíamos ser amigos. —Paul parecía desolado—. Me gustaría intentarlo.

—Somos amigos.

Ambos eran conscientes de la falsedad de esa afirmación.

—No es cierto, no somos amigos. Cada uno da vueltas alrededor del otro como si fuera un animal herido. No es la actitud que adoptan los amigos —reconoció él.

Se apoyó en el poste que sustentaba la tienda y la miró con expresión atormentada.

—A veces no queda otra salida. A veces los amigos ponen al otro en peligro o lo enfurecen.

—India, lamento el daño que te he hecho —declaró desesperado mientras la fotógrafa intentaba apartarlo de su corazón como habría espantado a un animal que se acercase a su tienda. Le resultó igualmente imposible—. No era mi intención... no quería... no pude evitarlo. Creo que estaba poseído.

—Lo sé y lo comprendo —dijo ella y cerró el libro. Se sentó en el catre—. No te preocupes.

Lo miró con pesar. Tuvo la sensación de que eran capaces de hacerse daño hasta lo indecible.

—Claro que me preocupo. Parecemos muertos. Mejor dicho, yo lo estoy. Nada me ha servido. Lo he intentado todo, salvo recurrir a un exorcista y a un practicante de vudú. Sigo siendo propiedad de Serena y siempre le perteneceré.

—Paul, ella nunca fue de tu propiedad y no te lo habría permitido. Tú tampoco le perteneces. Concédete un poco de tiempo y te recuperarás.

—Vamos a la fiesta. Si te apetece, ven como amiga. Me encantaría hablar contigo, echo de menos nuestras charlas —dijo con lágrimas en los ojos.

Invitarla a la fiesta era la mejor ofrenda de paz que se le ocurría.

—Yo también las añoro. —Durante seis meses se habían dado tanto que les costaba aceptar que ya no lo tenían ni volverían a tenerlo. India lo había asumido y no estaba dispuesta a retroceder—. Será mejor que no insistamos.

—¿A qué te refieres? —Sonrió pesaroso—. Hace tiempo destrocé lo que teníamos. Podríamos dedicarnos a llorar sobre los restos. —Paul no dejaba de contemplarla y tuvo que obligarse a no pensar en lo que sentía cuando la besaba. En ese momento lo habría dado todo con tal de abrazarla, pero él no tenía nada que ofrecerle—. Venga, arréglate. Sólo tenemos tres semanas y estamos perdidos en medio de la selva. ¿Por qué te quedas en la tienda y lees a la luz de una linterna?

—Porque refuerza el carácter.

Sonrió y procuró no pensar en que Paul seguía tan apuesto como siempre. Estaba irresistible incluso a la luz de la linterna.

—Acabarás con glaucoma. Vámonos.

India tuvo la sensación de que Paul no se marcharía a menos que lo acompañara.

—No quiero —se obstinó.

—Me da igual. —Si se lo proponía, Paul podía ser muy testarudo. Parecían estar jugando una partida de pimpón—. Venga, mueve el trasero o tendré que llevarte a hombros.

India rió y supo que siempre lo amaría. Después ya lo olvidaría, pero lo que pasase en esas tres semanas le daba igual. Ya lo había perdido. ¿Por qué no disfrutar de su compañía? Durante dos meses había llorado su ausencia. No se trataba de un indulto, sino de una visita al pasado y a lo que podría haber sido.

Salió lentamente del saco de dormir. Paul vio que aún llevaba la camiseta y el tejano. India comprobó que en sus botas no había insectos ni serpientes, se las puso y lo miró a los ojos.

—De acuerdo. Durante tres semanas seremos colegas, pero después desaparecerás definitivamente de mi vida.

—Imaginaba que ya había desaparecido —repuso Paul, y se encaminaron hacia el hospital de campaña donde las enfermeras organizaban la fiesta.

—Tu numerito fue muy convincente —dijo India, y se cuidó de no rozarlo—. Para mí la escena de despedida en el Carlyle fue muy real.

—Para mí también.

El magnate la cogió de la mano para superar una roca. La noche era hermosa y estaban rodeados por los sonidos africanos típicos. Ruanda tiene vistas y olores específicos. Por todas partes había capullos en flor e India pensó que siempre recordaría su intensa fragancia, así como el olor a fuego y comida del campamento.

Se sumaron a la fiesta y Paul se acercó para hablar con unos amigos y dos pilotos. Se alegraba de haberla convencido de que saliera, pero no quería agobiarla. Se sentía en deuda con ella y, aunque compensarla era imposible, al menos podía mostrarse amistoso.

India habló largo rato con las enfermeras, recabó más información para el reportaje y fue una de las últimas personas en retirarse. Paul la vio alejarse y no intentó seguirla. Al parecer se había divertido. Aunque había bebido, Paul mantenía la compostura cuando regresó a la tienda que compartía con los demás pilotos. No disponían de ningún lujo. En Ruanda sólo contaban con lo básico, incluso menos que India cuando había estado en Costa Rica con el Cuerpo de Paz. De todos modos, le resultó reconfortante, aleccionador para el espíritu y muy conocido.

Al día siguiente India fotografió a los húerfanos que acababan de llegar. Intentó comunicarse con ellos con las cuatro palabras dialectales que había aprendido y los críos rieron. Se unió a sus carcajadas y poco a poco recuperó el sentido del humor. Pasó la semana muy ocupada. El domingo asistió a los oficios religiosos en la iglesia construida por los misioneros belgas. Por la tarde Ian la invitó a dar una vuelta en jeep por los alrededores para que tomase más fotos. No había visto a Paul en todo el día y el neozelandés le contó que había ido al mercado de Cyangugu. Por fin tenían un mínimo de espacio personal, lo que en el campamento era casi imposible. Durante la última semana se habían encontrado a cada momento en todas partes.

Por la mañana India se estaba vistiendo cuando oyó un curioso golpe en el poste de la tienda. Se asomó al tiempo que se subía la cremallera del tejano. Estaba descalza, que era lo que le habían aconsejado que no hiciera, y el pelo le enmarcaba el rostro como si fuera seda dorada. Se encontró cara a cara con Paul.

—Ponte los zapatos o acabarás con una picadura.

—Gracias por el consejo.

Era temprano e India no estaba de humor para hablar con nadie. Paul lo percibió en su expresión.

—¿Quieres venir un par de horas a Bujumbura? Vamos a recoger provisiones. Si me acompañas podrás hacer unas fotos fantásticas.

Ella titubeó y lo miró. Paul tenía razón, sería positivo para su artículo. Claro que también significaba pasar mucho tiempo con él. No sabía qué prefería, tomar las fotos o librarse de su presencia. Al final eligió lo primero.

—Iré. ¿Cuándo salimos?

—Dentro de diez minutos.

Paul sonrió de oreja a oreja. Le gustaba el carácter de India incluso cuando era brusca, pues le recordaba a Serena. Su difunta esposa se enojaba por todo y habitualmente India no se comportaba así.

A India le afectaba estar tan próxima a él porque todavía le resultaba doloroso.

—Enseguida estoy lista. ¿Tengo tiempo de tomar un café?

—Esperaremos un par de minutos. Al fin y al cabo no se trata de un vuelo regular.

—Gracias. Nos veremos en el jeep.

—Nos veremos en el jeep —repitió Paul y se alejó cabizbajo.

India no consiguió imaginar en qué pensaba Paul. Probablemente en las provisiones que tenían que recoger. Guardó el equipo fotográfico en la bolsa que había pertenecido a su padre y se dirigió corriendo a la cocina. La comida era siempre igual; en este viaje no engordaría. Paul tampoco había ganado peso. Estaban más delgados, pero por motivos que nada tenían que ver con la alimentación.

India se sirvió una taza de café y la bebió deprisa; cogió un puñado de galletas y corrió al encuentro de Paul, que estaba en compañía de Randy, el piloto estadounidense negro. Era de Los Ángeles y a India le caía bien.

Diez años antes Randy había pertenecido a la fuerza aérea; luego estudió en la academia de artes cinematográficas de la UCLA y llegó a trabajar como director de cine. Llevaba tanto tiempo en paro que decidió invertir sus ahorros en viajar a África y hacer algo por la humanidad. Como tantos voluntarios, llevaba dos años en Ruanda. India sabía que salía con una de las enfermeras. En el campamento no había secretos y en muchos aspectos se parecía al Cuerpo de Paz, aunque aquí la gente era más responsable.

Volaron en un viejo avión militar propiedad de Paul y sus amigos. India se sentó detrás de los pilotos y empezó a disparar la cámara. Las manadas de rinocerontes se desplazaban por las colinas y las plantaciones de plátanos parecían interminables. Estaba muy concentrada en lo que hacía y le habría gustado asomarse para obtener mejores tomas. Paul voló bajo sin necesidad de que su amiga se lo pidiera e India supo que lo hacía por ella. También se percató de que el magnate seguía la ruta más larga porque permitía hacer mejores fotos y cuando aterrizaron en Bujumbura se lo agradeció.

El mercado estaba en pleno ajetreo y tomó imágenes maravillosas que no se relacionaban con el artículo. Eran para su archivo personal y cabía la posibilidad de que pudiera venderlas. No pensaba perderse nada. Fotografió todo lo que vio. Cuando Paul y

Randy recogieron las provisiones los inmortalizó cargando el avión con la ayuda de varios hutus ataviados con la vestimenta tradicional.

Antes de emprender el regreso se sentaron en el borde de la pista y comieron la fruta comprada en el mercado. De vez en cuando un armadillo pasaba lentamente. India cogía la cámara y lo fotografiaba.

—Esto es increíble, ¿no? —comentó Randy sonriente.

Era un hombre apuesto y, más que director, parecía una estrella cinematográfica. Por fortuna no tenía nada de arrogante y a India le caía muy bien. Casualmente había leído su reportaje sobre los abusos a menores en Harlem y el de la red de prostitución infantil en Londres.

Randy lo comentó y ella recordó las llamadas que por aquel entonces le hacía a Paul. Al evocarlas se le partía el corazón.

—Haces un trabajo excelente —la felicitó Randy.

—Tú también. Me refiero a la labor que realizas aquí.

India sonrió. Paul apenas le había dirigido la palabra, pero la había invitado a volar. Se trataba de una experiencia fascinante.

En cuanto terminaron de comer emprendieron el regreso al campamento. El vuelo era corto. India se repantigó en el asiento y se dedicó a mirar hacia abajo. Paul iba delante de ella, pilotaba el avión y no abrió la boca. Estaba dolorosamente callado.

Cuando aterrizaron India le agradeció el paseo y ayudó a descargar las provisiones hasta que aparecieron varios colaboradores. Paul y ella subieron al camión y Randy condujo el jeep hasta el campamento.

El magnate no había dejado de observarla. Señaló la cicatriz del accidente y preguntó:

—¿Te duele?

Paul no terminaba de entenderlo. La cicatriz se veía cada vez menos, pero si observaba con atención comprobaba que aún no había cerrado del todo.

—No. A veces me pica. No está totalmente curada. Dijeron que tardaría mucho tiempo en desaparecer y supongo que al final no se verá. Pero no me importa.

Se encogió de hombros e interiormente volvió a darle las gracias al cirujano plástico que la había atendido. De no ser por él, la cicatriz tendría un aspecto mucho peor.

Paul deseaba disculparse por enésima vez, pero no le pareció correcto. Ambos se habían pedido perdón demasiadas veces, pero eso no cambiaba lo ocurrido, lo que Paul hizo y sus sentimientos.

Fueron andando hasta el campamento e India pensaba darse una ducha cuando una de las enfermeras se asomó por la ventana del hospital de campaña y la llamó.

—Cuando te fuiste recibimos un mensaje por radio. —Vaciló una fracción de segundo y a India se le paró el corazón—. Tu hijo tuvo un accidente en la escuela y se fracturó un hueso. No sé qué se rompió. Se oía muy mal y al final la comunicación se cortó.

—¿Sabes quién ha llamado? —preguntó India angustiada.

Por lo que sabía, el mensaje podía ser de Doug, de Gail, de la canguro o de Tanya. Incluso podía haber llamado el médico, si es que alguien le había dado el número.

—No tengo ni idea.

La joven enfermera meneó la cabeza.

A India se le ocurrió una posibilidad de averiguar algo más e inquirió:

—¿A qué hijo se refería?

—Tampoco lo sé. Se oía muy mal y había mucha estática. Si mal no recuerdo, dijo que el herido era tu hijo Cam.

—¡Muchísimas gracias!

El accidentado era Sam y se había fracturado un hueso, pero India desconocía la gravedad de la herida. Estaba muy preocupada y se sintió culpable. Paul seguía a su lado y había escuchado el diálogo con la enfermera. Lo miró con expresión asustada. Él se derritió por ella y se conmovió por el niño con el que había navegado en el *Sea Star*.

—¿Puedo llamar a casa desde aquí?

La fotógrafa supuso que Paul lo sabría pues llevaba más tiempo en Ruanda.

—Puedes comunicarte por radio, que es como se han puesto en contacto contigo, pero es muy difícil entender lo que dicen. Hace semanas que yo ya no lo intento. Supongo que si ocurre algo importante ya me encontrarán. Si no hay otra alternativa contactarán con la Cruz Roja de Cyangugu. Está a dos horas de coche y dispone de línea telefónica.

India decidió jugárselo a cara o cruz.

—¿Me llevarás? —preguntó con voz temblorosa.

Paul asintió sin vacilar. Era lo único que podía hacer pues India necesitaba averiguar lo sucedido con Sam.

—Por supuesto. Avisaré que nos llevamos el jeep y volveré en un minuto.

Paul tardó muy poco y subieron al jeep. Pusieron rumbo a Cyangugu cinco minutos después de que India recibiera la noticia del accidente de Sam. Guardaron silencio hasta que Paul intentó tranquilizarla.

—Probablemente no es grave —aseguró, e intentó mostrarse más tranquilo de lo que realmente estaba.

—Espero que tengas razón —replicó ella, tensa. Contempló el paisaje y de repente añadió con voz quebrada y agobiada por la culpa y el miedo—: Tal vez Doug está en lo cierto. Quizá no tengo derecho a hacer lo que hago. Estoy en las antípodas y, si a mis hijos les pasa algo, con suerte tardaré dos días en volver a casa. Ni siquiera pueden telefonearme. Creo que en este momento estoy en deuda con ellos.

—India, están con su padre —precisó el magnate—. Aunque sea grave Doug podrá afrontarlo hasta tu regreso. —Tanto para distraerla como por curiosidad, preguntó—: ¿Qué pasa con su novia? ¿Va en serio?

—Supongo que sí. Tanya y sus dos hijos se han ido a vivir con él. Los míos los detestan y creen que Tanya es tonta.

—Probablemente detestarían a cualquiera que en este momento apareciese en escena, tanto en la vida de Doug como en la tuya.

Paul se acordó de la cena en casa de India. En aquel momento le había parecido divertido, pero al recapacitar comprendió que los cuatro hijos de India lo odiaban y siempre lo odiarían. De hecho, todos habían sido amables menos Jessica, pero prefirió olvidarlo. Las palabras de Sean no habían caído en saco roto. Lo había aterrorizado la posibilidad de enredarse en criar cuatro chicos que, según Sean, probablemente acabarían entre rejas o víctimas de la droga, así como el hecho de que India pudiese quedar embarazada. En aquel momento el pánico lo había embargado. Sólo pensó en Sam y lo recordó en la cabina, a su lado, mientras lo ayudaba a pilotar el *Sea Star*, y más tarde tumbado en un sofá, durmiendo con la cabeza en el regazo de su madre, mientras India le acariciaba el cabello y hablaba de su matrimonio. Ahora estaban en África y Sam había tenido un accidente. El deseo de llegar a la Cruz Roja de Cyangugu y telefonear, los sumía en la desesperación.

Después de esperar a que un rebaño de vacas cruzara la carretera, de retirar un caballo muerto y de que un grupo de soldados tutsis los autorizara a pasar un puesto de control, al cabo de tres horas llegaron a Cyangugu por caminos llenos de baches y erosionados a causa de las lluvias. La Cruz Roja estaba a punto de cerrar.

India saltó del jeep antes de que Paul parara, se dirigió a la mujer que echaba el cerrojo a la puerta y le explicó la situación. La voluntaria asintió con la cabeza. La fotógrafa se ofreció a pagar lo que fuese.

—Tal vez no consigas hablar a la primera. A veces las líneas se colapsan y hay que esperar horas. De todos modos, inténtalo.

India levantó el auricular con mano temblorosa. Paul la observó con seriedad y guardó silencio. La voluntaria se dirigió al despacho y cogió varios papeles. Había sido muy amable con India y no tenía prisa. Por suerte las líneas no estaban colapsadas.

A la fotógrafa le pareció milagroso que el teléfono sonara en Westport. Como no sabía dónde recabar información, decidió que lo más directo era llamar a su casa. Doug respondió al segundo timbrazo. Al oír esa voz conocida India tuvo que esforzarse para contener el llanto y reprimió otro ataque de pánico por su benjamín.

—Hola, soy yo. ¿Cómo está Sam? ¿Qué ha pasado?

—Estaba jugando al béisbol en la escuela y se rompió la muñeca —respondió Doug sin inmutarse.

—¿La muñeca? —India se quedó desconcertada—. ¿Eso es todo?

—¿Esperabas que fuese algo más grave?

—Claro que no. Pensé que era grave porque enviaste un mensaje. No sabía qué había pasado. Supuse que había sufrido un terrible accidente, que se había fracturado el cráneo y estaba en coma.

Paul la observaba con atención.

—Pues yo creo que lo ocurrido es lo suficientemente grave —declaró Doug pomposamente—. Le duele mucho. Tanya no ha dejado de cuidarlo. Durante el resto del curso no podrá formar parte del equipo.

—Dile que le quiero y da las gracias a Tanya de mi parte.

Pensaba pedirle hablar con Sam, pero notó que Doug quería decirle algo más y que estaba muy descontento.

—Tanya se merece una medalla. Al fin y al cabo, Sam no es su hijo, pero se está portando de maravilla. Si estuvieras donde tienes que estar y lo cuidaras no tendríamos que asumir tus responsabilidades.

Era el mismo Doug de siempre, la misma historia de siempre, la misma culpa de siempre. Pero esta vez no la afectó como en el pasado. En el último año había madurado y Doug ya no la dominaba. Había dejado de sentirse culpable, salvo cuando surgía un imprevisto como el accidente de Sam. De haber sido grave no se habría perdonado a sí misma. Agradeció a Dios que no le hubiera pasado nada serio al niño.

—Doug, también son tus hijos. —Le devolvió limpiamente la pelota—. Míralo de esta manera: gracias a mí pasas tres semanas seguidas con ellos.

—Me sorprende que te desentiendas tan a la ligera —repuso él fríamente.

India se enfadó. Paul no dejaba de observarla.

—He viajado tres horas para hablar por teléfono y me esperan otras tres de regreso al campamento. Yo no diría que me desentiendo de las cosas. —Estaba harta de Doug. Además, ocupaba la línea de la Cruz Roja e impedía que la voluntaria se fuera a casa sin que existiese motivo que lo justificara. A Sam no le había pasado nada grave—. Quiero hablar con mi hijo.

—Está durmiendo. Pasó la noche en vela a causa del dolor y Tanya le administró un sedante.

Se le revolvió el estómago al pensar que Sam estaba herido, sobre todo porque no podía estar a su lado.

—Cuando despierte dile que le quiero muchísimo —dijo con lágrimas en los ojos.

De pronto no sólo añoraba a Sam, sino a los otros. Había seis horas de diferencia y sabía que el resto de sus hijos estaban en clase, por lo que no podía hablar con ellos.

—Dicho sea de paso, supuse que llamarías ayer, que es cuando se accidentó.

Por si hacía falta, Doug le lanzaba un último dardo envenenado.

Su tono la enfureció tanto que la angustia pasó a segundo plano.

—Recibí tu mensaje hace tres horas. Antes de irme te expliqué que las comunicaciones son muy malas. Dile a Sam que cuando regrese le firmaré la escayola.

Había decidido ignorar las sarcásticas acusaciones de su ex marido.

—La próxima vez procura no tardar tanto —apostilló Doug con tono desagradable.

Lo habría mandado a freír espárragos. India colgó, suspiró y dijo a Paul:

—Sam está bien, se ha roto la muñeca. Aunque podría haber sido peor.

—Ya.

Paul estaba muy serio e India pensó que se había enfadado por haberle pedido que la llevase a Cyangugu. No se lo reprochaba. Como de costumbre, Doug se había portado como un cerdo.

—Lamento haberte pedido que me trajeras por nada.

Lo miró, incómoda y a la vez aliviada. A pesar de todos los inconvenientes se alegraba de que Paul la hubiese acompañado.

—Sigue siendo un energúmeno, ¿no?

Paul podía imaginar las tonterías que Doug había dicho.

—Lo es y siempre lo será. Así son las cosas. Pero ha dejado de ser mi problema; ahora es Tanya la que carga con él. Doug no desaprovecha ninguna ocasión para propinar golpes bajos.

—Llegué a odiarlo —reconoció Paul.

Ya no le molestaba como antes o, mejor dicho, de momento no le afectaba porque había adoptado cierto distanciamiento. Compadeció a India por tener que aguantar a su ex marido. Estaba impresionado por la manera en que ella había manejado la situación. Doug ya no conseguía atormentarla ni hacerla sentir culpable. Sus juegos perversos sólo ponían de manifiesto su propia estupidez.

—Y yo llegué a amarlo. —India sonrió—. Me parece que todavía sé muy poco de la vida.

Luego dio las gracias a la voluntaria de Cruz Roja y pagó la llamada.

Emprendieron el regreso. Tardaron más que a la ida y llegaron al campamento a las nueve de la noche. No habían comido en todo el día y estaban famélicos.

—Te llevaría a La Grenouille, pero la caminata es muy larga —bromeó Paul, y sonrió compungido cuando entraron en la cocina y descubrieron que los armarios estaban cerrados a cal y canto.

—No padezcas. Me basta con una rana —ironizó India divertida, y estaba tan hambrienta que se la habría comido.

—A ver qué puedo cazar.

Paul parecía exhausto cuando abandonaron la cocina. La jornada había sido agotadora: había pilotado el avión para recoger las provisiones y conducido muchas horas para enterarse de que Sam se había roto la muñeca jugando a béisbol.

—Lamento haberte causado tantas molestias —repitió India.

Durante el regreso se había disculpado varias veces y no podía dejar de hacerlo.

—Yo también estaba preocupado —reconoció él cuando se detuvieron en un claro en medio del campamento.

Se plantearon cómo se las apañarían para cenar. Estaban a muchos kilómetros de la civilización. A India se le ocurrió una idea y miró a Paul con expresión traviesa.

—Seguro que en el hospital hay comida para los enfermos —comentó—. Podemos birlar algo.

—Venga, intentémoslo —aceptó él sonriente.

En el hospital encontraron varios cajones con galletas, una caja de pomelos, varios paquetes de cereales que parecían en buenas condiciones, seis enormes botellas de leche y una bandeja de gelatina de fresa. Había muchas cajas enviadas por una congregación religiosa de Denver.

—Vaya, Escarlata... creo que podremos cenar.

Paul imitó a Rhett Butler y partió dos pomelos mientras India echaba copos de trigo en un cuenco, añadía leche y servía dos raciones de gelatina. Estaban tan hambrientos que les pareció delicioso. Incluso se hubieran zampado los copos de trigo a palo seco. No habían probado bocado desde el tentempié en la pista de Cyangugu.

—¿Galletas dulces rancias, o saladas mohosas? —ofreció India.

—El menú es tan bueno que no sé qué elegir —replicó Paul y señaló las rancias.

Comieron hasta saciarse. Ya relajados, hablaron de los hijos de India y Paul le contó la conversación que hacía dos meses había sostenido con Sean. Al narrarla rió a mandíbula batiente.

—Dijo que a mi edad no se conciertan citas con una mujer. Desde su perspectiva debo mantener el celibato hasta el final de mis días. Según sus cálculos llegaré a cumplir ciento catorce años. —Sonrió—. Dice que soy un hombre maduro. Los hijos suelen tener ideas peculiares sobre sus padres, ¿no crees?

India sabía que el propio Paul tenía ideas peculiares pues parecía decidido a mantenerse fiel al recuerdo de Serena hasta que la muerte se lo llevara. No lo mencionó porque se le veía contento comiendo galletas y gelatina y no quiso aguarle la fiesta.

India se alegró de volver a sentirse a sus anchas a su lado. Por lo visto, el episodio del accidente de Sam había roto el hielo. No esperaba nada más de él y por fin sentía que eran amigos. Aún apreciaba esa amistad. Por ahí había empezado todo, compartiendo infinidad de confidencias. A ambos les había dolido perder esa confianza.

—¿Qué me cuentas de tu vida? —preguntó él y troceó otro pomelo porque aún tenía hambre—. ¿Sales con alguien?

Se moría de ganas de preguntarlo e India se sobresaltó.

—No. Estuve muy ocupada lamiéndome las heridas y madurando. Creo que lo llaman encontrarse a una misma. He tenido que buscarme a mí misma y no he encontrado a nadie. Tampoco me apetece.

—¡Qué tontería!

—¿De veras? ¿Quién eres tú para decir que es una tontería? No te he visto en los bares para solteros ni saliendo con la gente guapa y las modelos de Nueva York. Estás sentado en la copa de un árbol de Ruanda y te dedicas a comer pomelos y gelatina de fresa.

La imagen era muy divertida y Paul rió de buen grado.

—Hablas como si fuera mitad hombre y mitad mono.

—Tal vez. ¿Sales con alguien?

Súbitamente India se percató de que desconocía las actividades de Paul. Por lo que sabía podía estar liado con la mitad de las enfermeras, aunque no había oído comentarios. A decir verdad, varias personas habían asegurado que era muy agradable y un solitario empedernido.

—No, no salgo con nadie —repuso, y con la cuchara recogió el jugo del pomelo. Seguía teniendo un aspecto juvenil, se sentía cómodo y, al igual que en el pasado, le agradaba estar con India, una mujer despierta, divertida y de trato afable. El problema consistía en que él no lo era. Poseía muchas virtudes, sí, pero tratar con él no era nada fácil—. Sigo fiel a Serena —apostilló casi con orgullo.

India pensó que no era una actitud correcta pero lo comprendió.

—¿Qué tal tus pesadillas? —preguntó con tacto.

Hacía mucho que no estaba en condiciones de formular esa clase de preguntas.

—Ya no son tan terribles. Sospecho que estoy demasiado cansado para tener pesadillas. Sólo se repiten cuando regreso a la civilización.

—Lo recuerdo.

La última vez Paul sólo había resistido nueve días e India había acabado con el corazón roto, un brazo fracturado y conmoción cerebral.

—¿Por qué no has buscado a alguien con quien salir? —insistió él.

India suspiró.

—Señor Ward, yo diría que la respuesta es evidente. Mejor dicho, debería serlo, al menos para usted. Necesitaba tiempo para recuperarme de lo que viví contigo... y con Doug. Fue un golpe muy duro, un desastre tras otro. —Hacía tiempo que había perdido a Doug y la ruptura con Paul representó la pérdida de todas sus esperanzas e ilusiones—. Supongo que me sentó bien. En algunos aspectos me dio fuerza y ahora sé lo que quiero y necesito, si es que alguna vez decido buscarlo, aunque dudo que vuelva a hacerlo. Nunca se sabe. Puede que en el futuro mi vida tome otro cariz.

—Eres demasiado joven para tirar la toalla.

Paul tuvo la impresión de que India estaba muy desilusionada, pero también parecía más fuerte. Había madurado sutilmente desde la última vez que se habían visto, tal como él advirtió cuando la oyó hablar con Doug: no había permitido que la avasallara. Y tampoco permitía que él se pasase de la raya. Por fin había empezado a poner límites. Ya no la asustaba tanto la posibilidad de perder a sus seres queridos, lo cual era consecuencia directa de que ya los había perdido. No tenía nada que perder salvo a sus hijos, a los que siempre querría, por lo que se sentía más valiente.

—No he conocido a nadie que me interese —aclaró India con sinceridad.

Puesto que volvían a ser amigos, podía hacer esa clase de comentarios.

—¿Y qué te interesa? —repuso Paul con curiosidad.

India reflexionó.

—Estar en paz y llevar una vida tranquila en solitario. Si decido entregar nuevamente mi corazón, sólo se lo daré al hombre adecuado.

—¿Cómo te gustaría que fuera? —preguntó él con falsa objetividad.

Al igual que en el pasado, se puso en un papel que le encantaba: el de confesor.

—¿Cómo me gustaría que fuera? Su aspecto no me preocupa demasiado, aunque me agradaría que fuese apuesto. Prefiero que sea agradable, bueno, inteligente, amable, comprensivo... ¿Quieres saber una cosa? —Lo miró a los ojos y decidió sincerarse—. Quiero que esté loco por mí. Quiero que me considere lo mejor de su vida y se sienta tan afortunado de tenerme que no le preocupe nada más. Siempre me he dedicado a querer, a dar y hacer concesiones. Creo que ha llegado el momento de cambiar las tornas y recibir parte de lo que he dado.

Ella había estado locamente enamorada de Paul y estuvo dispuesta a darle cuanto tenía, incluso sus hijos, pero el magnate seguía perdidamente enamorado de Serena. En última instancia, saberlo producía dolor. Lo había perdido por una mujer que ya no existía. Paul había preferido guardar fidelidad al recuerdo de Serena en vez de amar a India.

—Tal vez parezca una locura —apostilló la fotógrafa—, pero quiero un hombre dispuesto a mover cielo y tierra por mí... Un hombre que, con tal de estar a mi lado, sea capaz de atravesar un huracán. —De pronto sonrió y Paul pensó que su aspecto era bello y sorprendentemente joven—. Lo que digo es que el hombre adecuado tiene que amarme realmente. No que me quiera a medias o que dude. No estoy dispuesta a ser segundona ni a aguantar ningún pacto injusto, como en el caso de Doug. Tengo que amar a ese hombre con toda mi alma, y él ha de amarme de la misma manera. A menos que lo encuentre en algún lugar prefiero seguir sola, tomando fotos en la Cochinchina o en casa con mis hijos. No estoy dispuesta a aceptar una situación relegada y no pienso pedir disculpas ni suplicar.

Paul advirtió que no se refería a Doug, sino a él, al hombre que le había dicho que, en realidad, no la amaba. Se alegró de que ella conservase sus sueños, aunque se preguntó si alguna vez conseguiría llevarlos a la práctica. Afortunadamente sabía qué esperaba y qué quería de la vida. En este aspecto tenía las cosas muy claras.

India decidió volver las tornas:

—Señor Ward, puesto que ya hemos hablado de mí, ¿qué es lo que usted busca? ¿Cómo es la mujer perfecta para usted?

El magnate no deseaba decirle que era ella a quien quería, y estuvo a punto de hacerlo, pero la definió con un sola palabra:

—Serena. —India guardó silencio. Aunque lo esperaba, le cayó como un cubo de agua fría, pues no imaginaba que Paul sería tan explícito—. Si miro hacia el pasado me doy cuenta de que era casi perfecta, al menos para mí, lo que no permite muchas mejoras.

—Mejoras no, pero podría dar pie a algo o a alguien diferente. —Una vez más, decidió sincerarse pues pensó que Paul debía saber su postura—. Siempre supe que no podía estar a su altura, que ocuparía un segundo plano en caso de que... salvo durante aquella semana. Fue el único período en que estuve segura de que me amabas.

Ella sabía que la había amado a pesar de los comentarios que hizo más adelante. Cuando le aseguró que no la quería era el miedo el que se expresaba por su boca.

—Y te amé, India, mejor dicho, pensé que te amaba... durante una semana... Después me aterrorizaron las palabras de Sean, tú, tus hijos, los viajes de Nueva York a Westport... mis pesadillas y mis recuerdos de Serena. Esos sentimientos me llenaron de culpa.

—Habrías superado las pesadillas, todos lo hacemos —musitó India.

Paul negó con la cabeza, la miró y recordó dolorosamente las razones por las que la había amado: era una mujer delicada, muy cariñosa y preciosa.

—Sé que jamás me sobrepondré a la muerte de Serena.

—Porque no quieres.

La afirmación era muy dura, pero India se expresó delicadamente.

—Supongo que tienes razón.

La fotógrafa sospechaba que en vida Serena le había parecido bastante menos perfecta, pero no se atrevió a expresarlo. Los recuerdos de su difunta esposa estaban teñidos de rosa y salpicados por la magia del tiempo, la pérdida y la distancia. En carne y hueso Serena había sido de trato difícil e India estaba convencida de que, en lo más recóndito de su alma, Paul lo sabía.

—Paul, puesto que lo has mencionado, no permitas que Sean se inmiscuya en tu vida. No tiene derecho. Tiene su vida y su familia, no se ocupará de ti, no te cogerá la mano ni te hará reír y no se inquietará si padeces pesadillas. Me parece que está celoso y quiere tenerte sólo para él. Lo digo por tu propio bien: no se lo permitas.

—He pensado mucho en ello. Los hijos son egoístas a cualquier edad, al menos en lo que a los padres se refiere. Esperan que des, des y sigas dando y quieren contar contigo cuando te necesitan, te venga bien o no. Cuando te hace falta un mínimo de comprensión de su parte te vuelven la espalda y te advierten que no tienes derecho a pedirla. Dios no lo quiera, pero si mi nuera muriese y yo le dijera a Sean que debe pasar solo el resto de su vida, pensaría que me he vuelto loco.

Ambos sabían que ese comentario era cierto. Los hijos pueden ser egoístas y poco cuidadosos con sus padres a cualquier edad. A veces las cosas son así, como en el caso de Paul, aunque no siempre ocurre lo mismo.

—Me figuré que le molestaría nuestra relación y me pregunté cómo lo manejarías.

—India, la verdad es que lo manejé muy mal, como todo lo demás. La fastidié por completo.

Cada vez que veía aquella cicatriz y recordaba cómo habían terminado, Paul era consciente de lo mal que había actuado.

—Tal vez no estabas preparado. Había pasado muy poco tiempo desde...

Sólo habían transcurrido seis meses desde la muerte de Serena, lo cual no era un período muy largo.

El magnate meneó la cabeza.

—No estaba preparado y ahora sé que nunca lo estaré. —La miró apenado. Lo habían pasado muy mal y finalmente habían perdido la batalla. Al menos él estaba vencido—. Mi querida amiga, espero que encuentres al hombre que por ti sea capaz de atravesar un huracán. Te lo mereces más que nadie.

Paul hablaba en serio. A esas alturas sólo deseaba que India encontrase el amor y se liberara del dolor que él le había causado.

—Yo también —reconoció apenada.

Pero, ¿dónde y cuándo? Le pareció que, si ocurría, le llevaría mucho tiempo. Aún tenía que liberarse de muchas cosas. A Paul le pasaba lo mismo. Afortunadamente ahora podían charlar y compartir una velada amistosa.

—Tienes que estar lista cuando ese hombre llegue —aconsejó él—. No te ocultes bajo las mantas con los ojos cerrados ni en un lugar perdido como éste. Ésa no es manera de encontrar a la persona que necesitas. Y para eso tienes que salir al mundo.

Pero ella no estaba dispuesta a exponerse.

—Tal vez me encuentre él a mí.

—No te hagas muchas ilusiones. Requiere un pequeño esfuerzo de tu parte. Al menos tienes que mostrarle el camino. No es fácil atravesar un huracán, hay que lidiar con los vientos, el mal tiempo y un montón de situaciones peligrosas. India, si quieres que se acerque tienes que resistir y hacerle señas para que encuentre el camino.

Sonrieron y en silencio se desearon la felicidad, fuera cual fuese la que cada uno ansiaba.

Era casi medianoche. Paul se levantó y recogieron los restos de la cena. Habían abordado muchos temas importantes y lo habían pasado bien juntos.

—Me alegro de que lo de Sam no sea nada —dijo Paul mientras India guardaba la caja de cereales y asentía con la cabeza. De pronto el magnate rió entre dientes—. Por cierto, cuando encuentres al hombre dispuesto a cruzar un huracán por ti esconde a tus hijos. De lo contrario podría echarse atrás. Por fabulosa que sea, una mujer con cuatro hijos impone respeto.

India no le creyó. Era cierto que sus hijos lo habían acobardado, pero no ocurriría lo mismo con todo el mundo.

—Paul, mis hijos son encantadores —dijo—. El hombre adecuado me querrá con ellos. No es una desventaja. Además, a medida que pase el tiempo crecerán.

Cuando Paul rompió la relación, India se había sentido como mercancía defectuosa, como si no fuera lo suficientemente buena. No estaba a la altura de Serena y tenía muchos hijos. Individualmente, sus críos eran muy agradables, tanto como ella. Al recordar algunos comentarios de Paul, la fotógrafa intuyó que poseía cualidades a cuya altura Serena jamás habría estado y la idea la reconfortó.

Paul la acompañó a la tienda. La cena había sido muy agradable y representaba un momento crucial, la despedida de lo que habían compartido y la bienvenida a la amistad renovada. Conservaban elementos positivos, se habían desprendido de los negativos y descubierto nuevas facetas.

—Hasta mañana —se despidió él—. Que descanses. —El día había sido muy largo y estaban agotados. Paul la miró, sonrió y añadió algo que la conmovió hasta la médula—: Me alegro de que estés aquí.

—Yo también —admitió ella.

Se despidió con un ademán y entró en la tienda.

Se alegraba de que sus caminos hubieran vuelto a cruzarse. Tal vez era el destino. Desde el primer encuentro habían recorrido un largo itinerario por carreteras peligrosas y terreno accidentado. Por fin veía que el sol asomaba tras las montañas. A Paul aún le quedaba mucho trecho por recorrer, y ella abrigó el deseo de que, por su bien, algún día llegara a la meta.

26

Las dos semanas siguientes pasaron volando, aunque India echó de menos a sus hijos. Acompañó a Paul en varias misiones aéreas de transporte y realizó varios viajes en jeep con Randy e Ian. Fotografió a cuantos niños vio, y entrevistó a toda la gente que pudo. Sabía que su reportaje sería extraordinario.

Por las noches Paul e India sostenían charlas interminables. Habían hecho las paces y juntos lo pasaban de maravillas. Bromeaban y compartían el sentido del humor. Ella descubrió que, aunque no mantuvieran la misma relación de antaño, se respetaban mucho. Parecía que Paul la rondaba sin cesar, la protegía y se ocupaba de facilitarle las cosas. Ella se interesaba por su bienestar.

Se las ingeniaron para compartir la última noche de India en Ruanda. Paul le contó sus proyectos. En junio dejaría Ruanda y organizaría otro puente aéreo en Kenia. Aunque no era seguro, seguía pensando que en verano regresaría a Europa o Estados Unidos y pasaría una temporada en el *Sea Star*.

—En ese caso, llámame.

Paul le preguntó si iría a Cape Cod. Ella respondió que pasaría julio y la primera semana de agosto en la playa. Después dejaría la casa y los niños a Doug y Tanya.

—Es un acuerdo bastante civilizado —opinó Paul mientras compartían una Coca-Cola.

—Lo es.

—¿Qué harás el resto de agosto?

Paul sabía que no le quedaba más alternativa que regresar a Westport.

—Me gustaría trabajar. Le he pedido a Raúl que me busque algo interesante.

El reportaje de Ruanda le había encantado. Había sido mucho mejor de lo que esperaba y encontrar a Paul lo había convertido en una experiencia inolvidable. Por fin la última pieza del rompecabezas estaba colocada: aunque aún lo amaba estaba en condiciones de dejar que siguiese con su vida.

A la mañana siguiente Paul la llevó en avión a Kigali. Tenía que coger el vuelo de Kampala a Londres. A partir de allí todo sería muy fácil.

India sabía que los niños la estaban esperando y se moría de ganas de verlos. Mientras aguardaban el embarque, Paul le pidió que le diese recuerdos a Sam y que saludase a los otros tres.

—Lo haré si no están entre rejas —bromeó.

Todo era más fácil porque los arraigados temores del magnate ya no se interponían e India no tenía expectativas. Sus sueños habían dejado de depender de Paul. Aunque habían perdido algo de valor incalculable, en África habían encontrado algo pequeñito y precioso.

Anunciaron la salida del vuelo. India lo miró con cariño y lo abrazó con todas sus fuerzas.

—Paul, cuídate mucho... Sé bueno contigo. Te lo mereces.

—Tú también... Si veo a un hombre con impermeable en medio de un huracán te lo enviaré.

—No te tomes demasiadas molestias —apostilló sonriente, pero hablaba en serio.

India sabía que lo añoraría mucho aunque entre ellos ya no existiera el amor.

—Si regreso a la civilización te llamaré.

Paul había dejado de sentirse amenazado, pero no prometía nada.

—Encantada.

La rodeó con los brazos y la estrechó. Le habría gustado decirle muchas cosas, pero no sabía cómo expresarlas. Ante todo quería darle las gracias pero no sabía muy bien por qué. Tal vez por saber que era como era. De algún modo habían aprendido a aceptarse sin condiciones.

India subió al avión con lágrimas en los ojos. Paul permaneció en la pista y la contempló. El avión despegó y trazó un círculo alrededor del aeródromo, llevándose a India de regreso a casa.

El magnate voló a Cyangugu y experimentó una agradable sensación de paz mientras pensaba en su amiga. India ya no lo asustaba, no lo hacía huir y, fueran cuales fuesen, sus sentimientos por ella no le creaban culpa. La amaba como amiga, madre y hermana. Sabía que echaría en falta su risa, su mirada traviesa y su enfado cada vez que Paul decía una tontería. Él ya no le hacía daño, no estaba enfadada ni le temía. No buscaba desesperadamente su amor ni lo necesitaba. En realidad, nada la desesperaba. Era un ave que surcaba su propio cielo. Esa metáfora lo llevó a sentirse extrañamente satisfecho.

Cuando llegó al campamento y todos comentaron lo mucho que echarían de menos a la fotógrafa, Paul reparó en el vacío de su ausencia, que lo golpeó con más dureza de lo que esperaba.

Más tarde pasó por la tienda que India había ocupado y experimentó un profundo malestar al comprender que no la veía. De pronto la felicidad que ella le había proporcionado adquirió gran importancia. Por mucho que se jactaba de ser independiente, se sintió perdido sin India. Estar en Ruanda sin ella lo hacía sufrir.

Esa noche se acostó como de costumbre en la tienda de los pilotos y por primera vez en meses tuvo pesadillas. Soñó que India iba en un avión que estallaba en mil pedazos en pleno vuelo. Él la buscaba por todas partes, gritaba, sollozaba y pedía ayuda. Pero no lograba encontrarla.

27

India entró en su casa de Westport y vio que estaba inmaculada. La canguro estaba presente y sus hijos merendaban. Los chicos lanzaron gritos de alegría en cuanto la vieron. Sam movió frenético la escayola y los cuatro hablaron a la vez. Desde el punto de vista de los niños, esas tres semanas habían sido interminables. Claro que India había cumplido muchas metas, tanto en el plano profesional como en el personal.

Al comprobar que todo estaba perfecta y meticulosamente organizado, India se sintió agradecida con Tanya. Por la noche la telefoneó a Nueva York y se lo dijo. Sabía que Doug se había limitado a llevarlos al cine y a regresar en tren a la hora de cenar. Aunque a regañadientes, los chicos reconocieron que Tanya les gustaba. A India le costaba aceptar que Doug la hubiese sustituido con tanta facilidad, porque la convertía en lo que siempre había temido y en lo que había sido durante el último año de matrimonio: una esposa genérica que podía cambiarse por otra. De todos modos, no quería estar casada con Doug. Tras diecisiete años de convivencia se sorprendía cada vez que comprobaba lo poco que lo echaba de menos.

De todas maneras, se sorprendió cuando esa noche Doug telefoneó para comunicarle que se casaría con Tanya en cuanto el divorcio fuera definitivo. India se quedó sin habla, pero al final se recuperó y le deseó que fuese muy feliz. Al colgar notó que le temblaban las manos.

—Mamá, ¿qué te pasa? —preguntó Jessica cuando entró para cerciorarse de que su madre seguía en casa y para pedirle un jersey prestado.

—No, nada... ¿Sabes que tu padre y Tanya se casan?

No era la mejor manera de darle la noticia a su hija, pero estaba tan azorada que no tuvo tiempo de reflexionar.

—Sí, más o menos. Me lo contaron sus hijos.

—¿Y tú estás de acuerdo?

Jessica rió y se encogió de hombros.

—¿Puedo protestar?

—No.

India tampoco podía hacer nada. No estaba en condiciones de quejarse porque se había negado a seguir las directrices de Doug y acatar sus decisiones. Tal vez era mejor así. Había encontrado a alguien a quien jamás habría conocido de haber seguido con Doug: a sí misma. Era una parte de su vida de la que ya no podía prescindir. Una vez encontrada, no la dejaría por nada ni por nadie, y era muy consciente de que jamás tendría que haberla abandonado.

La tarde siguiente fue a recoger a los chicos a la escuela y aún estaba algo alicaída cuando se encontró con Gail. Se sorprendió al saber que su amiga estaba enterada.

—¿Lo sabían todos menos yo? —preguntó.

Todavía se preguntaba por qué le molestaba, pero el hecho es que se había deprimido al enterarse de que Doug volvía a casarse.

—Ya está bien, durante diecisiete años estuviste casada con él —la regañó Gail—. Es lógico que te afecte.

Por si eso fuera poco, Tanya era más joven y atractiva. Evidentemente se trataba de lo que Doug quería e India había visto con sus propios ojos que, como ama de casa, no había nada que reprocharle.

Pensar en estas cosas despertó su perspicacia. Al parecer, todos menos ella tenían a alguien. Tanya y Doug se casarían. Ella no contaba con nadie. Paul pasaría el resto de la existencia surcando los mares y soñando con Serena. Hasta Gail parecía feliz con Jeff. Habían alquilado una casa en Ramatuelle, cerca de Saint-Tropez, en la que pasarían el verano, y su amiga estaba entusiasmada. Gail le había contado que en otoño se sometería a un estiramiento facial. De pronto la vida de los demás le pareció mejor y más estable que la suya y pensó que, como en el arca de Noé, todos contaban con alguien con quien les apetecía estar. Ella sólo tenía su trabajo y sus hijos.

Pero se dijo que en realidad tenía más que muchas personas... más de lo que había tenido el año anterior, cuando Doug y ella discutían por su profesión y por su definición del matrimonio. Recuperó la perspectiva al evocar su tristeza y lo sola que se había sentido con su marido. Ahora estaba sola, pero no siempre se sentía sola. En realidad, casi nunca experimentaba este sentimiento.

Esa misma semana los niños acabaron el curso e India preparó las maletas para el traslado a Cape Cod. Salvo Jessica, que no quería dejar a su nuevo amigo, todos deseaban iniciar las vacaciones. Su hija mayor había comentado compungida que en Cape Cod solamente estaban los aburridos Boardman.

—Ya conocerás a alguien interesante —la animó su madre la víspera del inicio de las vacaciones.

Jessica se echó a llorar y la miró desesperada.

—¡Mamá, en la playa no hay nadie interesante!

India se percató de que el absurdo comentario de Jessica se hacía eco de sus propios sentimientos. Lo más gracioso fue que le dio igual. Se había acostumbrado a escalar montañas, a hacer lo que le apetecía y a estar con sus hijos sin tener a alguien al lado. Cada vez que le encomendaban un reportaje se sentía satisfecha. Pero no contaba con un hombre que la amara y a veces lo echaba en falta.

—Jessica, si con quince años nadie te parece interesante, los demás ya podemos despedirnos de nuestras esperanzas —replicó sonriente.

Pensó que a Jessica le parecía imposible que, a su edad, su madre se relacionara con un hombre.

—¡Mamá, eres muy vieja!

—Gracias por el cumplido —bromeó—. Es lo que me faltaba.

Jessica consideraba que, a los cuarenta y cuatro años, la vida de su madre estaba prácticamente en su final. Era una idea curiosa y la fotógrafa recordó la conversación en la que había aconsejado a Paul que no permitiera que Sean le arruinase la existencia. Estaba claro que Jessica la había metido en el mismo saco en que estaba Paul. La consideraba caduca e inútil, como si fuera un fósil.

Al día siguiente se trasladaron a Harwich y practicaron los rituales de siempre: abrieron la casa, hicieron las camas, repasaron las persianas y saludaron a los amigos.

Al finalizar el día India se acostó y sonrió mientras escuchaba el rumor del océano.

Por la mañana visitó a los Parker y a otros amigos. Como de costumbre, los Parker la invitaron a la barbacoa del Cuatro de Julio y le pidieron que llevase a sus hijos. Asistieron, e India tuvo que borrar el recuerdo de la presencia de Serena y Paul el año anterior. Carecía de sentido seguir mortificándose con esos pensamientos.

Las semanas pasaron volando e India se dijo que era un verano perfecto aunque no tuviese un marido ni un romance en perspectiva. Fue una estancia relajada, tranquila y reparadora y se divirtió mucho con sus hijos.

Aún añoraba a Paul. Había recibido una postal en la que el magnate le contaba que estaba en Kenia haciendo prácticamente lo mismo que en Ruanda. Parecía contento. Había añadido una posdata para que supiera que seguía buscando un hombre con impermeable para ella. India había sonreído.

Hacía un año que había conocido a Paul. Representó el comienzo de un sueño y por fortuna no había acabado convirtiéndose en una pesadilla. Todavía se entristecía cuando recordaba lo que había sentido por él, pero las cicatrices de su corazón empezaban a desdibujarse como la de la herida que se había hecho en la cabeza la noche en que Paul la dejó. Había aprendido que no es posible vivir sumida en el dolor.

A finales de julio llamó a Raúl con la esperanza de tener trabajo en agosto, mientras los chicos permanecían con su padre en Cape Cod. De momento su representante no tenía ningún encargo a la vista.

Lo más curioso era recordar que hacía sólo un año Doug y ella todavía estaban juntos y discutían encarnizadamente. Tenía la sensación de que llevaban una eternidad separados. Reflexionó sobre los cambios que se producen en la vida, mejor dicho, en todo. Un año antes estaba casada con Doug, y le rogaba que le permitiese volver a trabajar, y Serena estaba viva. Ahora habían cambiado muchas cosas. Algunas vidas habían aparecido, otras desaparecido y la habían rozado. A veces se preguntaba si Paul pensaba en todo esto: en lo mucho que a lo largo de un año las cosas habían cambiado para ambos.

En julio Sam había tomado clases de vela y estaba tan contento que India lo matriculó en el curso de agosto. El pequeño todavía hablaba con gran respeto del *Sea Star*. Para India ese aspecto de su vida se había convertido en un sueño.

Hasta finales de julio el tiempo había sido excelente, pero de pronto cambió y llegó una ola de frío. Llovió dos días seguidos y refrescó tanto que tuvo que obligar a sus hijos a ponerse el jersey, que era algo que detestaban.

Los chicos permanecieron en casa y miraron vídeos. India los llevó al cine con varios amigos. Cada vez era más difícil entretenerlos cuando el tiempo no acompañaba. Sin embargo, Jessica estaba contenta pues había ligado con uno de los presumiblemente aburridos Boardman. Todos estaban satisfechos e India lamentó que el mal tiempo fastidiara su última semana en Cape Cod, aunque a los niños no los afectó demasiado.

El tiempo empeoró y cinco días antes de entregar la casa y los hijos a Doug y Tanya, todos miraron el telediario y se enteraron de que estaban en la trayectoria de un huracán.

A Sam le pareció de fábula.

—¡Caray! —exclamó el pequeño mientras escuchaban las noticias—. ¿Destrozará la casa?

Años atrás les había ocurrido a unos conocidos y el percance fascinaba a Sam.

—Espero que no —contestó India sin inmutarse.

En las noticias habían explicado las medidas que debían tomar. Se esperaba la llegada del huracán *Bárbara* al cabo de cuarenta y ocho horas y, a juzgar por los mapas meteorológicos, estaban en el corazón de su trayectoria arrasadora. El huracán *Adam* —el primero del año— había devastado Carolina del Norte y del Sur dos semanas antes. India abrigaba la esperanza de que el *Bárbara* no los afectase pero, aunque tranquilizó a sus hijos, estaba algo preocupada.

Doug llamó inquieto y le proporcionó instrucciones útiles. No era mucho lo que podían hacer. Si la situación se tornaba peligrosa y daban la orden de evacuación regresarían en coche a Westport. India rogaba que el huracán cambiara de rumbo y se libraran de su estela de destrucción.

Al final de muchas horas de vigilancia su deseo se cumplió. El huracán *Bárbara* se desvió ligeramente y descargó una lluvia torrencial sobre Westport, pero su ojo se dirigió hacia Newport, en Rhode Island. El vendaval arrancó las persianas, destruyó los árboles, dañó el tejado y provocó goteras.

Dos días antes de su marcha, India corría de aquí para allá colocando cubos para que las goteras no mojaran el suelo y comprobando el estado de las contraventanas cuando oyó el teléfono. Había dejado de contestar porque cada vez que sonaba era para sus hijos. Los chicos habían salido y, harta de oírlo, finalmente levantó el auricular. No escuchó voz alguna. Podría haber supuesto que era una broma de no ser porque toda la mañana habían tenido problemas con las líneas. Volvió a sonar y sucedió lo mismo; India dedujo que los postes telefónicos se habían caído a causa del viento o que las conexiones estaban fallando. Cuando respondió por tercera vez había tanta estática que no percibió con claridad lo que decía quien llamaba. Sólo oyó palabras intermitentes e ininteligibles. Le resultó imposible saber si la persona que llamaba era hombre o mujer.

—¡No oigo nada! —chilló, y se preguntó si la escuchaban.

Pensó que podía ser Doug, interesado en saber cómo estaban. Cuando India le explicó que había goteras se había quejado de lo que costaría la reparación.

El teléfono sonó por cuarta vez y ella lo ignoró. Quienquiera que fuese tendría que insistir más tarde. Una de las contraventanas de su dormitorio se había descolgado y, mientras luchaba por sujetarla y lamentaba que los chicos no estuviesen en casa para ayudarla, el teléfono siguió sonando. Contestó exasperada y, a pesar de la estática, en esta ocasión percibió con más claridad lo que decían. Enterarse del mensaje fue como resolver un complicado enigma.

—India... se aproxima... la tormenta... se aproxima...

Oyó algo parecido a «impenetrable» y la comunicación se cortó. Estaba claro que la llamada era para ella, un poco tarde si pretendían avisarle del peligro que corrían. Se sintió como Dorothy en *El mago de Oz* cuando una tras otra las contraventanas salen volando y se hacen añicos. Hacía tan mal tiempo que costaba creer que se hubieran librado del huracán. Pensó que los pobres habitantes de Newport correrían peor suerte.

Los chicos estaban en casa de amigos mientras ella bregaba con las goteras de la cocina y la sala. Miró por la ventana y se sobresaltó al ver que, en compañía de un amigo, Sam corría de la playa a la casa. Estaban calados hasta los huesos y ella intentó indicarle que entrara, pero Sam la llamó a gritos, porque le encantaba estar fuera cuando hacía mal tiempo.

India asomó la cabeza por la puerta, se protegió del viento y llamó a Sam también a gritos. El niño estaba demasiado lejos para oírla. El cielo estaba tan encapotado que parecía de noche. Presa de la ansiedad, le hizo señas, pero Sam la ignoró.

Cogió un chubasquero, se puso la gabardina y salió corriendo. Había bajado la cabeza para resguardarse y al levantarla quedó sorprendida por la belleza del paisaje. El cielo estaba cargadísimo y oscuro y el viento soplaba con tanta intensidad que era casi imposible acercarse a su hijo. Experimentó júbilo y alegría ante el poder de la naturaleza. Comprendió por qué a Sam le gustaba tanto.

—¡Entra! —gritó e intentó ponerle el chubasquero.

El niño estaba tan empapado que era inútil. Se lo tendió, pero el viento se lo arrebató de las manos y salió volando como un papel. Sam señalaba el agua y le decía algo. Ella percibió una silueta en medio de la espesa niebla. Entonces comprendió el mensaje de Sam:

—¡Es el *Sea Star*!

Miró a su hijo y negó con la cabeza, convencida de que no podía ser. El *Sea Star* estaba en Europa. Si hubiera decidido visitarla, Paul habría llamado o le habría enviado una postal. Sam daba saltos y señalaba la embarcación mientras su madre entrecerraba los ojos y se esforzaba por ver. Percibió lo que parecía la silueta de un barco, pero no se trataba de un velero.

—¡No, no lo es! ¡Entra en casa! ¡Cogerás una pulmonía!

Mientras intentaba arrastrar a su hijo vio lo mismo que el pequeño. La embarcación parecía el *Sea Star*, pero era imposible. Tenía las velas desplegadas y daba la sensación de que surcaba los cielos a la velocidad del rayo y con el viento de popa. A India le pareció imposible que Paul fuera capaz de cometer la locura de navegar en pleno huracán... en caso de que fuera él quien pilotara aquella embarcación. Era un marino muy precavido. Estaba tan fascinada como Sam y se quedaron contemplando el barco, que en efecto se parecía mucho al *Sea Star*.

A pesar de sus protestas, finalmente consiguió que Sam y su amigo entraran en casa. India se quedó fuera y vio que el velero se desplazaba con rapidez, se balanceaba y cabeceaba. Violentas olas rompían en proa y los palos se sacudían como palillos. El velero se encontraba a bastante distancia de la playa.

India se preguntó si el barco estaba en alta mar cuando se desató el vendaval y si se dirigía a tierra a la desesperada, en busca de abrigo. Supuso que tenía problemas y pensó en llamar a la Guardia Costera.

Cerca del promontorio, la costa estaba salpicada de rocas y la tormenta era tan intensa que cualquier embarcación corría peligro, incluso un barco de esas dimensiones. Se volvió y vio que Sam y su amigo observaban el barco desde la ventana. Estaba a punto de entrar y preparar chocolate caliente cuando la niebla se despejó súbitamente y avistó la nave con claridad. En ese mismo instante recordó las palabras que le habían dicho por teléfono: «Se aproxima... la tormenta... se aproxima...». ¿Intentaban decirle que la tormenta se aproximaba, cosa que ya sabía, o algo distinto? Habían pronunciado su nombre, pero no había reconocido la voz porque sonaba demasiado entrecortada. Volvió a mirar el velero, sintió un vuelco en el corazón y lo comprendió. Pensó que estaba chiflada o era tonta. De repente supo que Sam tenía razón: era el *Sea Star*. No existía otra embarcación tan majestuosa y en los últimos minutos se había aproximado mucho.

Se volvió hacia Sam y comprobó que se había ido con su amigo. Probablemente se habían metido en su habitación o veían la tele. Miró nuevamente el mar, contempló la embarcación avanzando en plena tormenta y volvió a recordar el mensaje: «Se aproxima... se aproxima...»; tal vez no habían dicho «impenetrable» sino «impermeable». Sólo Paul era capaz de correr semejante riesgo, pues dominaba tanto la navegación como para hacer aquello. Repentinamente tuvo la certeza de que era Paul quien había llamado. ¿Qué demonios hacía?

Se dirigió a la playa bajo la lluvia torrencial y vio que la embarcación ponía proa al club náutico. Aunque ignoraba las razones, sabía que Paul se aproximaba... se aproximaba... se aproximaba en plena tormenta. Él había telefoneado para decírselo. Al principio caminó y luego echó a correr hacia el promontorio. Sabía que Sam y su amigo estaban bien. También supo algo más y deseó creerlo, pero era disparatado. Paul no cometería semejante dislate... ¿o sí? ¿Y si se estrellaba contra las rocas? ¿Y si...? ¿Por qué lo hacía? Ya no tenía sentido... ¿o tenía todo el sentido del mundo? Antes, en el pasado, había tenido sentido, no sólo para ella sino para ambos. Pese a que el viento arreció, cuando corrió hacia el club náutico supo que pensar algo así, hacerse ilusiones o creerlo era una locura... Paul no haría semejante cosa. Pero tuvo que reconocer que sí porque el velero mantuvo el rumbo fijo en medio del intenso oleaje.

El *Sea Star* salvó las rocas del promontorio y siguió luchando contra el viento y las olas. Para no llevarse un chasco, India se dijo que tal vez Paul no viajaba a bordo. Quizá se trataba de un barco muy similar. También cabía la posibilidad de que Paul fuese tan insensato como ella y creyera en lo que habían disfrutado y perdido, con lo que a veces India soñaba todavía. En ese momento deseó que Paul estuviese a bordo más de lo que había deseado nada en toda su vida. Anheló que fuese Paul quien hubiera llamado.

Llegó al club náutico sin resuello, corrió hasta el promontorio y contempló la nave.

Las embarcaciones amarradas se zarandeaban violentamente y algunos patronos habían acudido a asegurarlas. Los observó trajinar febrilmente, dirigió la mirada al *Sea Star* y cuando vio a Paul se quedó sin aliento. Estaba en cubierta, en compañía de dos miembros de la tripulación. Se movían muy rápido a medida que Paul señalaba distintos instrumentos. Trabajaban codo con codo. ¡Era Paul! Lo reconoció claramente. De repente el magnate se volvió hacia ella. Estaban muy cerca e iniciaban una compleja maniobra para entrar en puerto sanos y salvos.

India resistió como pudo los embates del viento. No le quitó ojo de encima a Paul, que la saludó con la mano. Entrecerró los ojos y lo vio sonreír. Levantó el brazo y también hizo un ademán de saludo. Paul le hacía señas desde cubierta. India estaba empapada pese a que llevaba la gabardina. No le importaba. No le importaba que en el futuro Paul volviese a decepcionarla, en ese momento lo único que necesitaba era saber por qué estaba allí.

Vio que la tripulación al completo subía a cubierta. Paul dio varias órdenes. Los tripulantes se ocuparon de varias tareas. Paul encendió los motores. Estaba empeñado en aproximarse tanto como pudiera. Soltaron el ancla mientras dos tripulantes bajaban el bote. India se preguntó qué hacía Paul. El mar no estaba tan embravecido en el puerto, pero le parecía imposible que Paul pudiese arribar al club náutico en aquel bote. Existía el peligro de que naufragara. Contuvo el aliento y lo observó. Recordó que en Ruanda ella le había dicho que deseaba un hombre que por ella fuese capaz de atravesar un huracán y supo que Paul no lo había olvidado, pues en la posdata de la postal había mencionado el impermeable. A esas alturas estaba convencida de que lo que le había dicho por teléfono tenía que ver con un impermeable. ¿Y lo demás? ¿Sólo se trataba de una broma?

A medida que el bote se aproximaba y que lo veía luchar con las condiciones adversas, India supo que Paul se tomaba totalmente en serio lo que hacía. Temió que naufragara y se hundiese ante sus ojos.

Aunque sólo transcurrieron unos minutos, tuvo la sensación de que Paul tardaba horas en salvar la poca distancia que lo separaba del muelle del club náutico. Cuando se aproximó, la fotógrafa echó a correr a su encuentro. Paul le lanzó un cabo. India lo cogió y lo sostuvo. El magnate abandonó el bote de un salto y ató el cabo a una anilla. Dio una zancada hasta el escalón donde se encontraba India y la miró a los ojos. India ya conocía esa expresión. Era como una voz que la llamaba desde lejos. Era la voz de sus sueños, la voz de la esperanza. Era el recuerdo dulce y amargo a la vez de lo que habían compartido y perdido tan dolorosamente. Se quedó sin palabras y se limitó a mirarlo mientras él la abrazaba.

—Ya sé que no es un huracán... ¿Te basta con un temporal? —le susurró al oído—. Intenté hablar contigo.

—Lo sé. No entendí lo que decías.

India lo miró a los ojos y tuvo miedo de que aquello sólo fuese un sueño.

—Dije que el velero se aproximaba. No hay un huracán, sino una tormenta. —Lo cierto es que era muy intensa—. India, si te empeñas en que sea un huracán te llevaré a Newport... si es que deseas estar conmigo... —dijo Paul y sus lágrimas se mezclaron con la lluvia que empapaba sus mejillas—. Aquí me tienes. Lamento haber tardado tanto.

India lo miró y pensó que no había tardado tanto. No había pasado tanto tiempo. Habían necesitado una vida para encontrarse y un año para superar la tormenta. Por fin el sueño se hacía realidad. Lo habían conseguido. Con mano temblorosa, India le acarició la mejilla, y detrás avistó el *Sea Star*. Habían estado perdidos mucho tiempo, pero milagrosamente habían superado las tormentas de la vida y se habían reencontrado.

Ella sonrió, revelando una actitud que le expresó a Paul cuanto necesitaba saber. India advirtió que por fin estaba a su lado cuando él la cubrió con el impermeable y la besó.